GLI INSUPERABILI
GOLD
57

Della stessa autrice

Ti amo per caso

Tutti i personaggi e gli eventi descritti in questo libro,
tranne quelli di pubblico dominio, sono frutto dell'immaginazione dell'autrice
e qualsiasi somiglianza con persone reali, viventi o defunte, è puramente casuale.

Titolo originale: *Loving Mr. Daniels*

Traduzione dall'inglese di Chiara Balzani

Prima edizione in questa collana: giugno 2017

Roma, Casella postale 6214

www.newtoncompton.com

Realizzazione a cura di Il Paragrafo, Udine
Stampato nel giugno 2017 da Puntoweb s.r.l., Ariccia (Roma)
su carta prodotta con pasta termomeccanica, senza utilizzo di cloro, proveniente
da foreste controllate, nel rispetto delle normative europee vigenti in tema ambientale

Brittainy C. Cherry

L'amore arriva sempre al momento sbagliato

Newton Compton editori

A tutti i Tony del mondo.

Vi vedo.
Vi ascolto.
Vi sento.
E vi voglio bene.

Non siete soli.

Prologo
Daniel

Non so cosa dirti,
non lo so proprio.
In fondo, occuparmi di te porta solo dolore.

Romeo's Quest

Venti mesi prima

Quando parcheggiai la jeep nel vicolo, ero sprofondato in una nube di pensieri tetri e umore nero. Non ero mai stato in quella zona della città; anzi, a malapena ne conoscevo l'esistenza. Il cielo era color della pece e il freddo degli ultimi giorni d'inverno non faceva che esasperare la mia irritazione.

Posai gli occhi sul cruscotto dell'auto.

Le cinque e mezzo del mattino.

Mi ero ripromesso di non rivederlo mai più. Il suo comportamento aveva aperto una voragine tra noi, spazzando via tutto ciò che eravamo stati. Eppure, in cuor mio sapevo che non avrei mantenuto la promessa: non ce l'avrei fatta a stargli lontano. In fin dei conti era mio fratello e anche quando andava fuori di testa – il che purtroppo accadeva spesso – rimaneva comunque mio fratello.

Dopo quindici minuti di attesa, Jace spuntò dal vicolo. Zoppicava e si teneva il fianco. Mi raddrizzai sul sedile, e i nostri sguardi si incrociarono.

«Maledizione, Jace», borbottai, mentre schizzavo fuori dall'auto e sbattevo lo sportello. Mi avvicinai alla luce di un lampione, in modo da potergli guardare il viso. Aveva l'occhio sinistro tumefatto e semichiuso, il labbro inferiore spaccato. La maglietta bianca era macchiata di sangue. «Cosa diavolo hai combinato?», sibilai, mentre lo aiutavo a raggiungere la jeep.

Gemette e provò a sorridere. Poi mugolò ancora.

Chiusi la sua portiera e mi precipitai al volante.

«Mi hanno accoltellato, cazzo». Si passò le mani sulla faccia e s'imbrattò ancor più di sangue. Gli scappò da ridere, ma il suo aspetto non lasciava dubbi su come si sentisse veramente. «Ho spiegato a Red che gli avrei portato i soldi la prossima settimana...», si lamentò con una smorfia, «e lui mi ha mandato quei ceffi».

«Gesù, Jace», sospirai, mettendo in moto e allontanandomi dal marciapiede. Era quasi l'alba, ma sembrava più buio di prima. «Credevo che ormai la vendessi e basta».

Jace si sistemò meglio sul sedile, poi posò l'unico occhio ancora aperto su di me. «Ed è così Danny, te lo giuro». Cominciò a piangere. «Te lo giuro su Dio che è così». Purtroppo, era evidente che non si limitasse a venderla: aveva ricominciato a farne uso. *Merda*. «Mi stavano per ammazzare, Danny. Ne sono sicuro. Erano venuti per...».

«*Zitto!*», urlai, mentre l'immagine di mio fratello mezzo morto si faceva largo tra i miei pensieri. Ero cresciuto con una lugubre, costante sensazione di pericolo. «Non stavi per morire, Jace. E adesso chiudi quella boccaccia».

Piagnucolava per il dolore: sembrava sempre più smarrito e confuso. Le lacrime erano accompagnate da un sordo lamento. «Mi dispiace, non volevo trascinarti di nuovo in questa storia».

Sospirai e, senza nemmeno accorgermene, gli misi una mano sulla schiena per confortarlo. «Va tutto bene», mentii.

Da tempo mi ero tirato fuori dai problemi di mio fratello per concentrarmi sulla musica e sullo studio. Andavo al college, e mancava solo un anno al momento in cui avrei dovuto decidere cosa fare della mia vita. E adesso, invece di studiare per l'esame che dovevo sostenere di lì a qualche ora, mi ritrovavo a soccorrere mio fratello. Grandioso.

Jace giocherellava nervoso con le mani e teneva gli occhi fissi a terra. «Non voglio avere più niente a che fare con questa roba, Danny», mormorò mentre il suo sguardo si posava su di me per un secondo, prima di vacillare e abbassarsi di nuovo. «Stavo pensando che potrei tornare nella band...».

«Jace!», lo stroncai.

«Lo so, lo so. Ho combinato un casino...».

«Un *gran* casino, Jace», lo corressi.

«Ok, va bene. Ma lo sai. L'unica volta che sono stato contento, dopo quella cosa di Sarah...». Sussultò alle sue stesse parole. «L'unica volta che sono stato contento dopo quel giorno è stato sul palco con te e i ragazzi».

Mi balzò il cuore in gola, ma non commentai. Era meglio cambiare argomento. «Dovrei portarti in ospedale...».

Sgranò gli occhi e scosse la testa, deciso. «No. Niente ospedale».

«Perché?».

Si limitò a fare spallucce. «La polizia...».

Ero molto perplesso. «Ti sta cercando, Jace?».

Annuì, e io mi lasciai sfuggire un'imprecazione.

Quindi, non solo dei delinquenti gli stavano dando la caccia, ma era braccato anche dagli sbirri: non so perché, ma non ero affatto stupito.

«Cosa hai combinato?», chiesi, irritato.

«Non importa». Gli lanciai un'occhiataccia, e lui abbandonò ogni resistenza. «Non è stata colpa mia, Danny, te lo giuro. Qualche settimana fa, Red mi ha chiesto di portare una macchina da un posto a un altro. Non so cosa cazzo ci fosse dentro».

«Droga?»

«Non lo so! Ti giuro su Dio che non lo so!».

Ma di che accidenti stava parlando? Cosa pensava di trasportare, caramelle?

«In ogni modo», continuò, «quando mi sono fermato per fare benzina mi hanno beccato. Il tempo di entrare e uscire dalla stazione di servizio e la macchina era circondata da poliziotti. Ho provato a scappare, ma un agente mi ha urlato di fermarmi, allora mi sono messo a correre. Be', alla fine, tutti quei giri intorno alla pista di atletica, a scuola, sono serviti a qualcosa...», sogghignò.

«Ah, lo trovi pure buffo? Tu ti diverti, cazzo!». Ero letteralmente fuori di me. «Perché io invece non mi sto affatto divertendo, sai?». Chinò di nuovo la testa, e ancora una volta mi ritrovai a sospirare. «Dove ti devo portare?»

«Da mamma e papà», rispose.

«Stai scherzando? Nostra madre non ti vede da un anno e tu vuoi andare a casa sua così conciato? Completamente zuppo di sangue? Vuoi farle venire un colpo? E poi papà non sta bene, lo sai».

«Per favore, Danny», piagnucolò.

«La mamma a quest'ora fa la sua passeggiata mattutina al molo...», lo informai.

Tirò su con il naso e se lo asciugò con le dita. «Ok, allora aspetterò, nascosto nella rimessa della barca, così magari mi do una ripulita». Fece una pausa e si voltò verso il finestrino. «Una ripulita è proprio quello che mi ci vuole», ripeté con un filo di voce.

Come se non glielo avessi mai sentito dire prima.

* * *

Impiegammo venti minuti per arrivare a casa. I nostri genitori vivevano a qualche chilometro da Edgewood, nel Wisconsin.

Papà aveva promesso alla mamma una casa su un lago, e finalmente da qualche anno era riuscito a comprarne una. Certo, aveva bisogno di un po' di manutenzione, ma era tutta loro.

Parcheggiai sul retro del capanno, dove papà aveva riposto la barca in attesa della fine dell'inverno. Jace mi ringraziò per averlo portato sin lì. Entrammo nella rimessa, illuminata dalla luce del mattino che trapelava dalle finestre.

Mi arrampicai sulla barca, scivolai al suo interno e presi qualche asciugamano da sottocoperta. Quando riemersi, Jace era seduto e si stava dando un'occhiata alla ferita.

«Non è molto profonda», annunciò, premendosi il palmo della mano sul fianco. Tirai fuori un coltellino, tagliai uno degli asciugamani e glielo premetti sul taglio. Jace mi guardò, irritato. «Papà ti ha dato il suo coltello?».

Fissai la lama che tenevo in mano e la richiusi, poi me la rimisi in tasca. «L'ho solo preso in prestito».

«Papà a me non l'avrebbe nemmeno fatto toccare».

«Già, chissà perché», replicai mentre osservavo la sua ferita.

Non fece in tempo a rispondere perché udimmo un grido provenire dal molo. «Ma che cosa...», mormorai. Uscii dal capanno di corsa e Jace mi seguì zoppicando.

«Mamma!», urlai. Un uomo con una felpa rossa le stava puntando una pistola alla schiena e la spintonava.

«Come hanno fatto a trovarci?», balbettò Jace.

Mi girai di scatto, confuso e fremente d'indignazione. «Lo conosci?!».

Ero incazzato nero. E terrorizzato, *soprattutto* terrorizzato.

Lo sconosciuto ci lanciò un'occhiataccia per squadrarci. E posso quasi giurare che fece un sorrisetto prima di premere il grilletto.

Poi, non appena la mamma finì a terra, iniziò a correre.

Jace gridò con tutto il fiato che aveva in gola: ne uscì un suono cupo, pieno di rabbia.

Fece per avvicinarsi, ma lo anticipai.

«Mamma, va tutto bene», le sussurrai. Mi voltai verso mio fratello e gli diedi uno spinta per scuoterlo. «Chiama il 911, sbrigati».

Se ne stava in piedi, sopra di noi, con gli occhi iniettati di sangue, mentre le lacrime gli rigavano il volto. «Danny, lei non è... non è...». Balbettava, e per un attimo lo odiai perché stava pensando esattamente quello che pensavo io.

Mi frugai nelle tasche, presi il cellulare e glielo misi in mano. «Chiama il 911!», urlai, mentre stringevo mia madre tra le braccia.

Alzai lo sguardo verso casa e vidi mio padre. In quel momento si rese conto di quello che era successo: aveva udito uno sparo e sua moglie giaceva a terra, immobile.

Nonostante fosse molto debilitato dalla malattia, corse verso di noi.

«Papà... La mamma... *Le hanno sparato!*», esclamò Jace, e al solo udire quelle parole cominciai a piangere.

Accarezzai mia madre sulla testa e la abbracciai, mentre papà ci raggiungeva trafelato.

«No... no... no...», balbettò, accasciandosi al suolo.

La abbracciai ancora più forte e poi strinsi anche lui. Mia madre mi guardò con i suoi occhi azzurri, in cerca di risposte a domande silenziose. «Va tutto bene, ma'. Te la caverai, non ti preoccupare», le bisbigliai all'orecchio.

Le stavo mentendo, e mentivo anche a me stesso: non ce l'avrebbe fatta, lo sapevo. Una vocina dentro di me mi sussurrava che era troppo tardi: la mamma non aveva speranze. Eppure non riuscivo a smettere di ripeterlo, né di pensarlo. E non riuscivo a smettere di piangere:

Te la caverai.

Capitolo 1
Ashlyn

La morte non fa paura,
la morte non è una maledizione.
Avrei solo voluto che prendesse me per primo.

Romeo's Quest

Oggi

Mi sedetti su una delle panche più lontane, in fondo alla chiesa. Odiavo i funerali, ma d'altronde non c'era da stupirsene, no? Chissà se c'erano davvero persone che apprezzavano questo genere di cerimonie. Persone che partecipavano ai funerali come fosse un hobby, e che non si lasciavano sfuggire l'occasione di una bella ventata di tristezza. Che spasso, eh?

Va bene. Va bene, adesso smettila.

Ogni volta che mi si avvicinava qualcuno, la stessa storia. Ogni volta intravedevo quell'attimo di timore e titubanza, la malcelata convinzione di trovarsi di fronte a Gabby. «Stia tranquillo, non sono lei», sussurravo, prima che la persona in questione potesse fare qualcosa di avventato. «Non sono lei, no...», ripetevo tra me e me, agitandomi sulla panca di legno.

Da bambina ero stata molto male, e dai quattro ai sei anni ero entrata e uscita dall'ospedale. Avevo un buco nel cuore, o qualcosa del genere. Dopo molte operazioni chirurgiche e innumerevoli preghiere, ero riuscita finalmente a tornare a una vita normale. Mia madre, all'epoca, era stata convinta che stessi per morire, e probabilmente adesso era delusa dal fatto che fosse invece toccato a Gabby, anziché a me.

Quando aveva saputo della malattia di Gabby, nostra madre aveva iniziato a bere. Certo, faceva di tutto per tenercelo nascosto, ma ci avevo messo poco a scoprirlo. Una sera ero entrata in camera sua per controllare che stesse bene: l'avevo trovata in lacrime, scossa dai singhiozzi, sdraiata tra le lenzuola. E quando mi ero avvicinata per abbracciarla, ero stata letteralmente travolta dall'odore di whiskey.

Non mi ero stupita però: mia madre non se l'era mai cavata bene nelle situazioni difficili, e l'alcol era sempre stato la sua soluzione preferita per affrontare i problemi. Si era spesso ricoverata per disintossicarsi, e quando accadeva io e Gabby eravamo costrette a trasferirci dal nonno: non conservo un bel ricordo di quei periodi. Dopo l'ultima volta aveva promesso che ci avrebbe dato un taglio, per sempre.

In chiesa, mia madre sedeva in prima fila accanto a Jeremy, il suo compagno, l'unica persona in grado di assicurarsi che si lavasse e si vestisse tutte le mattine. Non ci eravamo parlati granché prima del funerale: la malattia di Gabby ci aveva reso tutti egoisti. Mia madre aveva sempre preferito mia sorella a me, e non era un segreto: Gabby aveva i suoi stessi gusti, le piacevano le creme di bellezze e i trucchi, i reality in tivù. Quando Gabby e la mamma stavano insieme non facevano altro che ridere e divertirsi un mondo, mentre io mi rintanavo sul divano, chiusa in camera, a leggere i miei libri.

I genitori dicono sempre di amare tutti i propri figli incondizionatamente e di non avere un preferito, ma questo è impossibile, perché a volte capita che un figlio ti assomigli a tal punto da poter quasi giurare che Dio lo abbia creato a tua immagine. Ecco, questo era il caso di Gabby e di mia madre. Ma succede anche che ti venga fuori una figlia che, nel tempo libero, legge il dizionario perché trova le parole "divertenti". Indovinate di chi sto parlando, invece?

Mia madre mi voleva bene, certo, ma non le andavo a genio,

ne ero sicura. Per me non era un problema, perché ci pensavo io a colmare questa lacuna con il mio affetto, che valeva doppio.

Jeremy era un uomo perbene e mi chiesi se sarebbe stato in grado di restituirmi la madre di un tempo, quella che avevo conosciuto prima della malattia di mia sorella. Quella che rideva sempre. Che riusciva a sopportarmi, anche se eravamo come il giorno e la notte. Che mi voleva bene, anche se non le andavo a genio. Quella mamma che mi mancava così tanto.

Sospirai, grattandomi via lo smalto nero dalle unghie delle mani. Il sacerdote continuava a parlare di Gabby come se la conoscesse, ma in realtà non l'aveva mai vista. Non eravamo mai andate in chiesa, ed era ipocrita che il funerale si svolgesse proprio lì. Mia madre diceva sempre che la chiesa era dentro di noi e che Dio si poteva trovare in ogni cosa, per cui non c'era ragione di recarsi in un posto specifico ogni domenica. Probabilmente intendeva solo dirci: "Be', io la domenica preferisco dormire".

Mi mancava il respiro. Non sarei riuscita a rimanere in quella chiesa un minuto di più. Per essere un luogo di fede e di preghiera, era così soffocante. Quando attaccarono l'ennesimo inno, pensai, *ommioddio, ma quanti inni esistono?!* Poi mi voltai impaziente verso l'entrata e infine mi decisi: mi alzai e uscii. La calura estiva, quell'anno più opprimente che mai, mi schiaffeggiò all'improvviso e prima ancora di poter raggiungere i gradini della chiesa grondavo già sudore. Mi sistemai il vestito nero che ero stata obbligata a indossare e cercai di non barcollare sui tacchi dall'altezza non proprio familiare.

La mise era stata una scelta di Gabby in persona (quando era ancora in vita, naturalmente). Qualcuno potrebbe pensare che per me fosse strano indossare proprio *quel* vestito, ma mia sorella era fatta così, non c'era da stupirsi. Diciamo che era un po' ossessionata da queste cose. Parlava della sua morte da sempre, da prima ancora di ammalarsi, e desiderava che al suo funerale fossi più bella che mai. Il vestito mi stringeva un po' sui fianchi, ma non mi lamentavo. Con chi avrei potuto farlo, d'altra parte?

Mi sedetti in cima alla scalinata della chiesa e mi appoggiai ai gomiti. Che noia, i funerali. Osservai una formica muoversi a zig zag sul gradino, spaventata e confusa, senza un istante di tregua. «Be', sembra proprio che io e te abbiamo tante cose in comune, Signora Formica».

Mi riparai gli occhi con una mano e alzai la testa al cielo azzurro. Stupido cielo azzurro, sembrava così contento! Nonostante la mano, il sole riuscì ugualmente a raggiungermi e a scaldarmi, infiammandomi di rimorso e senso di colpa.

Abbassai la testa e fissai con attenzione il cemento dei gradini, muovendo nervosa la punta dei piedi. Non ne ero sicura, ma sospettavo che la solitudine fosse una malattia. Una malattia disgustosa e contagiosa, che si insinuava lentamente nell'organismo e finiva per sconfiggerti, anche se facevi di tutto per combatterla.

«Disturbo?», chiese qualcuno dietro di me. *Questa è la voce di Bentley o sbaglio?*

Mi voltai e lo vidi lì, in piedi, con una specie di portagioie di legno tra le mani. Mi sorrise, ma i suoi occhi sembravano tristissimi. Diedi un colpetto sul gradino accanto a me, e lui fu rapido ad accettare il mio invito silenzioso. Gabby aveva scelto anche l'abito di Bentley, che indossava una giacca blu sopra una T-shirt sdrucita dei Beatles. Probabilmente la gente in chiesa aveva disapprovato quell'accostamento bizzarro, ma Bentley se ne fregava di quello che pensavano gli altri. A lui importava solo di una ragazza, e di quello che voleva lei.

«Come va?», chiesi, posandogli una mano sul ginocchio.

Mi guardò dritto negli occhi e abbozzò una risata mesta, ma entrambi sapevamo che stava soffrendo. Povero ragazzo. Prima che potessi dire qualcosa, posò la scatola di legno accanto a sé e si nascose il volto tra le mani, poi si raggomitolò in posizione fetale sui gradini. Mi pareva quasi di sentire distintamente il rumore del suo cuore che andava in mille pezzi. Avevo visto Bentley piangere una volta sola, prima di quel momento, ed era stato quando era riuscito a trovare i biglietti per il concerto di Paul McCartney. Ma quella volta aveva pianto di gioia.

Vederlo in quello stato mi fece sentire impotente, mentre l'unica cosa che avrei voluto fare era prendere tutto il suo dolore e scaraventarlo fuori dal suo corpo, lontano da lì, per sempre.

«Mi dispiace tanto, Bentley», sussurrai mentre lo cingevo con le braccia.

Lui singhiozzò ancora per qualche istante, poi si strofinò gli occhi. «Sono un cretino, scusami. Mi sono lasciato completamente andare. L'ultima cosa di cui hai bisogno è vedere qualcuno ridotto in questo stato. Perdonami, Ashlyn», si scusò. Era il ragazzo più dolce che avessi mai incontrato. Ed è sempre un peccato quando ragazzi come lui soffrono, perché il loro cuore è più sensibile di quello degli altri.

«Non devi scusarti con me». Intrecciai le dita e mi posai il mento sulle mani.

Bentley si sporse verso di me e mi diede un colpetto sulla spalla. «E *tu* come stai?», chiese, rivolgendomi il suo solito sguardo premuroso. Se solo mia sorella avesse potuto vedere quanto era preoccupato per me, si sarebbe sciolta. Forse da dove si trovava in quel momento, nell'altra vita, insieme a Tupac e alla mamma di Nemo, adesso stava sorridendo soddisfatta.

Il semplice pensiero che non fossi l'unica a soffrire mi fece stare subito meglio. Per Gabby, Bentley aveva significato il mondo intero, ma per lui Gabby *era stata* il mondo intero. Lui aveva due anni più di noi. Lo avevamo incontrato alle superiori, quando era al terzo anno. Gabby era al secondo e io ancora al primo, perché ne avevo perso uno per via della malattia.

Nel giro di poche settimane, Bentley sarebbe ripartito per il Nord, dove avrebbe cominciato il secondo anno di college. Studiava medicina, cosa alquanto ironica, visto che in quel preciso momento stava soffrendo per una ferita che nessuna cura avrebbe potuto guarire.

«Tutto bene, Bent». Era una bugia, e lui lo sapeva, ma andava bene così. Non mi avrebbe fatto altre domande. «Hai visto Henry, dentro?», chiesi, lanciando una breve occhiata al portone della chiesa.

«Sì, ci siamo scambiati due parole. Gli hai parlato?»

«No, e non ho parlato nemmeno con mia madre. Non ci parlo da giorni, a dire il vero». Bentley colse il tremolio nella mia voce, e mi attirò a sé per confortarmi con un abbraccio.

«Tua madre è solo molto triste, ma non è cattiva e non vuole ferire nessuno, credimi».

Sfiorai con le dita i gradini, tastando la superficie ruvida con i polpastrelli. «La mamma avrebbe preferito che fosse successo a me», mormorai. Una lacrima mi scivolò sulla guancia e guardai Bentley: sembrava molto colpito da quelle parole. «Non riesce nemmeno a guardarmi perché... be', sono la gemella cattiva, quella che è sopravvissuta».

«Cosa dici!», esclamò indignato. «Ashlyn, non c'è niente di cattivo in te».

«Come fai a dirlo?»

«Be', sai», raddrizzò la schiena e mi rivolse un sorriso smagliante, «sono un dottore, io. Quasi». Non potei fare a meno di ridere. «E per essere precisi... L'ultima volta che io e Gabby abbiamo parlato, non faceva altro che ripetere quanto fosse felice che non fosse capitato a te».

Mi morsi il labbro inferiore, cercando di ricacciare indietro le lacrime. «Grazie, Bentley».

«Ci mancherebbe, amica». Mi strinse a sé un'ultima volta. «E adesso, passiamo alla cosa più importante». Prese la scatola di legno che aveva posato accanto a sé, la sollevò e me la mise in grembo. «Da parte di Gabby. Mi ha detto di dartela e riferirti di aprirla dopo il funerale, stasera. Non so cosa contenga. Non me l'ha svelato. So solo che è per te».

Guardai la scatola di legno: era una specie di scrigno, che accarezzai piano con i polpastrelli. Cosa poteva esserci dentro? Perché era così pesante?

Bentley si alzò e si infilò le mani in tasca, poi fece qualche passo verso la chiesa. Udii il battente del portone che si apriva e poi il rumore dei singhiozzi, fino a quel momento confinato all'interno, si riversò fuori, giungendo fino alle mie orecchie. Non alzai lo sguardo, ma sapevo che Bentley era ancora lì.

Si schiarì la gola e si prese qualche momento prima di parlare. «Stavo andando da lei per chiederle di sposarmi».

Lo scrigno di legno mi premeva contro le cosce, e sul mio viso sentii il calore penetrante del sole estivo, che mi riversava addosso la sua luce. Senza voltarmi, annuii. «Lo so».

Fece un profondo sospiro, poi si voltò e rientrò in chiesa. Io rimasi seduta ancora un po', chiedendomi se il sole di quel pomeriggio mi avrebbe sciolto in un mucchietto insignificante di ossa, proprio lì, sui gradini. La gente gravitava intorno alla chiesa, eppure nessuno mi prestava attenzione. Erano tutti troppo occupati a vivere la propria vita per notare la mia che, in qualche modo, si era *fermata*.

Il portone della chiesa si aprì di nuovo: era Henry stavolta. Non disse niente e si sedette abbastanza lontano per evitarmi l'imbarazzo di quel momento. Si frugò nelle tasche, tirò fuori un pacchetto di sigarette e ne accese una. Una nuvoletta di fumo gli uscì dalle labbra, e per un istante fui rapita dalle volute ipnotiche che si levavano per aria prima di dissolversi.

«Non credi sia di cattivo gusto fumare sui gradini di una chiesa?».

Henry scrollò un po' di cenere dalla sigaretta prima di parlare. «Be', visto che hanno appena seppellito una delle mie figlie, penso proprio di potermi concedere una sigaretta qui, sui gradini, e fanculo a tutti. Almeno per oggi».

Risi, e il sarcasmo pervase ogni centimetro della mia voce. «Mi sembra coraggioso da parte tua chiamarci *figlie* dopo diciotto anni di telefonate una volta l'anno, il giorno del nostro compleanno, e la cartolina di rito a Natale». Senza contare che era passato un bel po' di tempo dall'ultima volta che era venuto a trovarci dal Wisconsin, dove abitava.

Nella sua vita non aveva certo aspirato a ricevere il primo premio come papà dell'anno, e io ormai mi ero messa il cuore in pace. Arrivare proprio oggi e recitare il ruolo del padre in lutto però gli doveva costare fatica, nonostante se ne stesse lì a fumare sigarette.

Si limitò a sospirare, evitando di rispondere. Rimanemmo seduti in silenzio, intenti a guardare la gente che passava. Quel tanto bastò per farmi sentire in colpa per averlo aggredito.

«Scusa», mormorai. «Non intendevo ferirti», anche se non ce n'era bisogno perché non avrebbe reagito alle mie odiose provocazioni.

Infine Henry mi parlò, rivelandomi la ragione per cui mi aveva raggiunto là fuori. «Ho parlato con tua madre. Sta passando davvero un brutto momento». Non spiccicai parola. Certo che stava passando un brutto periodo! La sua figlia preferita era morta! «Abbiamo deciso che è meglio se vieni a stare da me», proseguì. «Potrai frequentare il terzo anno nel Wisconsin».

Stavolta risi di cuore. «Sì, certo, Henry». Almeno il suo senso dell'umorismo era ancora integro. Un senso dell'umorismo un po' bizzarro, ma sempre divertente. Mi voltai verso di lui e scorsi un'espressione severa nei suoi occhi verdi, che avevano la mia stessa sfumatura di colore. Verdi, come quelli di Gabby. Mi si contrasse lo stomaco e iniziai a piangere. «Stai dicendo sul serio? Non mi vuole più?»

«Non è proprio così...». Gli tremava la voce: aveva paura di farmi del male.

Era proprio così, invece. Mia madre non mi voleva più con sé. Altrimenti perché avrebbe dovuto spedirmi nella terra delle mucche, del formaggio e della birra? Sapevo che stavamo passando un periodo terribile, ma succede inevitabilmente a tutte le famiglie dopo un lutto. Si soffre. Si cammina sui pezzi di vetro. Si grida, quando non se ne può più, e poi si piange anche, e si battono i piedi. Si crolla. Tutti insieme, però.

Il mal di stomaco delle settimane precedenti rifece capolino; mi sentii svenire, e mi disprezzai. *Non farlo davanti a Henry. Non cedere davanti a lui!*

Mi sollevai, stringendo lo scrigno di legno sotto il braccio sinistro. Mi spolverai il vestito sulla schiena con la mano destra e feci qualche passo verso il portone della chiesa. «Va bene», mentii, mentre ero già nel panico al pensiero di quello che mi aspettava. «In fondo... A chi importa essere buttato fuori di casa in un momento del genere?».

* * *

Era passata una settimana dal giorno del funerale, e mia madre era rimasta quasi sempre da Jeremy. A essere sincera, non era esattamente così che avevo immaginato di trascorrere le ultime settimane estive, piangendo da sola in casa, tutto il giorno. Era patetico, senza ombra di dubbio. La cosa positiva era che negli ultimi dieci minuti ero riuscita a non piangere. Una piccola vittoria.

Percorsi il corridoio e mi appoggiai contro lo stipite di quella che una volta era stata la nostra camera da letto. Era lì, poggiato sulla mia cassettiera. Lo scrigno delle meraviglie. L'intera vita di Gabby, o perlomeno quella che aveva sognato di vivere un giorno, era in quella scatola. Me lo sentivo. Prendetelo per un sesto senso, o percezione extrasensoriale tra gemelli, ma io lo sapevo. Era una scatola di legno, piccola e semplice, e avrei dovuto aprirla la sera del funerale, e invece era rimasta lì, sul mobile: mi ero semplicemente limitata a fissarla, senza fare altro.

La sollevai. Sul fondo trovai la chiave, la presi e mi spostai sul mio letto, all'angolo destro della stanza, lanciando un'occhiata triste al letto sulla parete opposta. Mi rannicchiai contro il muro e inserii la chiave nella serratura. Con il fiato sospeso, sollevai il coperchio, e subito le lacrime mi velarono lo sguardo. Con un gesto rapido mi asciugai gli occhi e inspirai a fondo, cercando di tornare a respirare normalmente. Due secondi. Non avevo pianto, negli ultimi due secondi. Un'altra piccola vittoria.

Nella scatola c'erano tantissime buste da lettera. In cima campeggiavano una tonnellata di plettri della vecchia chitarra di Gabby. Era stata una musicista sorprendente, e aveva sempre cercato di insegnarmi a suonare quella sua maledetta chitarra, ma io ero riuscita soltanto a farmi venire i calli alle dita e perdere del tempo prezioso che avrei potuto impiegare per terminare il mio romanzo.

Mi sentii subito male al pensiero di non essermi impegnata di più per renderla felice: Gabby invece aveva trovato il tempo di aiutarmi a portare avanti il libro, che altrimenti non avrei mai finito.

In un angolino dello scrigno c'era un anello: l'anello di fidanzamento che le aveva dato Bentley. Lo accarezzai per un istante, prima di rimetterlo al suo posto. Bentley era la persona più vicina a un fratello che avessi mai avuto e gli augurai mentalmente di riprendersi presto, e così tornare a essere il ragazzo divertente e amorevole di sempre.

Per il resto, c'erano solo lettere. Quintali di lettere. Le buste erano almeno quaranta, tutte numerate, contrassegnate da una frase e sigillate da un cuore disegnato a penna. Sulla prima c'era scritto: "Leggimi per prima". Posai la scatola sul letto, la presi e lentamente la aprii.

Cara sorellina,

L'apparizione improvvisa di quelle parole scritte da Gabby mi lasciarono di sasso. Ero divisa in due: da un lato mi veniva da piangere alla vista di quella grafia così familiare, dall'altro mi scappava da ridere per come si rivolgeva a me: "Cara sorellina". Alla nascita mi aveva battuto di soli quindici minuti, e non aveva mai smesso di farmelo notare, chiamandomi "sorellina" o "mocciosa". Continuai a leggere, divorata dal desiderio di aprire subito tutte le lettere, dalla prima all'ultima, per sentirmi di nuovo in contatto con lei.

Prima di tutto voglio dirti una cosa: ti voglio bene.

Sei il mio primo amore, e il più profondo. Sì, so che queste lettere possono sembrare un po' morbose, ma *carpe diem*, giusto?

Ho chiesto a Bentley di raccomandarti di aprirle la sera del funerale, ma so che probabilmente avrai aspettato un giorno o due...

«O sette», mormorai, e non potei fare a meno di sorridere quando lessi la riga successiva.

O sette. Sai, mi sembra che abbiamo lasciato così tante cose in sospeso...

Che ci siano così tante cose che non potremmo fare insieme!

Mi spiace di non poter essere lì per il tuo diploma, per esempio.

Mi spiace di non poter bere fino a svenire insieme a te alla festa dei nostri ventun anni.

Mi spiace di non essere lì quando firmerai le copie del tuo primo libro.

Mi spiace così tanto di non poter essere lì ad abbracciarti quando soffrirai per amore, e di non poter essere la tua damigella d'onore il giorno delle tue splendide nozze.

Ma ho bisogno che tu faccia una cosa per me, Ash.

Ho bisogno che tu la smetta di sentirti in colpa.

Subito! Falla finita, ci siamo capite?

Ho bisogno che tu vada avanti. Sono io che sono morta, non tu.

Ricordi? Quindi, alla pagina successiva trovi la lista delle cose che devi fare prima di morire. Già, ci ho pensato io a scriverne una per te, perché so che tu non lo faresti mai.

Ogni volta che porterai a termine un'azione, ci sarà una lettera ad aspettarti, proprio come se fossi accanto a te.

Forza, adesso leggi la lista. E non aprire MAI una lettera prima di aver depennato una voce dall'elenco.

E per l'amor del cielo, Ash, fatti una doccia, datti una pettinata e truccati un po', sembri la ragazzina dell'*Esorcista*.

Mi spiace tanto che tu stia soffrendo per colpa mia, e che ti senta così sola e perduta.

Ma credimi... Stai andando alla grande, mocciosa.

Gabrielle

Voltai la pagina e fissai la "lista delle cose da fare prima di morire". Non ero affatto sorpresa di quanto fosse accurata: Gabby non aveva tralasciato nessuna delle cose che avremmo voluto fare insieme e di cui eravamo solite parlare. L'elenco comprendeva paracadutismo, leggere tutto Shakespeare, e poi ancora innamorarmi, pubblicare un romanzo, organizzare un incontro divertente con i miei lettori a base di tè e *cupcakes*, diventare mamma di due gemelli, uscire con il ragazzo sbagliato ed essere ammessa all'Università della California. Altre voci della lista rispecchiavano piuttosto i desideri di Gabby, e non tanto i miei, però: dimenticare Henry, imparare a piangere di gioia e a ridere nei momenti tristi, ubriacarsi e ballare in un bar, restituire a Bentley l'anello, prendersi cura della mamma, ricreare la famosa scena del *Titanic*.

La porta di casa si aprì e mia madre entrò nel soggiorno. Riposi la lettera e chiusi la scatola, poi uscii dalla mia camera e mi fermai a qualche passo da lei. Mi fissava, con il volto rigato di lacrime e la bocca socchiusa come se fosse in procinto di dirmi qualcosa. Scrollò le spalle, poi rimase in silenzio. Sembrava sconvolta, logorata. Distrutta.

«Domani vado da Henry», annunciai. Per un breve istante, mia madre rabbrividì. Considerai l'ipotesi di dirle che avevo cambiato idea e che sarei rimasta lì a casa insieme a lei, ma prima che potessi proporglielo, parlò.

«Va bene, Ashlyn. Hai bisogno che Jeremy ti accompagni alla stazione?».

Feci di no con la testa. Il cuore martellava senza tregua contro il petto, e mi sforzai con tutta me stessa di mantenere il controllo.

«No. Me la caverò. E solo perché tu lo sappia, sarà un trasferimento definitivo». La voce mi si spezzò, ma trattenni le lacrime. «Non tornerò indietro. Ti odio, mamma, mi stai abbandonando proprio quando ho più bisogno di te. Non ti perdonerò mai».

Abbassò gli occhi al pavimento, la schiena ricurva. Poi mi guardò un'ultima volta prima di voltarsi e tornare verso la porta. «Fai buon viaggio».

E con queste parole, mi lasciò lì. Sola, ancora una volta.

Capitolo 2
Ashlyn

Ricorda sempre il nostro primo sguardo.
E ti prometto che non avrai bisogno di altro.

Romeo's Quest

L'indomani giunse in un baleno. Ero seduta fuori dalla stazione ferroviaria, in cima a una grossa valigia. Non ero mai stata su un treno prima di allora e dovevo ammettere che era stata un'esperienza interessante.

Avevo imparato tre cose sui treni: la prima, è che può capitare che uno sconosciuto si sieda accanto a te e cominci a russare e a sbavare, ma tu devi fare finta di niente; la seconda, che un caffè costa più di una mandria di mucche; la terza, che i controllori assomigliano tutti a quello del film *Polar Express* (senza gli effetti speciali, certo).

Nei libri e nei film i treni sembrano sempre più fichi di quel che sono, quando invece nella realtà sono semplici automobili che corrono sui binari. In treno si respira una certa atmosfera d'annata, cosa che non mi stupisce, visto che ogni singolo veicolo viene chiamato *carrozza*. Be', quasi tutti: quello all'inizio del treno si chiama *locomotiva*, e l'ultimo di solito è il *vagone letto*. Se ci fosse stata Gabby mi avrebbe già zittita… *Ecco, era successo di nuovo.* Ogni cosa mi faceva tornare in mente mia sorella e, senza accorgermene, mi ritrovai a ridere e a piangere nello stesso tempo. Ovviamente attirai l'attenzione dei passanti, che mi guardavano attoniti, forse pensando che fossi una povera pazza. Per rimediare, tirai fuori un libro dalla borsa e lo aprii. Caspita, le persone possono essere così giudicanti a volte!

Mi rimisi la borsa in spalla e sospirai. Odiavo le borse, quella fissata era Gabby: aveva una passione smodata per i vestiti e gli accessori. E aveva anche molto gusto. Io? Non così tanto, però quella borsa aveva avuto la sua benedizione, e questo era già qualcosa.

Sapete qual è la cosa migliore delle borse? Che sono comode per portare in giro i libri. Stavo leggendo l'*Amleto* per la quinta volta nel giro di tre settimane. La notte precedente mi ero fermata nel punto in cui Amleto scrive a Ofelia per dirle di dubitare di tutto ciò che vede, tranne che del suo amore. Ma lei, sciocca, si uccide comunque. D'altronde, siamo in una tragedia shakespeariana.

Mentre ero assorta nella lettura, con la coda dell'occhio notai un uomo trascinare i bagagli fuori dalla stazione. Fece qualche passo, poi appoggiò le valigie contro il muro della stazione. Chiamarlo "uomo" non era del tutto corretto, ma non poteva certo dirsi nemmeno un ragazzino. C'era bisogno di una parola per quell'età che sta proprio nel mezzo... Mmm, fatemi pensare, un misto tra uomo e ragazzo. Forse *ragazzuomo*?

Insomma, questo ragazzuomo era seduto nel mio stesso vagone, sul treno, e lo avevo notato subito. Impossibile non vederlo. Era abbastanza raro per me trovare bello qualcuno, ma lui era decisamente sopra la media. Mentre lo spiavo da dietro le pagine del libro, si passò le dita tra i capelli castano scuro che portava lunghi, fin *troppo* lunghi per i miei gusti, ma quando gli ricaddero perfettamente intorno al volto cambiai idea e arrossii all'istante.

Per tutto il viaggio verso il Wisconsin era rimasto due sedili dietro di me. Quando ero andata alla toilette, avevo notato che tamburellava le dita sulle cosce seguendo un ritmo preciso, muovendo la testa avanti e indietro. Forse era un musicista. Anche Gabby batteva sempre il ritmo con i piedi e dondolava la testa.

Sì, di sicuro era un musicista.

Il ragazzuomo aveva notato il mio interesse, aveva alzato lo sguardo e mi aveva rivolto un sorrisone. Cosa che mi aveva scombussolato all'istante. Così, avevo spostato subito lo sguardo sull'interessantissima moquette blu del treno, puntellata di macchie di caffè, e avevo affrettato il passo. Quegli occhi erano così azzurri, e curiosi... Per un secondo, mi erano sembrati un passaggio segreto per un altro mondo, un mondo bellissimo, mozzafiato, splendente... e azzurro come l'oceano. Sospirai. Sì, quegli occhi erano proprio un passaggio per un mondo migliore.

Ah, tra l'altro, meglio lasciar perdere i bagni dei treni. Nel mio caso erano luridi e ricoperti di orribili chewing-gum appiccicosi. Nel tragitto per tornare al mio posto, sarei dovuta passare di nuovo davanti a Mr. Occhi Stupendi: con il cuore che mi martellava nel petto, avevo abbassato lo sguardo finché non mi ero di nuovo accomodata, finalmente al sicuro. Ma poi, senza che me ne rendessi conto, la mia testa si era girata verso di lui, mossa dal desiderio di dargli un'altra occhiata. *Che figura!* Il ragazzuomo mi aveva sorriso ancora e aveva sollevato una mano in cenno di saluto. Io ero rimasta impassibile, troppo nervosa per reagire: gli sconosciuti con gli occhi azzurri mi fanno uscire fuori di testa.

E quella era stata l'ultima volta in cui l'avevo visto. Be', fino a *ora*. Me ne stavo lì, fuori dalla stazione. E lui se ne stava lì, fuori dalla stazione. Insomma, ce ne stavamo entrambi lì fuori dalla stazione, *insieme*. Spostai impercettibilmente gli occhi su di lui e *pum*, il cuore mi balzò subito in gola.

Fingendo indifferenza, mi voltai in direzione di Mr. Occhi

Stupendi come se volessi controllare se stava arrivando qualcuno.

All'improvviso, il ragazzuomo mi guardò. *Pum*, e di nuovo il cuore in gola. Cominciai a canticchiare e mi guardai intorno nel patetico tentativo di sembrare spontanea e rilassata, mentre battevo ritmicamente il piede sul marciapiede, finché non mi rimase un'unica soluzione: nascondermi dietro il libro che stavo leggendo prima.

«"Dubita che di fuoco sian le stelle, o che si muova il sole, o che la verità sia una storiella, ma giammai del mio amore"», udii recitare davanti a me.

Lasciai scivolare lentamente il libro fino alle labbra, e me lo trovai di fronte, intento a fissarmi sorridente. «Oh, ma non dire...».

Il suo sorriso scomparve, e sul suo volto si dipinse un'espressione contrita. «Oh, scusami. Ho visto che stavi leggendo...».

«Sì, l'*Amleto*».

Si passò un dito sul labbro superiore, pensieroso, e si fece più vicino. *Pum. Pum pum.* «Già, l'*Amleto*. Perdonami, non volevo interromperti», si scusò, e la sua voce era molto dolce. Quasi come miele. Ma io non volevo delle scuse. Ero solo contenta di scoprire che ci fosse qualcun altro, nel mondo, in grado di citare il grande William.

«No, non mi hai interrotto. "Ma non mi dire" non significava mica "taci!", ma piuttosto "Oh, merda, è incredibile, non dirmi che sai recitare a memoria Shakespeare?!". È questo che intendevo».

«Hai pensato proprio "merda", quindi?».

Deglutii. Raddrizzai la schiena. «No, be'...».

«Uhm, secondo me, sì».

Sorrise di nuovo, e per la prima volta mi resi conto di quanto fosse schifoso il tempo. C'erano quasi trentatré gradi, lì fuori.

Le mani mi sudavano, e avevo le dita dei piedi incollate, senza contare il sudore che mi sgocciolava sulla schiena e sulla fronte.

Mr. Occhi Stupendi fece per aprire la bocca, e io schiusi le labbra nello stesso momento. Ma mi fermai, perché preferivo nettamente sentire la sua voce.

«Solo in visita o rimani?», chiese.

Lo guardai senza capire. «Eh?».

Rise e fece un cenno con il capo. «Sei qui per visitare la città o rimani per un po'?»

«Oh», risposi, fissandolo troppo a lungo senza spiccicare parola. *Parla, Ash! Parla!* «Mi sto trasferendo. Qui. Mi trasferisco qui. Sono appena arrivata».

Sollevò un sopracciglio, incuriosito. «Oh, davvero?». Afferrò il manico della valigia con la mano destra e si avvicinò, poi mi porse l'altra mano, sorridendomi cordiale. «Allora, benvenuta a Edgewood, e nel Wisconsin».

Gli guardai la mano, poi di nuovo il viso. Posai il libro sul petto e incrociai le braccia per sorreggerlo. Non potevo certo stringergli la mano, avevo i palmi completamente bagnati. «Grazie».

«Be'», disse con un impercettibile sospiro, senza smettere di sorridere. «Piacere di averti conosciuto», e si allontanò verso il taxi che era appena arrivato.

Mi schiarii la gola, mentre il mio cuore batteva contro le pagine di Amleto e Ofelia, e la mia mente iniziò a correre. I miei piedi non ne volevano sapere di stare fermi, così balzai dalla valigia, rovesciandola.

«Ehi, scusa… Sei un musicista?», gridai verso di lui, prima che potesse dileguarsi.

Il ragazzuomo si voltò verso di me. «Come lo sai?».

Cominciai a tamburellare le dita sul dorso del libro, seguendo lo stesso ritmo che stava suonando lui poco prima sul treno. «Così».

Socchiuse gli occhi. «Ci conosciamo?».

Feci una smorfia e scossi la testa, domandandomi se avesse notato il sudore che mi grondava dalla fronte. Sperai di no.

«Quanti anni hai?»

«Diciannove».

Annuì, e si passò una mano tra i capelli. «Bene. Perché devi averne almeno diciotto per poter entrare. Ti faranno un timbro e controlleranno la carta di identità anche al bar, ma potrai stare lì, ascoltare la musica e tutto il resto. Però non provare a comprare alcolici, mi raccomando». Inclinai la testa, fissandolo. Rise. *Oh, che suono meraviglioso!* «Ci vediamo da Joe, sabato sera».

«Chi diavolo sarebbe Joe?!», gridai. Non mi era chiaro se stessi parlando a lui, o da sola nella mia testa, o se le uniche ad ascoltarmi fossero quelle dannate farfalle che mi svolazzavano nella pancia.

«Un locale!». La sua voce crebbe di un'ottava e poi esplose in una risata. «Io e la mia band suoneremo alle dieci. Vieni, ti piacerà». E concluse con il sorriso più gentile del mondo. Così gentile che quasi mi strozzai e presi a tossire.

Alzò una mano e mi salutò, sorridendo. Poi chiuse la portiera del taxi e se ne andò per la sua strada.

«Ciao...», sussurrai mentre guardavo l'auto allontanarsi. Non smisi di fissarla finché non svoltò dietro l'angolo, e sparì definitivamente. Abbassai gli occhi sul libro che stringevo tra le mani e sorrisi. Stavo per ricominciare tutto da capo, di nuovo. A Gabby sarebbe piaciuto tanto questo incontro così goffo e bizzarro...

Ne ero certa.

Capitolo 3
Ashlyn

> Non mi guarderò indietro,
> non verserò una lacrima,
> e non ti chiederò nemmeno il motivo
> di tutto questa indifferenza.
>
> Romeo's Quest

Il furgoncino giallo di Henry, datato 1998 e ormai arrugginito, accostò al marciapiede tuonando e scoppiettando, quasi stesse per esplodere. La stazione ferroviaria era gremita di famiglie in viaggio e persone che si abbracciavano tra lacrime o sorrisi. Sembravano tutti esperti dell'arte innata dei legami umani, mentre io mi sentivo terribilmente a disagio.

Ero ancora seduta sulla valigia con la scatola di Gabby tra le mani. Mi passai le dita tra i capelli, sperando di non avere mai niente a che fare con quei legami di cui il resto del mondo pareva invece assetato.

L'afa notturna del Wisconsin mi strisciò addosso: mi sentivo squagliare, stretta nel vestito nero e corto, che lasciava scoperte le gambe. Henry mi avrebbe fatto aspettare come minimo un'ora, lo sapevo bene, anche se avevo sperato il contrario. Quando avrei imparato la lezione?

Attesi che Henry finisse la manovra. Una gomma anteriore del furgone schiacciò una bottiglia vuota. Guardai la plastica contorcersi sotto la pressione della ruota e il tappo saltare via, volare sul marciapiede e rotolare fino ai miei piedi. Mi sollevai dalla valigia vintage a fiori che mia madre mi aveva regalato per i sedici anni, feci scattare il manico e la trascinai fino alla macchina.

Uhm, ma è normale che il motore faccia tutto questo casino?

Henry scese e fece il giro per venirmi a salutare. Indossava una camicia verde bosco, mezzo fuori dai jeans. La scarpa sinistra era slacciata, e potevo sentire il lieve odore di tabacco che emanava la barba, ma per il resto sembrava in forma. Per una frazione di secondo, soppesò l'idea di sperimentare la stessa connessione umana molto in voga lì alla stazione – abbracciarmi, per farla breve – ma quando girai sui tacchi cambiò idea.

Una breve risatina gli sfuggì dalle labbra. «Chi mai indosserebbe tacchi e vestito per un viaggio in treno?»

«Erano i preferiti di Gabby».

Calò il silenzio, e una marea di ricordi si levò nella mia mente. La stessa cosa stava accadendo a Henry, probabilmente. Ricordi diversi della stessa, straordinaria ragazza.

«Hai solo questo?», chiese, indicando tutta la mia vita che giaceva nella valigia. Non risposi. Che domanda stupida. Ovvio che era tutto lì. «Lascia che prenda...». Fece un passo per prendere la valigia, e io esitai.

«Faccio io».

Si portò una mano alla barba sale e pepe. Era pensieroso e sembrava più vecchio della sua età, ma forse erano il rimpianto e il senso di colpa ad averlo ridotto così. «Va bene».

Sistemai la valigia nel portabagagli e raggiunsi il sedile del passeggero. Feci per aprire lo sportello per salire e alzai gli occhi al cielo: ovviamente era rotta, non dovevo meravigliarmene. D'altra parte, Henry era un mago nel rompere le cose.

«Scusami, piccola. Quello sportello me ne ha fatte passare di tutti i colori. Puoi salire dalla mia parte».

Sbuffando, raggiunsi il lato del guidatore e mi arrampicai sul sedile, sperando di non mostrare la biancheria intima agli automobilisti di passaggio.

Viaggiammo quasi senza parlare, e immaginai che i mesi successivi sarebbero passati più o meno nello stesso modo, tra silenzi imbarazzati e gesti goffi. E guide spericolate. Henry era mio padre, ma solo all'anagrafe: nella realtà eravamo due estranei.

«Mi spiace per il caldo. L'aria condizionata si è rotta, il week-end scorso. Non pensavo avrebbe fatto così caldo. Sai che forse arriverà a trentasette, in settimana? Maledetto riscaldamento globale», attaccò. Io rimasi zitta, ma temetti che avrebbe scambiato il mio silenzio per un invito a continuare. Non era un invito di nessun tipo: non avevo nessuna voglia di fare conversazione. Io odio fare conversazione. «Gabby mi aveva detto che stai lavorando a un libro, giusto? Potrei inserirti in un corso di Inglese avanzato con un ottimo insegnante. In giro si dice che assumiamo solo i migliori in assoluto ma a essere onesti, a volte i nostri professori sembrano solo un mucchio di tediosi rincretiniti», ridacchiò.

Henry era vicepreside alla Edgewood High School: alla fine delle vacanze estive sarebbe diventata la mia nuova scuola. Avrei passato gli ultimi centottanta giorni dell'anno scolastico nei corridoi insieme a mio padre. Perfetto.

«Non importa, Henry».

Quando lo chiamavo per nome si faceva piccolo piccolo, ma in quale altro modo avrei dovuto chiamarlo? "Pa'" o "papà" mi sembravano troppo intimi, e così non rimaneva che Henry. Abbassai un po' il finestrino, all'improvviso sopraffatta da tutte quelle novità.

Henry mi lanciò un'occhiata e si schiarì la voce. «Tua madre mi ha accennato dei tuoi brutti attacchi di panico».

Alzai gli occhi al cielo. La verità era che non avevo mai avuto attacchi di panico fino a quando non avevamo scoperto che Gabby fosse malata. E non c'era nessun bisogno che Henry lo sapesse.

Cambiò argomento, di nuovo. «Siamo molto contenti che tu venga a stare da noi», dichiarò.

Mi voltai di scatto verso di lui e lo guardai negli occhi finché non tornò con lo sguardo alla strada. «*Siamo* chi?»

«Rebecca...».

Rebecca? E chi era?

«... e i suoi figli», mormorò, schiarendosi di nuovo la voce in modo fastidioso.

Sgranai gli occhi. «E da quando vivi con loro?»

«Da non molto». Parlava con voce melliflua, e pareva implorarmi di non fare altre domande, ma non mi importava cosa volesse. E poi, sapevo bene che quando usava quella voce, mentiva.

«Insomma, vivete insieme da prima della tua ultima telefonata per il nostro compleanno, quella che ci hai fatto con tre giorni di ritardo?». Il suo silenzio era eloquente. «E che mi dici dell'anno scorso? Vivevano già con te quando ti sei dimenticato di chiamarci?»

«Merda, Ashlyn», esclamò turbato. «Che importanza ha, in fin dei conti? È roba passata ormai».

«Sì, come no, però adesso è finita nel mio presente». Mi appoggiai di nuovo contro il sedile, e guardai dritto davanti a me.

«Solo da qualche mese», sussurrò. «Vivo con loro solo da un paio di mesi». Dopo qualche minuto di silenzio, provò di nuovo a fare conversazione. «Allora, cosa stai combinando in questo periodo?».

Ero stanca dopo il lungo viaggio in treno, senza contare tutti i problemi che mi affliggevano in quel momento. Sospirai, grattando il poco smalto nero che mi era rimasto sulle unghie dal giorno del funerale di Gabby. «Henry, non siamo obbligati. Non dobbiamo provare a recuperare il tempo perduto. Ormai è andato. Giusto?». E questo fu lo scambio di battute che finalmente pose fine ai suoi goffi tentativi.

Un filo penzolava dall'orlo della mia giacca. Lo tirai, e sorrisi tra me e me. Gabby mi avrebbe fermato: rischiavo di rovinare la cucitura. Il dolore, come un'ondata inaspettata, mi travolse. Chiusi gli occhi e respirai profondamente nell'aria rovente. Erano passate quasi tre settimane da quando l'avevo persa per sempre, e non c'era stato giorno in cui non avevo pianto. Avevo pianto così tanto che temevo di aver prosciugato le mie riserve di lacrime, e mi stupivo quando le vedevo rispuntare. Si dice sempre che quando si perde qualcuno, con il tempo le cose miglioreranno. Che con il tempo la vita ritorna alla normalità. Ma non riuscivo assolutamente a crederci: ogni giorno che passava diventava più dura, il mondo intorno a me più buio. Il dolore solamente più lacerante.

Poggiai la testa contro il finestrino, e asciugai la lacrima che mi bagnava la guancia destra. Serrai le labbra, non volevo piangere di fronte a Henry, né a chiunque altro. Preferivo sfogarmi da sola, nell'oscurità.

Desideravo solo che Gabby fosse ancora lì. E non sentirmi morta come lei.

* * *

Henry imboccò il viottolo ricoperto di ghiaia e parcheggiò di fronte a quella che sarebbe stata la mia nuova casa, almeno per il momento. Notai subito altre due macchine: una bella Nissan Altima nera, nuova, e una Ford Focus blu più vecchia.

La casa era grande se paragonata all'appartamento di due camere dove avevo vissuto finora. I cespugli davanti alla facciata erano perfettamente potati e una bandiera americana sventolava avanti e indietro nella brezza leggera. E, non scherzo, c'era anche una staccionata bianca. *Una staccionata bianca!*

Al secondo piano si affacciavano tre finestre, e incorniciato in una di queste c'era un ragazzo con delle cuffie che sbirciava da dietro le tende. Quando i nostri sguardi si incrociarono, si dileguò all'istante.

Ommioddio. Henry viveva *davvero* con altre persone. Aspettai che scendesse dal furgoncino, poi scivolai sul suo sedile e balzai fuori anche io. Non feci in tempo a infilarmi la giacca che una donna – presumibilmente Rebecca – spuntò di fronte a me e mi abbracciò di slancio, impedendomi di dire qualcosa. Porca miseria, ma chi era, e perché mi toccava?!

«Oh, Ashlyn! Siamo così felici di averti qui!», mi stritolava, mentre io me ne stavo impalata con le braccia penzoloni lungo i fianchi. «Il Signore è stato buono e ti ha portato da noi. È un dono dal cielo, me lo sento».

Feci un passo indietro, confusa. «Ah, quindi il Signore avrebbe fatto fuori mia sorella in modo che io potessi venire a stare con la nuova famiglia di mio padre, che nemmeno conosco tra l'altro?».

Seguì un silenzio cosmico finché Henry non scoppiò in una sgradevole risatina imbarazzata, e a quel punto anche Rebecca sghignazzò.

«Da' a me, tesoro. Fammi prendere i bagagli». Rebecca si diresse sul retro del furgone e Henry la seguì. Poi iniziarono a parlare sottovoce, come se non fossi a un metro da loro. «Qual è la sua valigia, Henry?»

«Ha solo questa».

«Una sola? Cielo, non riesco a immaginare come dev'essere stata la sua vita a Chicago. Dovremmo prestarle un bel po' di cose».

Ascoltai ogni singola parola, ma non reagii. Sconosciuti. Ecco cos'erano per me quelle due persone dietro il furgone, e il loro futile tentativo di giudicare la vita che avevo condiviso con mia madre e Gabby esasperava soltanto la loro ignoranza.

Henry tornò da me, con la valigia in mano, e Rebecca lo seguì a ruota.

«Vieni, Ashlyn, ti mostro la casa».

Salimmo i gradini fino all'ingresso, e quando entrai rimasi sconvolta alla vista di una grossa fotografia incorniciata sul muro: ritraeva la loro deliziosa famiglia. A destra c'era una ragazza mora, che sembrava la copia di Rebecca e aveva i suoi stessi occhi azzurri. Doveva avere più o meno la mia stessa età, ma era vestita molto più castigata di me, con una gonna lunga fino alle ginocchia e una sorta di maglione.

Henry notò che stavo guardando la foto, e sembrò agitarsi. Aprì la bocca per dire qualcosa, ma non gli lasciai il tempo.

«Hai una bellissima famiglia, Henry», commentai con freddezza avanzando verso il salotto.

La ragazza mora della foto era seduta su una voluminosa, soffice poltrona e leggeva un libro. Quando ci sentì entrare, si alzò e mi rivolse un enorme, caldo sorriso. «Ciao. Tu devi essere Ashlyn. Io sono Hailey. Abbiamo sentito tanto parlare di te!». La sua accoglienza sembrava sincera, ma non riuscii a ricambiarla.

«Davvero? Mi piacerebbe poter dire lo stesso».

Hailey non fece una piega al mio commento sgarbato, e continuò a sorridere.

Rebecca mi si avvicinò e mi appoggiò le mani sulle spalle. Desideravo con tutta me stessa che smettesse di toccarmi. «Cara, perché non fai vedere a Ashlyn la tua stanza?»

«Condivideremo la camera?», chiesi, allarmata da quelle parole perché avevo un disperato bisogno di stare da sola.

«Già. Spero che per te non sia un problema. Non preoccuparti, non sono disordinata». Hailey sorrise e prese la valigia dalle mani di Henry. Dissi che potevo portarmela da sola, ma lei si rifiutò. «Faccio io, fidati. Probabilmente molto presto saremo sul piede di guerra, tanto vale essere gentili, almeno all'inizio», scherzò.

La stanza era rosa. O meglio, *molto rosa*. Quattro pareti rosa, un piumino rosa, tende rosa. C'era anche una libreria ricolma di trofei e premi di ogni tipo: equitazione, calcio, gare di spelling. Era chiaro che io e Hailey avessimo avuto un'infanzia molto, molto diversa. Riuscite a immaginarlo? Una libreria senza nemmeno un libro.

«Ti ho svuotato i due cassetti superiori e la parte destra dell'armadio». Hailey si sedette sul suo letto, che era proprio dall'altra parte della stanza, di fronte al mio. Mi sedetti anch'io, accarezzando quella che sembrava una coperta fatta a mano. «Papà ha detto che sei di Chicago, giusto?».

Feci una smorfia. «Tu chiami Henry, "papà"?».

Fece una smorfia anche lei. «Tu chiami papà, "Henry"?».

Stava cominciando a essere troppo: avrei voluto chiederle da quanto tempo viveva con lui, da quanto lo chiamava "papà", ma preferii ignorare quelle informazioni.

Presi la valigia, la poggiai sul letto e incrociai le gambe. La aprii, e inspirai a fondo il profumo di Gabby che proveniva dall'interno, poi tirai fuori tutti i suoi vestiti più cari e la sua collezione di CD: mi misi a fissare i titoli delle sue canzoni preferite, che sparavamo a tutto volume in salotto la domenica mattina mentre mangiavamo i cereali Cap'n Crunch e marshmallow.

«Eravate molto unite?», domandò Hailey. Poi alzò gli occhi al cielo. «Che domanda scema. Scusami... volevo dire... mi dispiace per la tua perdita».

Diedi un'occhiata alle foto di Hailey appese al muro: quasi tutte ritraevano la sua famiglia e i suo amici, ma in una posava con un ragazzo che le cingeva la vita.

«Lui è Theo, il mio ragazzo. Vabbè, una specie. Ci stiamo prendendo una pausa estiva per riflettere un po' e capire cosa vogliamo dal nostro rapporto. Poi, quando comincerà la scuola, vedremo se le nostre anime vibreranno ancora all'unisono».

L'occhiataccia che le rivolsi la fece ridacchiare.

«Theo studia buddismo, e io ho imparato qualcosa. Facciamo yoga insieme, per far uscire tutte le energie negative dai nostri corpi: è un'esperienza molto profonda, sai».

Anche mia madre si era fissata con lo yoga, ma la sua ossessione era durata solo un fine settimana. Però mi aveva detto di essersi sentita davvero bene, come non le accadeva da tempo. Non sapevo come rispondere a Hailey perché era un po' strana. Non strana come me, ma strana come mia madre.

Ero convinta che ogni persona sulla terra avesse una particolare forma di stranezza. E la cosa fica era che lì fuori c'era qualcuno bizzarro esattamente quanto me (o almeno così speravo). Un'idea che mi tranquillizzava, in un certo senso. Comunque, lo stavo ancora cercando.

«Vuole che faccia sesso con lui», mi rivelò Hailey all'improvviso, e io mi sentii avvampare. *Ommioddio!* Proseguì. «Io però non mi sento pronta. Per questo ci siamo presi una pausa».

Non c'era da stupirsi che non sapessi cosa dirle: l'informazione era alquanto personale, e io a malapena conoscevo il suo nome. Lì a Edgewood, nel Wisconsin, erano tutti così disinibiti come lei? Le ragazze ti raccontavano i loro problemi sessuali al primo incontro, come fosse la cosa più normale del mondo?

Mi stesi sul letto. Sul soffitto era dipinto un cielo con nuvole e uccellini. «Theo ha cercato di chiarirmi le idee», continuò Hailey. «Ha detto che aiuterebbe a riequilibrare la mia energia vitale e mi aiuterebbe a trovare la pace interiore».

«Hailey, senza offesa... sei molto graziosa ma sembri un po', come dire, fuori di testa».

«Oh, lo so, me lo dicono tutti. Ma penso sia questo il mio bello».

Be', aveva ragione. Che noia le ragazze snob, quelle stravaganti sì che sono speciali.

Il ragazzo che avevo intravisto dietro le tende alla finestra poco prima entrò nella stanza e si rivolse direttamente a Hailey senza degnarmi di uno sguardo. «Posso prendere la tua macchina?»

«Dove devi andare?», domandò Hailey a suo... fratello minore? Sembrava più piccolo di lei, ma non di molto.

«Fuori».

Hailey prese una spazzola dal comodino e cominciò a pettinarsi i lunghi capelli. «Ryan, hai già conosciuto Ashlyn?».

Ryan mi lanciò un'occhiata apatica, che sarebbe stata offensiva se anche io non lo avessi guardato con la stessa espressione annoiata. Sospirò rumorosamente e si voltò di nuovo verso la sorella. «Le chiavi, Hails».

«Papà ti ha dato il permesso?».

Ryan tirò fuori una scatoletta di cartone dalla tasca della camicia, la aprì ed estrasse una sigaretta invisibile che finse di accendere. Sempre meglio. Non ce n'era uno normale, a quanto pareva.

«Non è nostro padre, Hailey. Cristo! È *suo* padre». Ryan fece un gesto verso di me.

«Oh, non fare complimenti», mormorai, mentre finivo di disfare la valigia.

Ryan mi guardò di nuovo, stavolta con un'espressione divertita. Poi tornò su Hailey. «È un sì o un no?»

«No».

«Mi stai rovinando la vita, sappilo», e la raggiunse gettandosi di peso sul letto accanto a lei.

«Oh, cresci un po', Ryan», sbottò Hailey continuando a spazzolarsi i capelli. «Non badarci», fece rivolta a me. «È nel suo periodo "odio il mondo", si diverte a fare lo strafatto. Tipico degli adolescenti».

Be', almeno avevo una cosa in comune con qualcuno, in quella casa. Fattanza esclusa.

«Non starla a sentire. Lei invece è nel suo periodo hippy "amo tutti quanti". Tipico di certi adolescenti», ribatté Ryan con un sorrisetto. «Ciao, sono Ryan Turner», si presentò infine, avvicinandosi e porgendomi la mano.

«Ashlyn».

«Nome fico».

«A mia mamma piacevano i nomi Gabrielle, Ashley e Lynn e non riusciva a scegliere. Così Gabby è diventata Gabrielle, e io Ashlyn». Li osservai più attentamente. «Chi è il più grande tra voi due?»

«Io», sorrise Hailey.

Ryan alzò gli occhi al cielo. «Dal punto di vista emotivo, forse. Ma biologicamente, lo scettro ce l'ho io».

«Io sono al quarto anno, lui all'ultimo. Tra di noi ci sono solo nove mesi di differenza», Hailey rise, dando una pacca sulla spalla al fratello "emotivamente" minore.

«Perché non hai una macchina, Ryan?»

«Perché mia madre mi odia».

«Non ti odia», gli fece notare Hailey.

Ryan le lanciò un'occhiata sarcastica, e Hailey si accigliò come se Ryan stesse dicendo la verità. «Davvero non mi lasci prendere la macchina?»

«Davvero».

«Ma... In questi giorni non mi sembra di aver visto», Ryan fece una pausa e mi lanciò un'occhiata, «*chi-sai-tu*».

Sollevai un sopracciglio. «E chi sarebbe "chi-sai-tu"?».

Ryan e Hailey si scambiarono uno sguardo, e cominciarono

una dettagliata conversazione fatta di occhiate e gesti appena accennati. Li guardai interagire l'uno con l'altro e mi sembrò di guardare un film di Charlie Chaplin. Mi ricordò il modo in cui io e Gabby eravamo solite comunicare senza parole, solo con gli sguardi, e mi chiesi se Ryan e Hailey si rendessero conto di quanto erano fortunati a essere così uniti. Mi chiesi anche se sapessero quanto erano maledetti.

Ryan fece un gesto spazientito verso la sorella, quindi si alzò. «Vado a letto», concluse, ignorando la mia domanda. «Piacere di averti conosciuta, Ashlyn».

«Piacere mio». Guardai confusa Hailey.

Lei alzò le spalle. «È molto riservato. E poi deve ancora capire un sacco di cose della vita».

«In qualche modo è confortante scoprire che la tua famiglia non è poi così perfetta come sembrerebbe dalle foto», osservai, sciogliendo il mio disordinato chignon biondo solo per rifarlo da capo, ancora più disordinato di prima.

«Nessuna famiglia è perfetta».

Aprii la bocca per dire qualcosa, ma mi fermai quando Henry fece capolino nella stanza. Tempistica perfetta. «Tutto bene qui?».

Hailey annuì. «Sì. Siamo quasi pronte per andare a dormire».

«C'è della pizza in frigo, nel caso ti venga fame, Ashlyn. E se hai bisogno di qualsiasi cosa...», disse Henry guardando solo me.

«Non credo», sbottai in fretta, impaziente che se ne andasse.

«Okay. Buonanotte», borbottò corrugando la fronte.

Quando lasciò la stanza, Hailey fece un lungo fischio. «Voi due siete l'incarnazione perfetta del rapporto disfunzionale padre-figlia».

«È davvero strano pensare che sia il vicepreside della mia

nuova scuola... Nel senso, l'ho sempre visto poco in tutta la mia vita, e adesso non solo devo dormire sotto il suo stesso tetto, ma me lo trovo tra i piedi anche a scuola. Lo vedrò venti ore al giorno, più o meno. Impazzirò, me lo sento».

«Non è così male come pensi, una volta che lo avrai conosciuto meglio. Dagli una possibilità».

Una volta che lo avrò conosciuto meglio?

La sconosciuta, lì, mi stava dando consigli sul mio padre biologico.

Cosa c'era di sbagliato in quella scena?

Capitolo 4
Daniel

Non ti ascoltavo
e mi sembrava che non mi importasse.
Ma poi per giorni
non ho fatto altro che pensare a te.

Romeo's Quest

Quando arrivai davanti alla casa sul lago, spensi il motore. Accanto a me, seduto sul sedile del passeggero, c'era Randy, un membro della band.

Mi ero trasferito lì dopo la laurea, a maggio, per prendermi cura di papà.

Era stato un anno difficile da quando mamma era morta, ed era diventato via via sempre più duro, finché papà non aveva perso la battaglia contro un'insufficienza epatica.

«Sicuro che posso stare qui?», chiese Randy, tirando fuori il bagaglio e la chitarra acustica.

Gli sorrisi. Randy era il mio migliore amico da sempre. Ero stato con sua sorella Sarah per oltre tre anni, quando eravamo più giovani, e probabilmente adesso saremmo ancora insieme se non ci fosse stato quell'incidente.

Dovevo andare a prendere mio fratello Jace, che era a una festa e aveva bisogno di un passaggio per tornare a casa, ma poi mi avevano chiamato al lavoro per un'emergenza. Così, avevo scritto un messaggio a Randy per sapere se poteva andarci lui, ma non avevo ricevuto risposta, perciò avevo telefonato a Sarah, che aveva prontamente accettato. Mentre lei e Jace erano in macchina, furono travolti da un ubriaco. Sarah morì sul colpo. Mi maledissi per mesi perché ero stato io a chiederle di andare da mio fratello, e Jace si maledisse per essere andato alla festa. Randy, invece, si maledisse per aver perso sua sorella.

Affrontammo la morte di Sarah in modo diverso. Io mi tuffai nello studio e nella musica. Jace iniziò a drogarsi e a spacciare, nel tentativo di cancellare quella tragica notte in macchina con Sarah. L'aveva vista morire sotto i suoi occhi, ma non aveva mai voluto parlarne. E Randy... praticamente era diventato un selvaggio, deciso a vivere ogni giorno come fosse l'ultimo. Non ho mai saputo cosa gli passasse per la testa, o cosa diavolo combinasse quando non era con la band. Vagabondava da un luogo all'altro, collezionando esperienze estreme, deciso a sperimentare ogni cosa la vita gli offrisse. Non ha mai incolpato né me né Jace per la morte della sorella, né ha mai sfogato rabbia o desiderio di vendetta sugli altri. Il suo cuore era pulito.

Tornai alla domanda che mi aveva appena fatto. «Non essere stupido, certo che è okay se vieni a stare da me. Ti serve un posto, no?». Diedi un'occhiata alla casa. «E io ce l'ho».

«Grazie, amico. Significa molto per me. Probabilmente ci vorrà solo qualche mese, poi mi toglierò dalle scatole». Fece una pausa e mi guardò. «Va tutto bene, Dan?».

Gli sorrisi e annuii. «Ho un paio di birre in frigo, se ti va. Vado a fare una corsa al lago. Gli altri dovrebbero arrivare tra qualche ora per le prove».

«Danny, sono preoccupato per te. Lo siamo tutti». Non c'era da dubitarne, visto il tono della sua voce.

«Perché?», chiesi, mentre mi preparavo all'allenamento riscaldando i muscoli delle braccia e delle gambe.

Mi fissò come se mi fossero spuntate all'improvviso tre teste. «Tuo padre è morto la settimana scorsa e ti comporti come se nulla fosse».

«Randy, le persone muoiono. Lo sai anche tu».

Randy aveva perso sua madre qualche tempo prima, e suo padre non c'era mai stato. Gli era rimasta solo Sarah. Be', fino al giorno dell'incidente. Entrambi avevamo una certa, ehm, familiarità con la morte.

«Sì, sì... è solo che... Dopo la morte di tua madre e i casini con Jace...». Le sue parole si persero nell'aria. «Voglio solo che tu sappia che sono qui per te, tutti noi siamo qui per te. Se hai bisogno, batti un colpo. Per un po' sono stato completamente assorbito dalla morte di Sarah. Prima di morire, mia madre mi aveva chiesto di prendermi cura di lei, e io non ci sono riuscito. E questo pensiero mi ha quasi divorato. Ancora lo fa, a volte». Si interruppe e si guardò intorno. «Per questo, ecco, se vuoi parlare... Insomma, sono qui».

Sapete, ci sono due modi di vivere un lutto. Puoi decidere di spalancare il tuo cuore al mondo e continuare a vivere senza dare mai niente per scontato, assaporando pienamente ogni giorno. Oppure metterti un lucchetto nel petto e rinchiuderti in te stesso, rinunciando a comunicare con gli altri. Io, di sicuro, non avevo scelto il primo modo.

Deglutii, a disagio. «Dovresti provare gli accordi di *Ever Gone*. L'ultima volta che l'abbiamo suonata, c'era qualcosa che non andava». Guardai l'orologio. «Torno tra poco».

Cominciai a correre lentamente verso la rimessa della barca, ma aumentai in fretta il passo.

* * *

Dopo la corsa, di solito finivo sempre nello stesso luogo: sul molo, nel punto esatto in cui avevo vissuto gli attimi peggiori della mia vita. Sfregai a lungo le braccia, così a lungo che temetti di essermi ferito. Piegai le ginocchia, chinandomi a fissare l'erba.

Volevo dimenticare.

Volevo riuscire a dimenticare.
Potevo dimenticare, cazzo!
Ma invece chiusi gli occhi, inspirai a fondo, e ricordai.

* * *

Quando arrivammo in ospedale, mamma era già morta. Era morta prima ancora di entrare nell'ambulanza. Jace era bendato, aveva qualche punto di sutura sull'occhio, ma era vivo e stava bene. Ma non me fregava niente, in tutta sincerità. Aveva appena ucciso nostra madre, e se l'era cavata con qualche punto di sutura.

Sedeva nella sala d'attesa mentre papà parlava con alcuni agenti. Non aveva mai smesso di disperarsi, nemmeno per un attimo. Non avevo mai visto piangere mio padre, nemmeno dopo che aveva scoperto di essere ammalato.

Mi avvicinai a Jace e lui si alzò. Non dicemmo nulla. Avevo la gola secca, graffiata. Mi abbracciò, stringendomi forte. «Scoprirò chi è stato, Danny. Lo giuro su Dio, non la faranno franca».

Lo strinsi tra le braccia e annuii. «Lo so, Jace».

«È stata colpa mia. Ma te lo prometto, aggiusterò tutto».

Gli presi la testa tra le mani e poggiai la mia fronte sulla sua. «Jace, ho dovuto farlo...», mormorai prima che si scostasse da me e mi lanciasse uno sguardo spaventato.

«Cosa...?», replicò. Un istante dopo si voltò e vide i poliziotti.

Lo ammanettarono e gli lessero i suoi diritti. Lo stavano arrestando per compravendita di stupefacenti. Ero stato io a informare la polizia poco prima. Jace mi guardò frastornato, ma non ci mise molto a capire cosa stava succedendo.

«Hai fatto una soffiata?», gridò a squarciagola. «Nostra madre è appena morta, Danny! La mamma è morta e tu mi fai questo!», urlava, paonazzo in volto. «Sono tuo fratello!».

La sua voce si stava incrinando, ma le urla erano ancora potenti. «Sei un verme! Nostra madre è morta, e tu mi hai fatto arrestare!».

Le grida echeggiarono per tutta la sala d'attesa. E dentro di me.

* * *

Mi faceva paura il potere che avevano i miei stessi pensieri, la forza devastante dei ricordi che riuscivano a farmi a pezzi all'improvviso, senza che io potessi arginarli.

Tornai in me e mi allontanai da quel punto maledetto. Il sole era rovente in quel momento. Raggiunsi il limite più estremo del molo, mi tolsi le scarpe da corsa e i calzini e immersi i piedi nell'acqua fredda, sdraiandomi sulla passerella di legno scricchiolante. Prima o poi l'avrei rimessa in sesto. E anche la casa, a dire il vero, ma non sapevo come l'avrebbero voluta ristrutturare i miei genitori.

Non avevo ancora permesso al mio cervello di affrontare la morte di mio padre: in qualche modo, ero ancora sotto shock per la perdita improvvisa di mia madre. Puoi mettercela tutta, e provarci imperterrito, ma non riuscirai mai a venire a patti con la morte dei tuoi cari. E oltretutto, non c'era nessuno con cui avrei potuto parlare con sincerità di quello che provavo. I miei amici non avrebbero capito, anche se glielo avessi spiegato. E poi, non volevo deprimerli e farli sentire di merda come mi sentivo io ogni giorno.

A dire il vero, c'era stato un momento in cui mi era sembrato di aver incontrato qualcuno come me. Mi era bastato guardare i suoi occhi surreali, tormentati. Occhi verdi, incredibilmente belli, ma così tristi e addolorati. Mi coprii la faccia con un braccio nel tentativo di riportarla alla mente. La ragazza del treno. I muscoli delle gambe si contrassero per la corsa, e respirai profondamente, cercando di ricordare tutto di lei. Ero certo che quella ragazza sapesse esattamente cosa significava trovarsi nei miei panni, che sapesse cosa voleva dire sentirsi soli e smarriti. Lo avevo capito da ogni piccolo movimento delle ciglia delicate, da come aveva sbattuto le palpebre e per un istante aveva abbassato lo sguardo.

Avrei dovuto chiederle il nome. Avrei dovuto sedermi accanto a lei, sulla mia valigia. Aveva sorriso quando avevo citato Shakespeare, ma un pizzico di tristezza aveva indugiato sulla curva delle sue labbra. Stava soffrendo per qualcosa, e questo dolore la mangiava viva, esattamente come faceva la tristezza con me. E niente o nessuno poteva fermare quell'inesorabile declino.

Una parte di me voleva che non si arrestasse. Una parte di me pensava di meritarsi tutto quel dolore. Di certo, però, non credevo che quella ragazza meritasse di essere così triste. In cuor mio, speravo che un giorno qualcuno l'avrebbe fatta sorridere.

Mi auguravo che un giorno sarebbe stata bene.

Capitolo 5
Ashlyn

Toccami anche quando te ne vai.
Allontanati quando mi sei vicino.
E stringimi quando mi sento morire.

Romeo's Quest

Nei giorni successivi, feci di tutto per starmene per conto mio. Non parlai molto, ma riuscii a tenere il passo con il tran tran della famigliola. Scoprii che Henry e i suoi amavano cenare insieme ogni sera, e pensai che era carino da parte loro invitarmi. Ma il tavolo era da quattro, e il primo giorno Rebecca dovette recuperare dal magazzino una sedia pieghevole: una specie di rottame con un gancio metallico al centro che premeva contro la mia coscia sinistra. Strinsi i denti e non mi lamentai.

Rebecca aveva cucinato per un intero reggimento. Appena ci sedemmo, mi lanciai subito sul piatto, ma Rebecca alzò una mano. «Tesoro, prima di mangiare recitiamo sempre una preghiera». Mi rivolse un sorriso gentile, ma notai un leggero disappunto nella voce. «Henry, la reciti tu anche stasera?»

«Sì, volentieri», rispose. Mi scappò una risatina, attirando l'attenzione di tutti i presenti. Guardai Henry confusa. «Tu preghi?»

«Tu no?», s'intromise Rebecca. Bastò quella semplice domanda a farmi sentire una peccatrice: la risposta, ovviamente, era no. L'imbarazzo era ormai evidente e io giunsi a un'importante conclusione: di Henry non sapevo proprio niente, mentre la sua famiglia sapeva tutto. Questo pensiero, seppure stupido forse, mi rattristò. Com'è banale desiderare più di tutto l'affetto e l'attenzione di chi ci ignora!

Henry recitò la preghiera, mentre tutti tenevano gli occhi chiusi e si stringevano per mano. Be', quasi tutti. Io li fissai incuriosita per tutto il tempo, e mi accorsi che anche Ryan stava facendo lo stesso.

«Amen», mormorarono e aprirono gli occhi, poi finalmente ci avventammo sull'invitante bistecca che aspettava nel piatto. Hailey addentò con gusto le patate: lei non mangiava carne, perché lo reputava eticamente sbagliato. Secondo lei, uccidere e mangiare esseri indifesi era contrario all'ordine naturale delle cose, e avremmo dovuto smettere tutti. Forse ignorava il fatto che i leoni non esitavano a far fuori le gazzelle quando avevano fame, ma mi guardai bene dal dirglielo.

«Oh, Ryan e Hailey... non dimenticatevi che domani mattina siete di turno al catechismo», annunciò Rebecca, che non si accorse dello sguardo spazientito dei figli.

Ops. Se l'indomani era domenica, allora eravamo già a sabato... Avevo quasi dimenticato l'invito di Mr. Occhi Stupendi, e con "quasi" intendevo dire che in realtà ci avevo pensato da quando ci eravamo incontrati. Ero emozionata, non potevo negarlo, soprattutto perché avrei saputo il suo nome, visto che finora lo avevo chiamato sempre e solo Mr. Occhi Stupendi.

«Penso che me ne andrò di sopra, devo prepararmi per uscire».

Henry alzò un sopracciglio. «Per andare dove?».

Gli lanciai un'occhiata stile "ti-interessa-davvero-sapere-dove-vado?", cui seguì un sospiro alla "non-sei-davvero-interessato-ammettilo".

«Ti ho fatto una copia delle chiavi di casa. Sono appese

all'ingresso», mi spiegò Henry quando mi alzai dalla tavola. Be', un gesto premuroso da parte sua.

* * *

Vestita di tutto punto, aprii la scatola di legno e tirai fuori la mia lista. Avevo bisogno di leggere una delle lettere di Gabby, dovevo solo ideare il modo di aprirne una senza contravvenire alle regole stabilite da mia sorella.

L'orologio sulla cassettiera segnava le nove e mezzo di sera. Hailey entrò in camera e mi sorrise. «Sei arrivata solo da pochi giorni e già te ne vai?», rise.

«No, non è questo... è solo che...».

«Troppi cambiamenti?», chiese, completando il mio pensiero prima ancora che riuscissi a farlo io. Annuii e non potei fare a meno di sorridere quando si alzò e mi passò le sue chiavi.

«Prendi la mia macchina. È la Ford Focus. Non ti chiedo dove stai andando perché sono una frana a mentire, e se dovessi fare la spia mi sentirei troppo da schifo».

«Grazie». Misi in borsa un paio di CD dei miei per ascoltarli in macchina e sbirciai in corridoio per essere sicura di non imbattermi in Henry o Rebecca.

«Di niente. E poi... Ashlyn?». Hailey alzò impercettibilmente la voce, mentre si allungava per prendere il flacone della crema per il viso. «Non è così male vivere *qui*».

«Già. È solo che mi manca *lì*. A più tardi».

* * *

Nell'auto di Hailey mi lasciai cullare dalla musica che riempiva l'abitacolo. Lanciai un'occhiata al sedile del passeggero, e per una frazione di secondo mi sembrò di vedere Gabby lì accanto, intenta a cantare insieme a me. Nelle settimane appena trascorse, mi ero ritrovata spesso a parlarle come se lei fosse stata con me, e ogni volta provavo a immaginare cosa avrebbe detto, come mi avrebbe confortato.

«La mamma non ha chiamato. Comunque… non importa. Ci crederesti che Hailey chiama Henry "papà"?», mormorai rivolgendomi al sedile vuoto. «Non sono gelosa o cose simili, no. È solo… strano».

Non rispose nessuno. Perché quando qualcuno muore, si porta via anche la propria voce. E io avrei ucciso per ascoltare anche solo un'ultima volta quella di Gabby: chissà se lo sanno questo, le persone che se ne vanno.

Mentre guidavo lungo Main Street, notai un gruppo di persone intente a fumare davanti all'entrata di un locale. Da Joe. Ero arrivata, così accostai e parcheggiai.

Sulla lavagna accanto alla porta campeggiava la scritta "Musica dal vivo. Cocktail a metà prezzo. Birra $2". Sulla porta erano attaccati palloncini gialli e verdi. Un ragazzo ne slegò uno e lo lasciò andare, tra le risate divertite degli amici. Il palloncino salì, salì sempre più, sospinto dal vento. Strinsi le labbra e soffiai piano verso il puntino chiaro nel cielo. Avrei tanto voluto fosse stato così facile. Semplicemente librarmi in volo, lontano.

Guardai la mia lista, e lessi l'unica voce che speravo di depennare quella notte.

#14. Ballare in un locale.

Se questo significava poter leggere un'altra lettera di mia sorella, l'avrei fatto. Anche se ero un po' nervosa di mettermi a ballare in quel locale.

Il buttafuori mi guardò, controllò i miei documenti e mi stampò un enorme, orrido timbro nero sul palmo della mano, segno che ero minorenne e che non avrei potuto comprare alcolici. Ma lo sapevo già, perché Mr. Occhi Stupendi mi aveva avvertito.

Quello che però non mi aspettavo fu la sensazione che mi travolse, una volta entrata: una miriade di ricordi mi sovrastò. La band era sul palco e stava montando gli strumenti, mentre io cercavo di soffocare le lacrime. *Da dove sbucano fuori adesso? Perché tutt'a un tratto mi viene da piangere?*

«Voglio proprio provarci», disse Gabby con un sorrisetto, lanciando un'occhiata al palco che si intravedeva appena dalla porta. «Quando starò meglio, la prima cosa che farò sarà un concerto in questo locale».

Alzai gli occhi al cielo e mi misi a ridere. «Fammi capire, la prima cosa che vuoi fare appena starai meglio è metterti a suonare in uno squallido locale come questo?»

«Che dirti? Voglio una vita spericolata».

L'attimo dopo ero di nuovo fuori dal locale. Costeggiai l'edificio, con il sudore che mi bagnava le mani e le lacrime ormai libere di sgorgare fuori. Era insopportabile, era troppo. Troppi cambiamenti nella mia vita, tutti insieme. Troppe cose del mio passato spazzate via per sempre, contro la mia volontà. Non riuscivo a respirare né a muovere un dito: ero vinta dal dolore. L'aria mi riempì i polmoni, ma non riuscivo a respirare abbastanza in fretta, così, oltre che a piangere, cominciai a singhiozzare. Era solo questione di tempo: presto mi sarei accasciata sul cemento bollente. Le ginocchia cominciarono a piegarsi lentamente, ma proprio poco prima di cadere qualcosa catturò la mia attenzione.

«Ehi, tutto ok?», mi chiese una profonda voce maschile, che proveniva da dietro l'angolo. Quando udii i passi farsi più vicini, mi si attorcigliò lo stomaco. L'ombra alzò un braccio verso di me, ma feci un balzo indietro: non volevo che mi toccasse. Lui doveva aver notato la mia reazione e arretrò di un passo.

«Mi dispiace», si scusò, mentre ero ormai quasi a terra. Quando incrociai il suo sguardo, tutto si congelò. L'universo intorno a me sembrò rallentare, e mi ritrovai persa dentro i suoi occhi, che rendevano insignificante persino il più brillante degli oceani sulla terra. Erano bellissimi, splendenti... occhi azzurri. Già, era proprio lui, Mr. Occhi Stupendi, e io non riuscivo a smettere di fissarlo.

«Non ti tocco, promesso», mi rassicurò, piegandosi sulle ginocchia, come me. «Non voglio farti del male». C'era qualcosa di profondamente sincero nelle sue parole, e non stentai a credergli. Si premurò di rimanere a una certa distanza, ma avrei potuto toccarlo se avessi allungato un braccio. Mi piaceva il modo in cui mi stava accanto. «Sst...». Il suo sussurro gentile mi diede il conforto di cui avevo bisogno.

Potevo sentire il profumo della sua colonia e del dopobarba: odori che stuzzicarono i miei sensi e mi fecero venir voglia di affondare il naso nella sua pelle. Portai una mano sulla bocca, raccolsi le energie e mi rimisi in posizione eretta. Lui si rialzò in piedi insieme a me. Mi sentivo così stupida.

«Stai bene?», mi domandò con un tono che sembrava quasi un'affermazione.

Annuii, anche se potevo ancora sentire le lacrime scendermi lungo le guance. «Sto bene».

Si accigliò, poi si tastò le tasche. «Scusa. Non ho nemmeno un fazzoletto».

Le lacrime aumentarono, probabilmente per l'imbarazzo.

Infilò la mano nella tasca posteriore e tirò fuori il portafoglio, vi frugò dentro e tirò fuori un coltellino. Quando sussultai spaventata, arretrando di un passo, un improvviso senso di colpa sembrò riempirgli gli occhi azzurri.

«Non voglio farti del male, ricordi?».

C'era una nota di vulnerabilità nella sua voce, una dolcezza che mi spinse quasi a perdermi nei suoi occhi per cercare l'eternità. Questo sconosciuto riusciva a farmi sentire immortale, una sensazione che non avevo mai nemmeno immaginato. *Chi sei?*

Prese il coltellino e tagliò una manica della sua T-shirt bianca, poi lo ripose nel portafoglio, e infilò tutto nella tasca dei jeans. Rimase lì, in piedi, con la manica tagliata in mano finché non si decise e me la porse. Lo guardai, confusa, chiedendomi cosa avrei dovuto farci.

«Per asciugarti gli occhi...», mi spiegò. Lo guardai ancora, e lui sospirò. Prese la stoffa tra pollice e indice e allungò il braccio verso di me. «Non voglio toccarti».

Delicatamente, presi la stoffa che mi porgeva e mi asciugai le lacrime. Lo sentii sospirare di sollievo.

Ci perdemmo l'uno nel respiro dell'altro, e Mr. Occhi Stupendi non si mosse finché il mio non rallentò e tornò alla normalità. «Stai bene...», ripeté e infilò le mani nelle tasche dei pantaloni. Potevo *quasi* vedere i muscoli sotto la maglietta. Potevo *quasi* toccare il suo animo dolce, perché ne era rimasta traccia sulla manica che mi aveva dato pochi istanti prima.

«Sto bene...», ripetei, nonostante mi sentissi ancora le ginocchia molli. Gabby mi mancava così tanto che persino stare in piedi mi faceva male. Faceva male anche piangere. E vivere. Ce la misi tutta per non scoppiare di nuovo in lacrime, ma quando lui mi guardò e inclinò la testa di lato, socchiudendo gli occhi, fui di nuovo sopraffatta dalle emozioni.

«Va bene lo stesso, piccola, anche se è evidente il contrario», mormorò.

Così, singhiozzai con il viso nascosto nella stoffa della manica per qualche minuto, non riuscendo a provare altro che infinita tristezza. Lui non si mosse. Non sembrava ancora stufo della mia crisi di nervi. Se ne stava semplicemente lì, e per qualche ragione, nella sua manica, percepii quell'abbraccio che ancora non mi aveva dato.

Mi asciugai un'ultima volta gli occhi, e rimisi insieme i pezzi. Ora stavo meglio. Per il momento, almeno. Raddrizzai le spalle e mi soffiai il naso, producendo un rumore sgradevole. Lui rise sommesso, e io mi vergognai.

«Devo andare, adesso», annunciò, come a volersi scusare. «Ci vediamo dentro?», chiese.

Ah, non ne aveva ancora abbastanza di me? *Dopo tutto questo?*

Riuscii solo a fare un cenno con il capo, e gli bastò. Senza esitazioni, svoltò dietro l'angolo e scomparve nel locale, senza mai voltarsi indietro. Lo seguii con lo sguardo, ringraziandolo dentro di me per essere stata la mia ancora di salvezza per quella notte.

* * *

Quando mi ripresi del tutto, rientrai anche io, mi feci largo verso il bar e ordinai un'acqua tonica. Avevano già cominciato a suonare, e da quello che potevo sentire, Mr. Occhi Stupendi non si era sbagliato: mi sarebbe piaciuto.

Sul bancone erano esposti i loro CD. Chiesi il prezzo al barista, lasciai i dieci dollari sul ripiano e lo ringraziai. Era strano, trovarsi lì al bar pur avendo meno di ventun anni: mi sentivo un po' ribelle, anche se il timbro nero sulla mano smorzava l'entusiasmo.

Mi voltai e mi avventurai verso il palco, sempre più presa dalla musica. Tutti i musicisti, dal primo all'ultimo, sembravano perfettamente a loro agio. I miei occhi vennero calamitati subito dal cantante: Mr. Occhi Stupendi, alias l'abbraccio mancato... Eccolo lì, libero e selvaggio, mentre suonava seduto su uno sgabello. Suonava come se quella fosse l'ultima volta, trasmettendo tutto se stesso in ogni nota, in ogni pausa. I faretti caldi del locale facevano capolino dall'alto, e lui chiuse gli occhi, portandosi il microfono alle labbra. Quando li riaprì, sembrava aver raccolto dentro di sé tutta l'energia e la luce di una stella del firmamento.

Era bellissimo, lì sopra. Il suo stile non era sopra le righe, ma quieto, appena sussurrato. Era semplice nella sua maglietta bianca, un po' bagnata per il sudore, i jeans scuri e la catenella sottile che pendeva dall'asola della cintola, e alla quale era legato il portafoglio infilato nella tasca posteriore. Non aveva tatuaggi sulle braccia, ma il modo in cui stringeva il microfono faceva risaltare i muscoli. E quelle labbra. *Oh, quelle labbra.* Arrossivo ogni volta che il mio sguardo finiva lì.

La musica sembrò scemare, ma poi divampò di nuovo come un fiume in piena. Più cantava, più la sua voce diventava sensuale. Viveva nelle parole che cantava, accogliendo i versi creati dalla band come fossero suoi figli. La sua voce era leggera come gocce di pioggia, ma se solo avesse voluto avrebbe potuto scatenare una tempesta, e io lo sapevo bene.

Strinse il microfono nella mano e cominciò a cullarlo come fosse un'amante, e quando i suoi occhi scesero tra il pubblico, si fermarono su di me. Non distolsi lo sguardo, non ero in grado: mi aveva ipnotizzato, lasciandomi frastornata. Eppure, così avvinghiata ai suoi occhi, mi sentivo bene, come se quello fosse il mio posto.

> Dimmi il tuo nome, sarò il tuo migliore amico.
> E quando sarai stanca della pioggia,
> diventerò il sole che ti riscalderà.

Mr. Occhi Stupendi mi fece un cenno, e gli sorrisi felice. Quand'era l'ultima volta che avevo sorriso così? Annuì soddisfatto, e quando intonò le ultime note, sembrò che stesse suonando solo per me.

> Se te ne vai, lo so, non soffrirò.
> Ma voglio dirti soltanto che nei miei sogni
> stanotte, ci sarai tu...

Abbassai lo sguardo, paonazza in volto. Rimasi con gli occhi incollati al pavimento per la successiva canzone, e tentai di seguire il ritmo, a disagio, battendo il piede sul pavimento.

Era appena terminata la sesta canzone quando Mr. Occhi Stupendi posò il microfono. «Quindici minuti di pausa e poi torniamo qui», annunciò. «Grazie per essere con noi stasera, e ricordate che al bar trovate i nostri CD. Dategli un'occhiata, fatevi un altro paio di drink e non allontanatevi troppo! Siamo i Romeo's Quest, e voi siete grandi!».

Romeo's Quest. E questo nome da dove l'avevano tirato fuori? Come avevano cominciato a suonare insieme? Come faceva il batterista a farmi esplodere il cuore a ogni nota? E chi era, quel cantante?

Mi avvicinai a un tavolino vuoto, in un angolo in fondo. Sorrisi guardando il CD che stringevo tra le mani, aprii la custodia e sfilai il libretto. Nella sezione dei ringraziamenti c'era scritto che il cantante si chiamava Daniel Daniels, e mi scappò da ridere.

«Oddio... Non dirmi che hai davvero comprato uno di quei CD di merda?». Alzai lo sguardo e vidi Daniel che mi fissava. Scivolò sulla panca imbottita accanto a me con una birra in mano. Mi sembrava di essere in un sogno, peccato solo che mi fosse venuto il singhiozzo.

E mi venne anche un inaspettato attacco di timidezza, e allora mi strofinai nervosa un dito contro il lobo dell'orecchio, bofonchiando. «Ti chiami Daniel Daniels?».

Mi sorrise senza esitazioni, lasciando cadere le braccia lungo i fianchi. «Mio padre voleva chiamarmi Jack, ma mia madre non voleva: sai, lui aveva un problemino con l'alcol, e Jack Daniels suonava proprio male... Così, quando arrivò il momento, be'... ecco qui un tipico esempio di raddoppiamento per amore».

«E cosa sarebbe?».

Rise, ma era mesto. «Un raddoppiamento per amore si verifica quando hai qualcosa che ti piace davvero tanto, allora cerchi subito di procurartene un altro uguale, in caso si rompa o cose simili. Quando mia madre sposò mio padre, amava l'idea di prendere il suo cognome. Così quando sono nato io, ha ben pensato di raddoppiare quel cognome che tanto amava».

Restai lì imbambolata, a pendere dalle sue labbra, mentre la curiosità mi divorava. Volevo saperne di più. Di più sul raddoppiamento per amore, o come cavolo si chiamava. Di più sulla sua famiglia. Su di lui. Volevo sapere ogni cosa di quel musicista sconosciuto che era stato capace di farmi stare meglio, seppure per poco.

«Sono desolata per la tua maglietta», mormorai, guardando il braccio scoperto.

«Oh, è solo una maglietta», sorrise.

Ma sapevo che era molto più di quello.

Calò di nuovo il silenzio, e fissai il mio bicchiere di acqua tonica, in cui galleggiava una fettina solitaria di limone. Quando sollevai di nuovo il viso, lui stava ancora sorridendo, e cercai qualcosa da dire, qualcosa di non troppo stupido, che non mi facesse apparire per quella che ero: una diciannovenne da sola in un locale sconosciuto.

«Da dove viene il nome della band?»

«Da Shakespeare. Romeo's Quest, ovvero la ricerca di Romeo per trovare l'amore».

«Be', finisce abbastanza tragicamente».

«Sì, ma non so... C'è qualcosa nelle tragedie di Shakespeare... Tutti sappiamo come vanno a finire, ma è quello che succede prima che continua ad attrarci. La storia di questa tragedia è complessa, ma non quanto le altre. Romeo ama Giulietta, e lei lo ricambia. La vita così com'è, pura e semplice. Mi piace pensare che la ricerca di Romeo valga quel finale».

«Ehi... non essere deprimente», lo canzonai. Oddio, non ridevo da così tanto tempo che mi sembrava innaturale, ma anche confortevole. Ed eccitante. Liberatorio.

«Sono un musicista. Deprimente è il mio secondo nome». Poggiò indietro la testa sullo schienale imbottito, mettendosi più comodo. Le sue parole, quasi un sussurro, gli inciampavano sulla lingua. «A proposito di nomi... e tu, come ti chiami?».

Volevo colpirlo, in qualche modo. Feci scivolare il dorso della mano con il timbro sotto l'altra, e sorrisi. Mi schiarii la voce e mi preparai alla figuraccia: "Con un nome non so dirti chi sono: il mio nome, sacra creatura, mi è odioso...". Quando non sai cosa dire, buttati su Shakespeare: ci trovi sempre due o tre cose interessanti da dire.

"... in quanto tuo nemico. L'avessi qui scritto, strapperei la parola", proseguì. E in un attimo, quel bellissimo sconosciuto mi ammaliò. «Gesù. Non c'è niente di più sexy di una bella ragazza che recita Shakespeare a memoria...», osservò con un sorriso.

«Amo Shakespeare», replicai, inspiegabilmente emozionata dalle sue parole. «*Otello* è stata la prima opera che abbia mai letto, in quinta elementare». Daniel sembrò un po' sbalordito da quell'affermazione. «Be', che c'è?».

Si passò una mano tra i capelli e si tirò su. «Niente, niente... è che non capita tutti i giorni di sedere in un locale a parlare di Shakespeare. A casa ho tutte le sue opere, ma di certo quell'intera raccolta non mi ha mai aiutato a scovare persone interessanti».

«Ah, uguale per me. La maggior parte della gente pensa sia una stramberia, il mio amore per Shakespeare. Mia sorella era l'unica che mi capiva davvero, ma solo lei. Diceva sempre che Shakespeare era il mio paradiso privato».

«Il tuo paradiso privato?»

«Sì. Tutti ne hanno uno. Può essere, che so, una canzone, un libro, un gatto o un cane, ma anche una persona, perché no. Qualsiasi cosa ti renda così felice da farti piangere o ridere di gioia, che riesca a farti sentire su di giri, come fossi drogato, ma molto meglio, perché è tutto naturale. Ecco, Shakespeare è il mio paradiso personale».

«Sai, mi piace quello che dici».

Aiuto, stava flirtando con me? Perché se c'era un momento perfetto per flirtare, è esattamente quando stai parlando di libri. Non c'è niente di più sexy di un ragazzo intelligente, specialmente se è capace di far fare le capriole al mio cuore.

«La tua musica mi ha fatto sorridere», osservai, sorseggiando la mia acqua tonica. «Era da un pezzo che non mi sentivo così...».

Daniel appoggiò le braccia sul tavolo e incrociò le dita. Mi studiò senza parlare, per un po', poi sorrise piano, riempiendo quel silenzio come avesse appena pronunciato il discorso perfetto. I suoi occhi trapassarono la mia anima, prima di abbassarsi e perdersi nel boccale di birra. «Questa è una vera vergogna».

«Perché?»

«Perché quando una persona sorride in quel modo, significa che le sue labbra sono davvero impegnate e non possono fare altro».

Mi passai una mano tra i capelli, in imbarazzo. Parlare

delle mie labbra mi faceva pensare alle sue, che a loro volta scatenavano pensieri proibiti. Meglio cambiare argomento.

«Quindi, tutte le vostre canzoni in qualche modo c'entrano con Shakespeare, o ho fatto solo la figura della scema ad analizzare i vostri testi?», chiesi.

Daniel mi guardò incuriosito. Un lampo di divertimento gli attraversò lo sguardo. Mi piaceva quello sguardo. Okay, la verità è che mi piacevano tutti i suoi sguardi. «Sei tosta tu, eh? La maggior parte della gente non se accorge nemmeno, ma sì. Ogni canzone c'entra, in qualche modo, con le opere di Shakespeare».

«È la cosa più nerd e fica e geniale che io abbia mai sentito!».

«Cosa posso dirti? Sono un nerd, fico e geniale».

Ridacchiai e bevvi ancora un sorso dal bicchiere. «Quindi, *Romeo e Giulietta* c'è di sicuro. Poi, vediamo...». Feci una pausa, cercando di ricordare l'ordine esatto della scaletta di quella sera. «*Amleto*, *Riccardo III*, *La Tempesta*, *Sogno di una notte* e *Otello*?».

Daniel si poggiò una mano sul cuore con fare teatrale e si lasciò cadere contro lo schienale del sedile: «Sposami», scherzò. Quasi lo presi in considerazione. Poi sospirò, e io insieme a lui. «Allora, dimmi, ragazza senza nome. Cosa fai nella vita?»

«Cosa faccio o cosa voglio fare? Sono due cose ben diverse, credo. Attualmente sono una studentessa, ma spero un giorno di potermi presentare come scrittrice».

«Davvero?». Sembrava sinceramente interessato.

«Davvero, sì. Anzi, *davvero davvero*. Ecco, un raddoppiamento per amore».

«Be', fallo. La scrittrice, voglio dire», replicò divertito. Ehi, forse non ero poi così noiosa.

«Certo. Perché ti sembra facile».

Scosse la testa. All'improvviso si fece serio e alzò la birra in aria. «Non ho mai detto che sia facile. Ti ho solo suggerito di farlo. Tra l'altro, le cose migliori della vita non sono mica facili. Sono toste. Dolorose. E dure. Ma questo rende molto più piacevole raggiungere il traguardo».

«Sì... è solo che...». La mia voce si affievolì, sebbene Daniel sembrasse davvero interessato alla mia storia, e per niente annoiato dalle mie chiacchiere. «Scrivevo con un'altra persona».

«Scrivevi?», domandò.

«Già. E non riesco a immaginare di poter finire il libro senza di lei». Terminai la frase e serrai subito la mascella, nel tentativo di fermare le lacrime.

Daniel allungò il braccio verso di me e prese la mia mano tra le sue. Dalle sue dita sembravano propagarsi onde di calore, e una scossa elettrica mi attraversò dalla testa ai piedi.

«Mi spiace per la tua perdita».

Sei parole. Sei parole pronunciate da un perfetto sconosciuto, unite a un gesto semplice, mi avevano trasmesso una vitalità che mai mi sarei aspettata. E quella sera, quel contatto umano così diretto era davvero quello che mi ci voleva.

«Grazie».

Non mi tenne la mano a lungo, ma quando si ritrasse sentii subito la mancanza di quel contatto. «Forse la soluzione è cominciare a scrivere qualcos'altro».

«Forse. Ma non so dirti se sono davvero pronta a mettere da parte il libro che stavamo scrivendo».

Si grattò il collo, ridendo. «Allora sarà meglio che stia zitto». Anche lui era dannatamente piacevole. «Mi spiace averti avvicinato lì fuori, prima. È solo che... quando ti ho visto entrare nel locale la prima volta, sembravi come...».

«Come cosa?», chiesi impaziente.

Si accigliò. «Come se tutto quello che avessi mai amato stesse andando a fuoco, e tu non riuscissi ad allontanartene finché non lo avessi visto ridotto in cenere. E allora ho provato il desiderio fortissimo di abbracciarti».

Lo guardai inespressiva, incapace di dire qualcosa. Mi schiarii la voce e annuii, senza scollare i miei occhi dai suoi.

Daniel sorrise e si girò a guardare un membro della sua band che stava venendo verso il nostro tavolo. Il *nostro* tavolo? Che espressione interessante...

Il tipo gli diede una pacca sulle spalle e mi sorrise. Aveva un cespuglio di capelli biondi che gli coprivano quasi tutta la fronte, e gli occhi marroni più dolci che avessi mai visto. Un ciondolo con il simbolo della pace gli pendeva sul petto, e indossava una camicia a maniche lunghe, verde scuro, che teneva aperta sul petto sopra una maglietta bianca.

«Spero che questo sfigato non ti abbia infastidito troppo», disse sorridendo.

«Un po'», commentai.

Mi porse la mano. «Randy Donavon. Chitarra acustica».

«Piacere di conoscerti. Sei stato forte, prima».

Daniel sbuffò platealmente. «Non fargli montare la testa».

Randy fece un passo indietro e si portò una mano sul petto. «Montare la testa? Io?! Non esiste. Sono un tipo modesto, sai». Poi congiunse i palmi delle mani e si inchinò verso di me. «Grazie, bellezza».

Risi alle sue buffonate, e anche a Daniel, che stava alzando gli occhi al cielo.

«Odio doverti portare via Daniel, ma stiamo per ricominciare il concerto...», mi spiegò Randy. «Bellezza», prese la mia mano e la baciò, «è stato magnifico».

«Anche per me».

Randy diede una gomitata a Daniel e sussurrò: «Gnocca, eh?», prima di avviarsi verso il palco.

Divenni rossa come un peperone, e Daniel rise. «Non fare caso a lui. È un po'... speciale».

«Mi piacciono quelli speciali», replicai.

«Sei una persona affascinante», disse mentre si alzava. «E questo mi piace».

«Vuoi sapere cosa mi piace di te, invece?», feci, accomodandomi meglio sul sedile morbido, come se non ci fosse niente di più perfetto di quel tavolino in fondo a quel locale.

«Cosa?»

«Tutto». A quelle parole, il suo viso si illuminò, e mi avvolse scaldandomi fino al cuore. «Divertiti, lì sopra», gli augurai facendo un cenno al palco.

«Rimani nei paraggi?», mi chiese dolcemente. Sembrava quasi uno scolaretto che invita la sua compagna di classe al concerto nel garage di casa.

«Sì».

«Promesso?». Si infilò le mani in tasca, dondolando sulle punte dei piedi.

Mi facevano male le mascelle per quanto avevo sorriso quella sera. «Promesso. Anzi, promesso promesso».

Capitolo 6
Ashlyn

Cinque minuti fa camminavo da solo.
Cinque minuti fa camminavo a testa bassa.
Ma adesso conosci il segreto mio più grande,
e quando ti sei voltata per andare via
ti ho sussurrato: «Resta».

Romeo's Quest

Il concerto proseguì, e io non riuscii a distogliere gli occhi da Daniel per il resto della serata. Era evidente quanto amasse cantare, e bastava guardarlo per capire quanto fosse felice sul palco. Quando anche l'ultima canzone si concluse, applaudii insieme al resto del pubblico, entusiasta. Era stupefacente, l'intera band mi mandava in estasi: Gabby avrebbe amato quei pezzi.

Quando Daniel guardò verso di me, gli sorrisi e mimai un "grazie" con le labbra. Lui sembrò confuso, ma decisi che per quella sera bastava così. Avevo detto a Hailey che sarei rimasta fuori solo un paio d'ore, ed ero già in mostruoso ritardo: in quel momento forse stava avendo un attacco di panico, convinta che le avessi rubato la macchina. Era meglio avviarsi verso l'uscita.

L'aria calda della notte mi solleticò i capelli. Tirai fuori le chiavi di Hailey dalla tasca, pronta a tornare nel posto che avrei dovuto chiamare casa.

«Ehi, Senza Nome!», urlò qualcuno alle mie spalle. Mi voltai, e vidi un certo cantante dall'aspetto esausto correre verso di me. «Ma come? Toccata e fuga? Te la stai svignando senza nemmeno un saluto?»

«Be', ti ho detto "grazie"», mi schermii alzando le spalle.

La brezza della notte doveva risultargli gradita, dopo aver passato tutta la sera sotto le luci roventi del locale. Fece un passo verso di me, e io mi irrigidii.

«Ecco...». Si fermò e rise. Evidentemente gli era venuto in mente qualcosa di buffo, pensai, visto che io non avevo mosso un dito. «Lascia perdere. Piacere di averti conosciuto». Mi porse la mano sinistra, e io gliela strinsi.

«Piacere. Rientra dentro e fatti una bevuta di fine concerto. Te la meriti, sei stato meraviglioso stasera».

Non sorrise con la bocca, ma i suoi occhi scintillarono. «Era tua sorella? La persona che hai perso?»

«Come lo sai?».

Ci stavamo ancora stringendo le mani, e lui fece un altro passo avanti. «Quando mi hai raccontato del tuo paradiso personale, hai parlato di lei al passato».

«Ah», fu tutto quello che riuscii a dire. Non sapevo cos'altro aggiungere, e il solo pensiero di Gabby mi fece venire di nuovo da piangere.

«Una ferita ancora aperta?»

«Aperta e sanguinante».

«Mia madre è morta un anno fa. E venerdì scorso ho perso mio padre per un'insufficienza epatica». Si fece ancora più vicino.

«Tuo padre è appena morto e hai la forza di fare concerti in giro?», esclamai a bocca aperta.

«Ho dato un po' di matto...», sussurrò, picchiettandosi l'indice sulla tempia. Sapevo bene a cosa si riferisse. «Era un insegnante di inglese. La band era stata una sua idea, sai. Un gruppo ispirato a Shakespeare... Solo a lui poteva venire in mente». Fece una pausa. «La gente non fa altro che ripetermi che con il tempo andrà meglio, ma...».

«Ma va solo peggio», replicai, comprendendo in pieno le sue parole e facendomi un po' più vicina.

«Per gli altri intorno a te il tempo passa. E quello che ti è successo diventa roba vecchia. La gente si stanca di sentire sempre le stesse cose, mentre tu con la tua tristezza non fai che opprimere chi ti circonda... Così, inizi a comportarti come se il dolore fosse scomparso. Per evitare che gli altri continuino a preoccuparsi, capisci. Per smettere di seccare tutti con le tue lagne».

«Vuoi sapere una cosa che ti sembrerà davvero fuori di testa?». L'idea di parlare a un completo sconosciuto di un lutto così importante, in teoria, avrebbe dovuto farmi rabbrividire, ma Daniel era la prima persona in grado di comprendere quello che stavo passando. «Mentre venivo qui, in macchina, avrei potuto giurare che mia sorella fosse seduta accanto a me. Sai, eravamo gemelle».

All'improvviso si rabbuiò, colpito da quelle ultime parole. Mi sentii in colpa per averlo messo a disagio, non se lo meritava.

«Ehi, va tutto bene», sussurrai, «tranquillo».

«A volte, mi sembra di sentire ancora nell'aria l'odore del sigaro preferito di mio padre».

Rimanemmo in silenzio per un momento, gli occhi bassi sulle nostre mani intrecciate, ancora unite dal saluto della buonanotte. Poi scoppiammo a ridere, nervosi. Non avrei saputo dire chi avesse cominciato per primo.

Finalmente, feci un passo indietro. Alzai lo sguardo, e cercai di non sbattere le palpebre nemmeno una volta per non perdermi un solo secondo di quello spettacolo meraviglioso che erano i suoi occhi azzurri. «Ashlyn», dissi, donandogli il mio nome.

Mi sorrise, un po' impacciato. «*Ashlyn*», cantilenò. «Proprio quando pensavo che non avresti più potuto stupirmi, te ne esci con un nome del genere».

Mi sentivo bene, sospirai e alzai lo sguardo al cielo notturno.

Sembrava tutto così semplice. Un concerto in un nuovo locale, e quella musica che mi aveva travolto. Un ragazzo capace di leggermi dentro al primo sguardo, che mi capiva più di quanto non facessi io. Una brezza leggera che mi aveva restituito il respiro. «Se c'è un Dio, e non sono così certa che ci sia, pensi che ci abbia donato una notte come questa per scusarsi di averci strappato via i nostri cari?»

«Non lo so», rispose pensieroso. «Ma sarebbe un buon inizio».

Silenzio, ancora. Non avrei mai immaginato che l'assenza di parole potesse essere così accogliente, che potessi sentirmi a mio agio, come fossi sola, ma con uno sconosciuto accanto. Daniel non riusciva a smettere di sorridere, e nemmeno io. Due sorrisi da fotografia, che dall'esterno forse parevano tutto tranne che naturali.

«Be', questa sì che è stata una serata assurda», concluse lasciando infine la mia mano.

«Confermo».

«Bene, allora. La smetto di darti fastidio e ti lascio andare via».

«Ok. Solo che...». Mi guardò, in attesa. «Non sono ancora pronta ad andarmene. Perché se me ne vado, finisce tutto... Tutta la magia di stasera che è riuscita a spegnermi il cervello per qualche ora svanirà, e io sarò di nuovo la Ashlyn triste di prima».

«Mi stai chiedendo di fingere insieme a te, ancora per un po'?», replicò.

Annuii, sperando non mi avesse preso per una svitata. Mi strinse una mano, sollevandola a mezz'aria, e mi guardò divertito. «Facciamo una passeggiata, allora», propose.

* * *

Facemmo il giro del palazzo, e poi un altro, e poi un altro ancora. Non so come, ma cominciammo a raccontarci storie e aneddoti delle nostre vite, senza smettere di camminare né di parlare. Al terzo giro, Daniel mi raccontò di suo padre, del fatto che non avessero avuto un gran rapporto fino alla morte della madre. Non erano mai stati molto uniti, e lui rimpiangeva tutti quegli anni di distacco e lontananza. Si fermò all'angolo tra Humboldt Street e James Avenue e fece un bel respiro. Alzò la testa e intrecciò le mani dietro la nuca, gli occhi chiusi. Io rimasi zitta, perché il linguaggio del corpo era inequivocabile, e non c'era altro da aggiungere.

Mi disse che aveva un fratello, ma quando gli chiesi di più, si irrigidì. «Non ci parliamo, io e lui». Furono le parole più gelide che pronunciò quella sera, e non insistetti.

Al quarto giro, ci confidammo di non dormire da giorni, ci venne da ridere e non riuscimmo a smettere per cinque minuti, forse proprio per la stanchezza. Al sesto giro, aprii i rubinetti: all'inizio solo poche lacrime, che mutarono presto in un pianto incontrollato. Daniel non disse nulla, si limitò a stringermi a sé, mi poggiò la testa sul petto e cercò di calmarmi sussurrandomi parole all'orecchio e versi di conforto.

Cercai di soffocare le lacrime e trovare le parole per dirgli che sarei stata bene, che ce l'avrei fatta, ma lui mi redarguì. Disse che era okay *non essere* okay, mi spiegò che non era un problema stare male per un po', non sentire altro che dolore. Il sesto giro durò più a lungo degli altri. Rimanemmo fermi, il suo respiro contro i miei capelli, mentre mi sussurrava che un giorno, all'improvviso, quel dolore sarebbe stato soppiantato dalla gioia.

Dopo, gli raccontai della lista che aveva compilato Gabby per me, e lui mi chiese di leggerla. Frugai nella borsa in cerca del pezzo di carta che mi portavo sempre dietro e glielo passai. Lo prese con molta cura e lo spiegò delicatamente. I suoi occhi si mossero famelici da una riga all'altra, aprendosi la strada lungo il foglio.

«Hula-hoop in un grande magazzino?», chiese, sollevando un sopracciglio.

Ridacchiai, annuendo.

«Cantare una canzone di Michael Jackson in un karaoke, senza omettere i passi di danza».

«Oh, lascia stare. Questa è più una cosa da Gabby che da me», risposi.

Sorrise ancora una volta, poi ripiegò il foglio e me lo restituì. Mi chiese quante voci avessi già depennato dalla lista, e io sospirai.

«Ancora nessuna. Speravo di riuscire a ballare, stasera, ma come avrai visto non ero dell'umore adatto».

«Quindi non hai ancora aperto nessuna lettera di tua sorella, giusto?»

«Non ancora. Sono tentata di prenderle e aprirle tutte, una buona volta, solo che...».

Daniel rise e riprese a camminare. «Solo che non sei quel tipo di persona».

«Quale tipo?», chiesi.

«Lo sai. Quel tipo di persona che disobbedisce alla sorella gemella. Morta».

Sorrisi: era un ragionamento contorto, e forse anche un po' morboso e cinico, ma mi strappò lo stesso un sorriso perché, ecco, era divertente. E mi mancavano un sacco momenti come quelli. «Hai ragione. Non avrei il coraggio».

«D'altra parte...». Si voltò verso di me e cominciò ad avvicinarsi lentamente. «Stai per cancellare una delle voci della lista». Lo guardai senza capire. Daniel rise alla mia espressione perplessa poi, ormai a un centimetro dal mio volto, poggiò le sue labbra sulle mie. La sua bocca non era solo morbida e irresistibile, ma anche molto esperta. Immaginai che fosse in grado di ipnotizzare chiunque, anche le labbra più restie, e scioglierle con il calore potente che emanava.

Sperimentai in prima persona quanto avevo appena immaginato. Avrei dovuto inventare una parola per descrivere quel bacio… Terapeutico. Straziante. Empatico. Divino. Mi serviva una parola nuova che riuscisse a contenere tutte quelle emozioni.

Ci baciammo ancora a lungo. Non avevo mai baciato nessuno così: fui invasa da un'energia indescrivibile, che elettrizzò entrambi. Fino a quel momento ignoravo che potesse essere così semplice e così complicato allo stesso tempo, e mi resi subito conto che non avrei mai voluto baciare un altro uomo nel modo in cui stavo baciando lui. Poi, Daniel mi guidò sul retro del locale e mi appoggiò delicatamente con le spalle al muro dell'edificio. Si chinò su di me, la sua lingua si fece strada tra le mie labbra e trovò la mia lingua, pronta a fondersi con la sua. Le sue braccia mi strinsero, e d'istinto sollevai una gamba e mi aggrappai a lui. Le sue mani forti adesso stringevano il mio sedere e mi sollevavano ancora più su, e non potei fare altro che avvinghiarmi anche con l'altra gamba, nel disperato tentativo di combattere la forza di gravità, e di non lasciarlo andare mai più. In quel preciso momento mi tramutai in una stella cadente: il mio corpo precipitò in un vortice di desiderio, e pregai il cielo che quel bacio non fosse solo un'allucinazione causata dalla profonda tristezza, e di lasciarmi lì e non farmi tornare più alla realtà.

Quando Daniel si staccò, io rimasi con gli occhi chiusi e il cuore spalancato. Mi poggiò una mano sul petto per sentire quel tamburellare eccitato; io non avevo bisogno di toccare la sua pelle, perché sentivo i battiti provenire da sotto la maglietta. Non parlammo, non c'era bisogno: erano i nostri corpi che comunicavano attraverso la pelle e la punta delle dita. Bastava sfiorarsi.

Per l'ultima volta, le sue labbra sfiorarono le mie, quasi senza poggiarsi, come un saluto finale. Quando riaprii gli occhi, incrociai il suo sguardo e lui sorrise. «Numero ventitré».

Lentamente mi fece scivolare giù. Guardai il foglio che mi era rimasto in mano e corsi alla metà della pagina.

#23. Baciare uno sconosciuto.

Non posso crederci. L'ho fatto davvero.

Alzai gli occhi dall'elenco e guardai Daniel, che fece tre passi indietro e si inchinò. «Non c'è di che», disse.

Non riuscivo a contenere la gioia, e d'altronde sarebbe stato inutile provarci. Cominciai a correre come una pazza, le braccia spalancate e l'aria della notte che mi attraversava il corpo. Potevo finalmente aprire una lettera di Gabby! Stavo per piangere, lo sentivo, ma stavolta erano lacrime di gioia.

Corsi verso Daniel e mi lanciai tra le sue braccia, stringendolo forte. Lui fu colto di sorpresa ma non vacillò, mi sollevò per aria e mi fece vorticare un paio di volte, ricambiando l'abbraccio senza dire una parola.

«Sai cosa significa questo per me?», sussurrai, desiderando con tutta me stessa di baciarlo ancora e ancora.

Si scostò un po' e mi guardò, sorridendo. «Forza, vai a casa e aprine una».

Raggiungemmo l'entrata del locale. Daniel mi strinse le spalle, le sue labbra si avvicinarono alle mie e quando si posarono su un angolo della mia bocca, una scarica elettrica mi trafisse dalla testa ai piedi.

«Buonanotte, Ashlyn», mi augurò sfiorando la punta delle mie dita prima di fare un passo indietro.

«Buonanotte, Daniel Daniels». Il mio cuore si stava perdendo in un mondo di desiderio, e avevo deciso di avventurarmi in quel territorio sconosciuto. Aprii la borsa e tirai fuori il CD. «Ah, solo perché tu lo sappia... Ti porto a letto con me stasera».

«Be', cavolo. Ho davvero un gran culo». Mi fece l'occhiolino e mi sentii svenire. Si passò una mano tra i capelli e sorrise ancora di più. «Mi sa che è arrivato quel momento lì, in cui ci si scambia i numeri». Prese il suo telefono e me lo passò, e io feci altrettanto. Dopo aver scritto il suo numero, me lo restituì.

«Sappi che molto probabilmente non sarò io a chiamarti per prima, non mi piace fare la figura della disperata», precisai.

«Ah, nemmeno io farò il primo passo. Così penserai che stia frequentando altre ragazze».

«Non ci crederei mai. Scusa, ma ti sei visto? Sei troppo orribile».

«Ah, sì?»

«Già. Sai, alle ragazze non piacciono per niente le braccia muscolose o gli addominali, né i sorrisi mozzafiato...». Daniel afferrò al volo le mie mani e se le portò sulla pancia. «Addominali *scolpiti*, aggiungerei». Ovviamente ero arrossita fino alla punta dei capelli, e sperai con tutta me stessa che non se ne fosse accorto.

«E cosa piacerebbe, invece, a queste ragazze?». Incrociò le braccia al petto.

«Le solite cose. Qualche peluzzo che spunta dalle narici. Un bel doppio mento tutto da baciare. Uno o due capezzoli in più. Niente di speciale, insomma».

Lui rise, e avrei voluto stringerlo a me per sentire la risata corrergli lungo il corpo. «Be', cercherò di impegnarmi. Non voglio fare la figura della persona... com'è che hai detto?»

«Orribile».

«Giusto. Non voglio sembrare orribile». Un ultimo sorriso e poi si voltò, e a me non rimase che incamminarmi nella direzione opposta.

«Ehi, Ashlyn!», gridò. Mi voltai, in attesa che dicesse qualcosa. «Ti andrebbe di passare qualche altra serata assurda con me, qualche volta? Per esempio, che ne so, martedì?».

Sì! Sì! Oddio, sììììììììì! «Sai cosa? Penso proprio di sì».

«Hai presente la biblioteca su Harts Road?».

No. Non ce l'avevo presente. Ma l'avrei cercata su internet una volta tornata a casa. «Più o meno».

«Bene. E più o meno allora facciamo alle sei».

«È un appuntamento». Mi resi conto di quello che avevo appena detto e mi bloccai. Mi sentii avvampare. «Intendo dire... è un... Ci sarò, sì. Ci vediamo martedì».

Lui rise e si voltò. «Va bene, è giusto. È un appuntamento, anzi, un appuntamento appuntamento».

Lo ripeté due volte.

Ero ufficialmente cotta.

* * *

Entrai in camera e trovai Hailey sul pavimento, in equilibrio precario sul suo tappetino degli esercizi yoga, mentre dallo stereo proveniva quella che sembrava proprio "pioggia nella foresta". Hailey inspirava profondamente ed espirava lentamente dalla bocca socchiusa. A vederla in quel modo, non riuscii a contenere un risolino.

«Hailey?», mormorai, chiudendo piano la porta dietro di me.

«Sst», fece, indicando il tappetino accanto al suo.

Accettai quell'invito un po' strambo, sfilai i tacchi e posai giacca e borsa sul letto, quindi mi sedetti per terra.

«Chiudi gli occhi», mi disse Hailey che li aveva già serrati. Alzai gli occhi al cielo e feci una smorfia, e non so come se ne accorse. «Non fare quella faccia da "sei-fuori-come-un-balcone", grazie. E chiudi quei maledetti occhi».

Obbedii e feci un respiro profondo. Nella stanza entrava

uno spiffero freddo, e immediatamente mi venne la pelle d'oca. Diedi una sbirciatina a Hailey, che non aveva smesso di inspirare ed espirare, completamente rilassata.

«Senti la differenza, adesso? Basta qualche secondo in questa posizione, ed entri in connessione con l'universo, se ti impegni. Riesci a sentire tutte le energie negative che abbandonano il tuo corpo attraverso le dita delle mani e dei piedi?», chiese ancora, prima di tornare al suo esercizio di respirazione.

«Uhm, no», risposi titubante. A parte stare sdraiata su un tappetino yoga, in una stanza buia, ad ascoltare tuoni e cinguettii dalle casse dello stereo, non percepivo altro.

Hailey si interruppe di nuovo e sollevò un sopracciglio. «Uff. Nemmeno io. Te l'ho detto, ho provato a fare questo tipo di meditazione un sacco di volte, ma semplicemente non ci arrivo».

Ridacchiai e mi raddrizzai, incrociando le gambe. «E allora perché insisti?»

«Theo...», mi spiegò e si sdraiò, incrociando le mani dietro la testa. «Allora, com'è andata la tua serata?».

Le mie labbra si piegarono in un sorriso. Hailey lo notò.

«Hai visto un ragazzo!», sbottò subito.

La guardai, turbata. «Come accidenti hai...?»

«Ashlyn, sei uscita tutta incazzata e sei tornata allegra e contenta. Chiaro che hai visto un ragazzo».

Si sbagliava. Non era propriamente un ragazzo. Mi sdraiai sul tappetino, gli occhi fissi sulle nuvole dipinte sul soffitto, l'orecchio teso al cinguettio degli uccellini e ai versi delle scimmie. «Sono stata molto bene, comunque».

Chiacchierammo ancora un po', poi la mia nuova compagna di stanza cominciò a sbadigliare e lentamente scivolò nel sonno, così mi alzai, presi una coperta e gliela misi addosso.

Verso le due del mattino, il mio telefono vibrò. Sullo schermo comparve proprio *quel* nome, e non potei fare a meno di sorridere.

DANIEL: È inglese. Agita spesso la sua bacchetta in giro. Indossa maglioni bellissimi.
IO: È una specie di quiz notturno di letteratura?

Le farfalle nello stomaco si risvegliarono di colpo.

DANIEL: Ehm.
IO: Be', allora devi sforzarti di più. *Harry Potter*. Ora tocca a me. Scappa di casa per sfuggire a una maledizione. Si sposa. Ha dei figli. Ma ha una gran sfiga, perché la madre dei suoi figli è anche... sua madre.
DANIEL: Figuriamoci. *Edipo Re*. Ora io, indizio: ha qualche problema con i topi. Colleziona scarpette d'oro. Ha due sorellastre che finiscono per perdere entrambi gli occhi.
IO: *Cenerentola*, nella versione dei fratelli Grimm. Ma sono troppo facili! A proposito, non avevi detto che non mi avresti chiamato per primo?
DANIEL: Pensavo che l'indizio degli occhi fosse una furbata. Non ti sto chiamando, ti sto scrivendo. La mia fidanzata è qui accanto a me che dorme e potrebbe insospettirsi se mi sentisse parlare. Sei bellissima.

Riusciva a farmi ridere e a mandarmi in estasi allo stesso tempo. Ci sapeva fare, il ragazzo.

IO: In uno scala da 1 a 10, l'indizio degli occhi era 1,5. Sbadiglio. Non ci credo che Mr. Orribile abbia una ragazza. E non cercare di lusingarmi con i tuoi complimenti, i tuoi indovinelli fanno schifo.
DANIEL: Sei bellissima.
IO: Sei un buffone.
DANIEL: Davvero, Ashlyn. E non parlo solo dell'aspetto fisico. Intendo la tua intelligenza, le tue lacrime, le tue ferite. Penso che anche tutto questo sia bello.

Ogni volta che rispondeva, mi sentivo avvampare. Non stava giocando: non fingeva di avere di meglio da fare alle due del mattino. Rispondeva subito, e in ogni parola ci metteva tutto se stesso.

IO: Smettila…
DANIEL: Sei così brutta che fai pena. Ti prenderei a calci, se potessi. Come mai sei così disgustosa?
IO: Mi stai corteggiando, bravo.
DANIEL: 'Notte, Ash.

Abbandonai il telefono sul petto e sospirai. Buonanotte, Daniel Daniels. Mi avvicinai alla scatola di legno e con la luce del telefono illuminai il mucchio di lettere, finché non trovai la numero 23. Mi sedetti sul letto e la aprii lentamente.

#23. Baciare uno sconosciuto.

Ommioddio,
questo significa che mia sorella è una puttanella!
Ma dici davvero? HAI BACIATO UNO SCONOSCIUTO?!
Ok, la smetto. Posso dire che sono fiera di te?
E se per caso questa è una delle prime lettere che hai aperto, significa che probabilmente è successo perché ti manco davvero taaaanto.
La mia sorellina! Allora dimmi, bacia bene?
Aveva l'alito di una scimmia? Con la lingua o senza?
Ommioddio, ci sono così tante cose che vorrei sapere. Ti è piaciuto?
Ti sei sciolta tutta? A meno che tu non abbia baciato Billy, il tuo ex, sono contenta.
Suppongo che questa voce della lista ti sia servita per capire che bisogna sempre buttarsi e tentare la sorte. Baciare il ragazzo sbagliato al momento giusto. Baciare il ragazzo giusto al momento sbagliato. Insomma, chissenefrega, l'importante è vivere ogni giorno come se non ci fossero limiti. Ci sono tante cose che avrei voluto fare, ma ci ho sempre pensato troppo.

Per esempio, mi sarebbe piaciuto indossare un vestito a pois un giorno o l'altro, o assaggiare il sushi, o farlo la prima volta sulla spiaggia, con Bentley, durante la festa dell'anno scorso, quando ne avevo veramente voglia.

Buttati!

Stai andando alla grande, sorellina.

Gab.

Capitolo 7
Ashlyn

Sono poche le cose che voglio,
solo il tuo numero,
un tuo sorriso,
incontrarti per caso una sera,
e rimanere con te ancora un po'.

Romeo's Quest

La luce del sole si riversò sul tappeto e mi svegliai di soprassalto: ero ancora sul pavimento. La coperta che avevo steso su Hailey la notte precedente adesso giaceva sopra di me, e la mia compagna di stanza era in piedi davanti allo specchio a figura intera, intenta a sistemarsi i capelli.

Mi strofinai le mani sugli occhi insonnoliti e mi sollevai a fatica, sbadigliando senza tregua. «Grazie per la coperta».

«Idem», sorrise, voltandosi verso di me. «Questa faccenda di condividere la stanza sta andando bene, no?».

Mi buttai sul letto, non sapendo cosa dirle. Non era molto che vivevo lì, ed era ancora tutto così nuovo per me. Ma Hailey non si aspettava una risposta, e di corsa mi raggiunse e si sedette sul bordo del mio letto. «Per me è grandioso! Ah, volevo dirti... Theo darà una festa tra qualche settimana, i suoi genitori non ci saranno, partono per Bora Bora. E io ho bisogno che tu venga con me».

«No, grazie», risposi decisa.

Hailey mise il broncio e incrociò le braccia. «*Eddai*! Per favore! Mia madre non mi lascerà mai andare da sola, a meno che non mi accompagni qualcuno. A Lia, la mia migliore amica, Theo non piace, vai a capire perché, e visto che l'unico mio altro amico è mio fratello, che è molto, molto anti-Theo, il risultato è che mia madre è molto molto anti-festa. Ho bisogno che venga una ragazza con me. Ho bisogno di te! A mamma poi piacerà tantissimo l'idea, penserà che stiamo legando. Cosa che in effetti sarà!». Batté le mani e cominciò a implorarmi. «Per favore, Ashlyn, per favore!».

«Non sono proprio un tipo da festa, ti avviso».

«Ma va bene! Va benissimo. Chissà», sorrise e chiuse gli occhi, «magari dopo la festa potrai depennare qualcosa dalla tua lista».

Rimasi a bocca aperta e mi tirai su sul letto. «Come fai a sapere della lista?»

«Perché parli nel sonno». Aprì un occhio e mi guardò, intimorita all'idea che potessi essere incazzata con lei. Cosa di cui non ero ancora convinta, effettivamente. «E inoltre, hai lasciato una lettera sul letto, ieri sera».

Balzai su, con il cuore a mille. «Hai letto la mia lettera?! Hai frugato nella mia roba, non ho parole!».

Hailey si alzò in fretta e spalancò gli occhi, terrorizzata. «No! Ero semplicemente seduta lì. E sono... insomma... Sì, ho letto la tua lettera. Sono una compagna di stanza orribile. Lasciami rimediare, vieni alla festa!».

La fissai, senza muovere un sopracciglio, con espressione sgomenta. «Non penso che verrò, adesso». Mi avviai verso la porta, ma Hailey mi bloccò la strada.

«Senti, va bene, scusami. È stato stupido da parte mia leggere la tua roba, e giurin giurello non lo farò mai più». Alzò il mignolo verso di me, io la guardai, senza capire. Hailey abbassò lentamente la mano e sospirò. «Non ho mai avuto molti amici. E sono molto vicina dal perdere anche il mio ragazzo. Non sono come te, okay? Non ho le tettone, né nient'altro che faccia sbavare i ragazzi. Theo è la mia unica speranza. E se non avrò questo sabato per dare a Theo il mio fiorellino, mi lascerà. E allora rimarrò con questo cavolo di giardino qui sotto per il resto della mia vita!», esclamò tutto di un fiato, con le lacrime agli occhi.

Scoppiai a ridere. «Il tuo *che*?», replicai, guardandola nel pieno del melodramma. La cosa spaventosa era che sembrava proprio seria. «Avevo capito che tu non fossi ancora pronta a perdere la tua... rosa... orchidea... ehm, il tuo fiorellino».

Un timido sorriso si aprì sul volto di Hailey. «Oh, lo trovi divertente? Be', ne sono molto felice. Sono contenta che le mie sfighe almeno ti facciano ridere».

«Solo un po'».

Alzò gli occhi al cielo e si buttò a faccia in giù sul suo letto. «Morirò vergine, lo so».

Sussultai, tornando con la mente alla lettera di Gabby e a quanto avrebbe voluto perdere la verginità con Bentley. Mi morsi il labbro e feci una smorfia. «Va bene, verrò».

Hailey si rianimò all'istante. «Dici davvero?»

«Solo se mi prometti che non frugherai mai più tra le mie cose».

«Te lo prometto», gridò, saltando giù dal letto.

«E dobbiamo anche trovare il modo di cancellare una voce dalla mia lista». Frugai nella borsa e tirai fuori il foglio. Hailey me lo sfilò subito dalle mani e lesse voracemente l'elenco.

«L'ha scritta tua sorella? Wow. Mi sa che era una tipa da paura».

«Lo era».

Hailey si fermò e mi guardò con quell'espressione contrita che cominciavo a odiare. Poi tornò alla lista e si schiarì la voce. «Numero dodici. Guarda qui: aiutare i bisognosi».

Risi di cuore. «Sì ma dubito che intendesse dire aiutare una ragazza a perdere la verginità».

Strinse le labbra e proseguì. «Numero sedici?». Mi passò il pezzo di carta e quando lessi sorrisi.

#16. Andare a una festa.

«Be'... sì, penso proprio che faccia al caso nostro». Raddrizzai la schiena e sbadigliai. «Ma per il momento, ho bisogno che mi presti il tuo dentifricio. L'ho finito».

«Prestare? Figuriamoci, tienilo pure». Hailey ridacchiò, e mi disse che era nell'armadietto del bagno. «E sbrigati. Mamma odia essere in ritardo alle letture della domenica mattina».

* * *

Andare in chiesa la domenica mattina dopo aver dormito solo poche ore fu più difficile del previsto. Hailey e Ryan dovevano essere lì per insegnare catechismo. Rebecca cinguettò che sarebbe stato davvero meraviglioso se mi fossi unita anch'io, ma in realtà voleva dirmi "Devi venire in chiesa, punto e basta". Avevo imparato una cosa su Rebecca, quando ti faceva tutte quelle moine e ti propinava quelle frasi sdolcinate, significava che non avrebbe mai ammesso un rifiuto: lei esigeva, ma lo faceva con il sorriso.

Quando la vedevo accanto a Henry, mi chiedevo come avessero fatto a mettersi insieme. Sembravano così diversi, e parevano una coppia assai stravagante. Avevo persino beccato Henry seduto in macchina a fumare, di nascosto da Rebecca. Ma il loro rapporto era anche altro. Mi ero accorta di come lui la guardava quando lei era distratta, della luce nei suoi occhi. Di come Rebecca gli teneva la mano, con una premura incredibile.

Il telefono di Henry suonò un istante prima di entrare in chiesa, e Rebecca alzò un sopracciglio. «Chi è a quest'ora?».

Henry guardò il display e fece una smorfia. «Arrivo subito, voi entrate».

Rebecca tenne la porta aperta per lasciarci entrare, e ammonì i figli. «Ricorda, Hailey, una preghiera all'inizio e una alla fine, con i ragazzi del catechismo. Hanno bisogno di imparare».

«Va bene», acconsentì Hailey, alzando gli occhi al cielo.

«E tu, Ryan, oggi stai con i ragazzi più grandi... Non preoccuparti per quell'Avery che interrompe sempre: è stato espulso dalla classe».

«Perché?», chiese Ryan.

Rebecca assunse un'espressione disgustata. «Si è comportato in modo inaccettabile, ma non posso dirti altro. La sua famiglia ha cambiato parrocchia».

Ryan alzò un sopracciglio, ma non fece altre domande.

«E infilati la camicia nei pantaloni, su. Sembri così trasandato. Ricordati, Dio ti vede!». Quando Rebecca si voltò ed entrò in chiesa, Ryan tirò fuori il suo pacchetto di sigarette finto. Gli lanciai un'occhiata interrogativa e mi voltai verso Hailey.

«Ma cosa sta facendo con quel coso?», sussurrai, seguendola nell'aula dove avrebbe tenuto la lezione.

Hailey guardò il fratello di sfuggita e poi scosse le spalle. «Strategia di *coping*».

Strategia di che?

Hailey doveva avermi letto nel pensiero, perché mi guardò e sorrise. «Non sei l'unica ad avere problemi con tuo padre, Ash».

Capitolo 8
Ashlyn

Di due cose soltanto vorrei ti prendessi cura,
una è nel mio petto
e l'altra nel tuo.

Romeo's Quest

Il lunedì fu il primo giorno del mio ultimo anno di scuola. Hailey accompagnò me e Ryan in macchina, e Henry mi promise che avrebbe fatto del suo meglio per non incrociarmi nei corridoi. Quando arrivammo nel parcheggio, Ryan si precipitò fuori per primo e si gettò lo zaino in spalla. Scesi anch'io, allacciai le cinghie dello zaino e strinsi al petto il romanzo che stavo leggendo. Avevo deciso che non avrei mai, mai girato per la scuola senza un libro davanti, a mo' di scudo. Così forse i ragazzi non mi avrebbero squadrato come facevano nell'altra scuola: lì però era diverso, perché c'era mia sorella accanto a me.

«Fammi vedere che lezioni devi seguire, Chicago». Ryan mi diede un colpetto e mi sorrise, soddisfatto del mio nuovo soprannome. Gli passai il foglio e diede un'occhiata. «Oh, alla prima ora hai Chimica con la professoressa Gain. Che botta».

Hailey si accigliò. «La chiamano Miss Tanfo. La sua classe puzza come una stalla».

«E ci tratta come se fossimo studenti di Harvard». Ryan alzò gli occhi al cielo. «Io sarò fortunato se andrò all'università statale». Mi parve lo dicesse più che altro a se stesso, così rimasi zitta. «La terza ora ti piacerà però, c'è Inglese avanzato, corso pre-universitario del professor Votialti. Lo seguo anche io». E perché, se era così scettico sul suo futuro da studente?

«Il professor Votialti è molto entusiasta, perché è nuovo. I professori nuovi sono sempre di manica larga», spiegò Hailey, poi se ne andò alla ricerca del suo armadietto.

Ryan mi restituì il foglio con gli orari delle lezioni e sgattaiolò nell'edificio per raggiungere la classe. Io non trovavo il coraggio di entrare: alzai gli occhi alla scuola e la osservai con attenzione. Centinaia di persone brulicavano lì attorno: sembrava che tutti sapessero esattamente dove stavano andando e cosa avrebbero dovuto fare. Mossi il primo passo, piano e con circospezione, e mi buttai nella mischia sperando di fare meno danni possibile.

La prima ora scivolò senza scossoni, e i miei nuovi compagni non sembravano male. Ma avevano ragione, l'aula della professoressa Gain puzzava proprio come una stalla.

«Molto bene, ragazzi. Benvenuti al corso di chimica. Sono lieta di vedervi tutti accomodati nel posto che avete scelto con tanta cura. Un vero peccato, perché ora ci penserò io ad assegnarvi il banco, e conoscerete quello che sarà il vostro compagno per il resto del semestre. E appena cambierete posto, inizieremo a fare sul serio».

Si alzò un brusio indistinto, fatto di labili proteste e sbuffi, ma per me non cambiava niente. Tanto non conoscevo nessuno, per cui non aveva importanza accanto a chi mi sarei seduta.

«Ashlyn Jennings accanto a Jake Kenn, quinto banco». Presi i miei libri e mi spostai al nuovo posto, dove trovai un ragazzo. Mi rivolse un sorriso amichevole, ma i suoi occhi si abbassarono subito sul mio seno. Come al solito.

«Ciao. Ashley, giusto?». Mi porse la mano e sorrise.

«*Ashlyn*», lo corressi. Jake era un bel ragazzo, capelli biondi, occhi castani e, da quello che intravedevo sotto la camicia, era provvisto di muscoli niente male.

«Piacere di conoscerti, *Ashlyn*», disse enfatizzando il mio nome, cosa che mi fece sorridere.

«Piacere mio».

«E così tu saresti la ragazza nuova di cui tutti parlano. La figlia del preside».

Parlavano tutti di me? L'informazione mi fece accapponare la pelle. «La figlia del *vicepreside*, prego. Parlano tutti di me? Questa è la mia prima ora del primo giorno...».

«Imparerai in fretta... la gente spettegola molto, qui. Praticamente non fa altro». Annuì, squadrandomi ancora una volta dalla testa ai piedi. «Non assomigli per niente al signor Jennings».

«Lo prenderò come un complimento». Sorrisi timida e scostai un po' la sedia da lui.

Jake notò il mio gesto e ridacchiò sotto i baffi prima di voltarsi nuovamente a guardare l'insegnante. «Credimi, lo era».

Alla fine dell'ora, Jake si offrì di aiutarmi a trovare la classe successiva, ma io rifiutai con garbo.

La lezione trascorse come la precedente: con estrema lentezza. Mentre camminavo lungo il corridoio, mi sentii in trappola. I miei occhi corsero all'orologio appeso al muro. Odiavo quel ticchettio rumoroso che mi ammoniva a non perdere tempo e a non distrarmi: "Sbrigati!", borbottava a tutti gli studenti. Mi restavano altre sei ore, altre sei interminabili, orribili ore prima di poter evadere da quella prigione.

A un tratto vidi Henry camminare lungo il corridoio con un mezzo sorriso stampato in faccia. Cambiai direzione all'istante, e andai a sbattere contro qualcuno, sparpagliando per terra libri, quaderni e fogli volanti.

«Ehi, guarda dove metti i piedi, salame!».

Alzai gli occhi giusto in tempo per accorgermi di essere

andata a sbattere contro un ragazzo che indossava il giubbotto di una squadra di football e aveva i compagni al seguito, che gli si accalcavano addosso: avrei potuto giurare che fosse il leader del gruppo. C'era anche Jake con loro, e mi sorrideva un po' diffidente. *Be', grazie per l'aiuto, compagno di banco.*

«Io più che salame direi *melone*. Due bei meloni. Mmm, come mi piacciono i meloni, grandi e succosi», disse ridendo uno dei ragazzi che era rimasto indietro, guardandomi il seno. Mi chinai e cominciai a raccogliere le mie cose, stringendo ancora di più i libri al petto. Non ero riuscita nemmeno ad alzare lo sguardo e a guardare quei tipi negli occhi.

I vestiti di Gabby non facevano per me: mettevano in evidenza le mie forme, e quando camminavo per strada mi sembrava di essere su una passerella. Ma secondo Gabby dovevo indossarli proprio per questa ragione.

«Non hai bisogno di libri con due tette come quelle. Posso insegnarti io, tutto quello che vuoi, bellezza. Parola di Brad», si offrì uno dei ragazzi in prima fila. Sentii il suo sguardo trapassarmi da cima a fondo e mi allontanai di scatto, finendo per andare a sbattere addosso a un altro energumeno. Ma insomma, non avevano di meglio da fare il primo giorno di scuola? Per esempio andare in classe?

«Dài, solo una strizzatina...», bofonchiò l'ennesimo scemo, avvicinandosi al mio orecchio e strusciando una mano sulla mia spalla prima che il richiamo di un insegnante giungesse alle nostre orecchie.

«Va bene, va bene. Ora basta. In classe, subito!». Non avevo il coraggio di alzare lo sguardo, e rimasi a fissare le scarpe di quegli stronzi mentre correvano via. Ero completamente sudata. Le parole e i gesti di quei ragazzi mi avevano umiliato, violato: mi sentivo sporca, come se mi avessero toccato e spogliato nel più sordido dei vicoli. Volevo tornare di corsa a Chicago, dove almeno li conoscevo di persona i bulli della scuola. Volevo tornare a casa.

«Ti è caduto questo», disse la voce che era giunta a soccorrermi, e mi porse gli orari delle lezioni. Quando vidi quella mano, trasalii. Alzai lo sguardo e lui lasciò cadere il foglio per terra, scosso quanto me. «Ashlyn!».

Mr. Occhi Stupendi. Daniel.

In un primo momento, sapere che era stato proprio lui a richiamare quegli stronzi mi diede un bizzarro senso di conforto. Ma poi mi fu tutto chiaro: Daniel era uno dei *professori*.

«Cosa ci fai qui, Daniel?». Sembrava così... *adulto*. Così diverso dalla sera del concerto. Indossava una camicia celeste, dei pantaloni marroni e una cinta in tinta con le scarpe. I capelli erano stati addomesticati: li aveva pettinati all'indietro, ben in ordine.

«Non farlo...», sibilò con una smorfia. Lanciò un'occhiata furtiva al corridoio e poi incrociò le braccia, impacciato. «Non chiamarmi così, Ashlyn», mormorò.

Un armadietto sbatté a due metri da noi facendomi quasi venire un infarto. Mi girava la testa e ricacciai indietro le lacrime che minacciavano di uscire. Com'era possibile? Stavo sognando?

Daniel si chinò e prese il mio foglio. Finalmente lo lesse, e la sua espressione si fece ancora più tesa. «Ah, frequenti questa scuola. E sei anche una *mia* studentessa».

Non potevo crederci. Ero in preda alla confusione e all'orrore. Soprattutto all'orrore. La campanella suonò spavalda, e il trillo allegro si propagò per tutto il corridoio.

«E sei in ritardo», aggiunse mettendomi il foglio tra le mani.

Quando alzai gli occhi mi accorsi che Ryan avanzava verso di noi. «Sono qui, sono qui. Non si agiti, professor Votialti.

La palestra è dall'altra parte della scuola, che cazzo. Cioè, *mannaggia*».

Ci superò di corsa, lasciandoci entrambi impietriti in mezzo al corridoio. Poi si voltò e mi fece un sorrisone. «Tu vieni, Ashlyn?».

Guardai Daniel – o meglio, il professor Daniels – e mi sentii morire. Mi avviai verso l'aula, entrai e quando udii la porta chiudersi alle mie spalle mi mancò l'aria. Ryan mi indicò la sedia davanti a lui. «Grazie», mormorai.

Daniel se ne stava in piedi davanti alla classe, lo sguardo perso, e tentava di mantenere la calma. Guardava gli studenti, osservando ogni banco per memorizzare i volti, ma i nostri occhi non si incrociarono nemmeno una volta. Mi evitava, e io avrei voluto tanto guardarlo per fargli capire che non c'era nessun problema, che avremmo superato questo ostacolo. Ma niente. Nemmeno un'occhiata fugace. Avevo la nausea.

Cominciò la lezione. Daniel iniziò a scrivere sulla lavagna il programma del semestre: micro-storia; *Odissea*, *Macbeth*. *Oh, chissenefrega*, pensai. L'aria era satura di ansia e incomprensione, e non riuscivo a concentrarmi.

«Bene. Questi che seguono sono invece tre quesiti importanti: voglio che mi scriviate un paio di pagine per domani. Però riflettete prima di rispondere, perché sono domande importanti, e influenzeranno tutto il semestre con me. Per cui pensateci bene».

La classe grugnì. Guardai la lavagna. Le tre domande di Daniel mi fecero sentire ancora peggio.

1. Chi sei oggi?
2. Come ti vedi tra cinque anni?
3. Cosa vuoi essere da grande?

Non riuscivo più a stare ferma, volevo solo scappare via. Mi alzai e rimasi in piedi vicino al banco. Daniel si interruppe a metà frase e mi guardò.

«Sì, Ashlyn?»

«Io...». Io, cosa? Non riuscivo a pensare. Non riuscivo a respirare. Non riuscivo a smettere di desiderare con tutta me stessa che mi abbracciasse. *Io, cosa?!* «Devo... devo andare in bagno».

La campanella suonò, e udii le risatine della classe. Daniel mi sorrise teso e annuì indicando la porta.

«Bene. Per oggi abbiamo finito».

Chiusi gli occhi e rimasi in ascolto dei rumori dei miei compagni che si trascinavano fuori. Avevo chiesto di andare in bagno nel momento esatto della fine della lezione, e per giunta mi ero anche alzata in piedi. Una frana.

«Gira la voce che hanno chiamato le tue tette "succosi meloni"», disse Ryan.

Ero scioccata. «Ma come, è successo pochi minuti prima della lezione e già gira la voce?».

Accese il suo cellulare e mi mostrò una foto delle mie tette. «Ormai non si salva nessuno con queste diavolerie moderne, Chicago. Forse non dovresti indossare abiti così succinti a scuola».

Guardai accigliata la foto. Che imbarazzo. «Questi vestiti erano di Gabby».

«Dài, su, non ci pensare. Che poi, sono anche venute bene, le tue tette», osservò Ryan nel penoso tentativo di consolarmi. Mi rivolse un altro sorriso e si rimise lo zaino in spalla. «Non fai davvero parte della rinomata scuola di Edgewood finché qualcuno non ti affibbia un'etichetta. Che, nella maggior parte dei casi, è sbagliata».

«Di te cosa dicono?»

«Che sono un donnaiolo di prima categoria, e che scopo troppo».

«E non è vero?»

«Be', no. Non esattamente». Tacque per un istante. «Il sesso non è mai troppo, no?».

Ryan era simpatico, in fondo. Indossava una semplice T-shirt grigia e dei jeans scuri che gli calzavano a pennello. Le All Star nere e il crocifisso che portava al collo completavano quel look semplice ma sexy al tempo stesso: non mi stupiva che le ragazze cascassero ai suoi piedi.

Ryan frugò nella tasca dei pantaloni e tirò fuori il solito pacchetto di sigarette immaginarie. «Comunque, di solito a mensa ci sediamo al tavolo nell'angolo, quello vicino ai trofei di tennis. Esattamente di fronte al bancone».

«Vuoi che ti raggiunga in mensa?». A dire il vero, il mio progetto era un altro: passare la pausa pranzo a piangere nel bagno.

«No. Di solito mi piace dire alla gente dove mi siedo a pranzo». Sarcastico, anche. Carino. «Ma certo che mangi con noi. Non prendere mai il polpettone. A Hailey fa venire sempre il prurito, e probabilmente ti beccheresti una bella diarrea. E...», allungò una mano e mi afferrò la coda di cavallo, slegando il nastro con cui avevo legato i capelli, «visto che hai i capelli lunghi, ti consiglio di scioglierli, così attirerai meno l'attenzione sui meloni. Ci vediamo a pranzo allora, ciao».

«A dopo».

«Oh, e... mettiti pure questi vestiti finché ti pare, okay? Prima scherzavo». E con queste parole, si dileguò.

Daniel era seduto alla cattedra, e probabilmente fingeva di non aver origliato la mia conversazione con Ryan. Quando l'ultimo studente fu uscito, mi gettai lo zaino in spalla e stringendo i libri al petto lo raggiunsi. In piedi davanti a lui, esordii con una patetica risatina nervosa. «Immagino che l'appuntamento di domani sera sia cancellato».

Ogni tratto del suo volto sembrava essere diventato di marmo. Per un momento, non capii se fosse incazzato con me o con tutta la situazione. Forse con tutte e due.

«Non è divertente, Ashlyn», rispose con tono piatto.

No. Non lo era.

«Avevi detto di avere diciannove anni», mormorò a voce così bassa che a stento lo udii.

«Li ho! Li ho», ribadii per due volte, alzando la voce di un'ottava, non so se per convincere lui o me stessa. «Sono stata malata, e mia madre mi ha fatto ripetere un anno». Mi stavo scusando per essere quella che ero, e per il mio passato. Per non essere nata qualche anno prima, tra le altre cose.

La classe era ancora vuota, così ipotizzai che forse era la sua ora libera. «E tu quanti anni hai?»

«Abbastanza da essere saggio», mormorò massaggiandosi il collo.

«Ma non troppo da fregartene del tutto, giusto?»

«No», borbottò. «Solo abbastanza da essere saggio. Ho ventidue anni».

La sua età non era certo un problema. Per niente. Se la situazione e il momento fossero stati diversi, avremmo potuto vivere senza problemi la nostra storia. Tre anni non sono niente, ma lui era il mio professore di inglese. Le lacrime erano lì, pronte, ma mi rifiutai di lasciarle cadere. Abbassai la voce fino a un sussurro. «Non pensi che dovremmo parlarne?».

I suoi occhi si fecero più dolci e con la testa fece un cenno alla porta. «Se vuoi parlarmi di quei bulletti che ti danno fastidio, ti ascolto».

La sua strategia era questa quindi, fare finta di niente. Bene: se non potevo piangere di fronte a lui, allora mi sarei arrabbiata. «Parlare di quei bulletti?». Un'ondata di rabbia mi travolse. «Oh, ma per favore, *professor Daniels*, parlare di loro!

Come se potesse migliorare la mia vita di merda!». Sbattei il libro sulla cattedra e lo guardai dritto negli occhi. «Mia sorella è morta. Mia madre mi ha sbattuto fuori di casa. Mio padre è *anche* il mio vicepreside, e si è fatto un'altra famiglia. Qui a scuola sono già un'emarginata, i ragazzi hanno già cominciato a prendermi in giro per le tette. E sai qual è la ciliegina sulla torta? Ho pomiciato con il mio professore di inglese qualche sera fa, che adesso non riesce nemmeno a guardarmi negli occhi. Per cui, sì! Parliamo pure di quei cretini, sicuramente dopo mi sentirò meglio».

«Ashlyn...», sussurrò, con un tono finalmente più morbido. Poi mi guardò preoccupato. «Aspetta un attimo... Henry è tuo padre?»

«Dopo tutto quello che ho detto, ti interessa solo questo?».

Abbassò lo sguardo. «Vai adesso, sei in ritardo per la prossima lezione».

Non mi mossi subito, sebbene il silenzio fosse ormai insostenibile. Mi passai nervosamente una mano tra i capelli, lo fissai ancora un istante, poi mi voltai e me ne andai.

No, non era lo stesso Daniel simpatico e divertente che qualche notte prima era riuscito a farmi stare meglio con le sue canzoni romantiche. Non era lo stesso Daniel che mi aveva fatto ridere e mi aveva abbracciato mentre piangevo. Non era lo stesso che mi aveva fatto sentire viva per la prima volta dopo secoli, grazie al semplice tocco delle sue labbra. Quel Daniel era diventato il *professor Daniels*, e io ero solo una stupida studentessa che era stata appena congedata con freddezza.

Capitolo 9
Ashlyn

Ti farò una domanda,
e tu mi dirai la verità,
mi dirai se mi pensi
mentre lotto per te.

Romeo's Quest

Trascorsi le due ore seguenti nascosta in bagno a piangere, senza smettere di rimuginare sul fatto che Daniel fosse uno dei miei insegnanti. Piangevo anche per l'incontro in corridoio con quel gruppo di cretini, e un po' li capivo: in fondo cosa poteva esserci di più divertente che prendere di mira la figlia del vicepreside? Piangevo perché ero sola e triste, e perché mi mancava mia madre, che probabilmente si era già scordata di me. Piangevo perché Gabby non c'era più. E poi, perché non avevo la più pallida idea di come andare avanti.

Dopo essermi soffiata il naso per la centesima volta, mi asciugai gli occhi e mi avviai verso la mensa scolastica. La giornata aveva almeno un lato positivo: non avrei dovuto pranzare da sola. Hailey era seduta al tavolo in fondo, vicino ai trofei. Mi sorrise e mi fece ciao con la mano.

«Ehi, Ashlyn! Siamo qui, vieni». Diede un colpetto sul tavolo, davanti a sé, e mi invitò a posare il vassoio. Ma prima che potessi sedermi, Hailey si sporse sul mio piatto, afferrò il pasticcio di pollo e lo lasciò cadere per terra. «Lascia perdere, non è carne vera».

Fissai il mio pranzo spiaccicato sul pavimento: quando avevo fame, mi andava bene anche la carne di plastica. Il mio stomaco brontolò, e presi una delle patatine fritte che erano rimaste nel piatto.

«Allora, com'è andato il primo giorno?»

«Bene». Avrei voluto dirle che mi sentivo uno schifo e raccontarle tutto quello che mi era successo, ma tenni tutto per me, non volevo spaventarla troppo.

«Lo so, è un casino. In questa città sono tutti imbecilli, ma dovrai abituartici».

«Non sembra una bella cosa. Abituarsi agli imbecilli».

«Sai, non sono tanto gli imbecilli il problema. È il fatto che te li ritrovi ovunque», precisò Ryan sollevando un sedia e unendosi a noi. «Come butta, ragazze?».

Nel frattempo, avevo notato Daniel seduto al tavolo centrale. Sicuramente era il suo turno in mensa: doveva sorvegliarci tutti. Ancora più avvilita, afferrai un'altra manciata di patatine.

«Ehi, vacci piano, Chicago. Altrimenti ti prenderanno in giro anche per il culone», mi canzonò Ryan, avvicinando il vassoio a sé e iniziando a mangiare le mie patatine.

Ryan e Hailey si somigliavano molto: avevano gli stessi capelli scuri e ondulati e identici occhi azzurri, ma caratterialmente erano opposti. Hailey era calma e riservata, Ryan sembrava una scimmia impazzita, volendo usare un eufemismo.

«Ho rotto con Tony», annunciò Ryan avvilito, e per una frazione di secondo mi sembrò sincero. Poi si voltò verso una delle cameriere dietro al bancone a qualche passo da noi. «Sono finiti tutti i nachos? Ma è inaudito! Avevo chiesto di mettermeli da parte! Geeesù, ma come si fa?». Si accasciò drammaticamente sul tavolo, e iniziò a piagnucolare.

«Hai rotto con Tony? Ma pensavo ti piacesse!», esclamò Hailey, confusa dal ripensamento del fratello.

Un attimo: Ryan era gay? A meno che Tony non stesse per

Toni, che poteva essere l'abbreviazione di Antonia, o Catriona, o Antonina, o magari Antonietta...

«Be', mi piaceva abbastanza, sì. Ma poi quel coglione se n'è dovuto uscire col fatto che mi *ama*. Voglio dire, capito? *Mi ama*, dice. Quanto puoi essere fuori luogo, santo cielo? Perché tutta questa bramosia a soli diciassette anni? Trombamico ok, ma l'amore non esiste fino almeno a quarantadue anni, quando hai venti chili di troppo e cominci a lamentarti delle nuove generazioni. È solo allora che qualcuno comincerà a sopportare davvero il tuo culo peloso da quarantaduenne e le tue scoregge moleste. Questo è il vero amore». Fece una pausa. «Nemmeno una pizzetta, ragazze? Niente?», urlò alla cameriera, che lo guardò terrorizzata. Ryan si sporse e lanciò un tovagliolo appallottolato contro la povera donna, oltre il vetro. «Ah, e poi, sono andato a letto con Tony e per qualche motivo questo l'ha fatto impazzire».

Aspettate un attimo, ma quindi i Tony erano due? Era difficile stare dietro ai racconti di Ryan. Hailey scosse la testa e lo guardò male, ma non mi pareva fosse davvero sconvolta. «Non riesci a tenertelo nelle mutande, Ryan, il punto è questo».

«Per quale cacchio di motivo dovrei tenermelo nelle mutande, se c'è così tanta gente gentile che mi invita a fare altrimenti? E poi, l'idea di farmi venire le ragnatele lì sotto come la mia cara sorellina non mi piace per niente».

Ridacchiai. Mi piaceva lo stile di quel ragazzo. Hailey diventò paonazza, e mi diede una spintarella stizzita: «Cosa ridi? Dubito che la tua patatina sia più attiva della mia».

Aprii la bocca per obiettare, ma la richiusi all'istante. Be', non aveva tutti i torti.

Ryan grugnì. «Hails, per favore, non dire "patatina". E nemmeno "fiorellino", non hai più undici anni. Si chiama vagina. È quella cosa in cui alcuni ragazzi amano mettere i loro "peni". Abitudine che, per quanto mi riguarda, non capirò mai del tutto, ma va bene».

Hailey arrossì ancora di più. «Lo so...».

«Forza. Pene contro vagina, ti sfido. Adesso». Ryan batté un pugno sul tavolo, e Hailey alzò gli occhi al cielo. Qualsiasi cosa fosse sembrava divertente, e mi accomodai per godermi la scena. Ryan mi spiegò che a pene contro vagina si può giocare in coppia, dove e quando si vuole. Il primo che comincia deve sussurrare la parola "pene" molto piano, poi è il turno dell'altro che deve rilanciare con "vagina", e si prosegue alzando la voce a ogni giro finché queste due parole non devono praticamente essere gridate. A questo punto, di solito, la vergogna è troppa e uno dei due concorrenti si ritira.

«Pene», cominciò Ryan a voce bassa, gli occhi fissi sulla sorella.

«Vagina», disse lentamente Hailey con una certa fierezza per aver pronunciato senza timore quella parola.

«Pene», ripeté Ryan più forte.

Hailey si irrigidì e lanciò occhiate furtive intorno al tavolo. «Vagina», rilanciò a voce impercettibilmente più alta. E proseguirono così finché non poterono far altro che gridare.

«PENE PENE PENE», Ryan si alzò in piedi e si dimenò come un pazzo, stringendo le mani in segno di vittoria, perché lo sguardo di Hailey parlava chiaro: lei non lo avrebbe certo sfidato ancora.

«Ryan!», lo riprese Daniel con un'occhiataccia. Ryan lo guardò compiaciuto e tornò al suo posto.

«Sei un deficiente», sibilò Hailey, visibilmente irritata.

«Lo so che mi vuoi bene, piccoletta», disse, sottolineando il suo ruolo di fratello maggiore.

Io ero ancora confusa. «Ma quindi... sei gay?»

«Non ci piace affibbiare etichette, Ashlyn», s'intromise Hailey in imbarazzo.

«Esatto. Ti piacerebbe se ti chiamassi etero, o topo di biblioteca? O tettona?», replicò Ryan, infilandosi in bocca qualche altra patatina.

«Mi… mi dispiace, non intendevo… scusate», balbettai.

«Tranquilla. Non ci piacciono nemmeno le scuse. In fondo, nessuno è davvero cattivo». Hailey sorrise, poi prese tutte le patatine fritte dal suo piatto e le mise nel mio.

«Posso fare un'altra domanda?», chiesi timida.

«Sicuro», m'incoraggiò Ryan.

«Questo Tony se l'è presa perché sei andato a letto con un altro Tony, ho capito bene?».

Scoppiarono a ridere, mentre Ryan agguantava le patatine che Hailey mi aveva appena dato. *Nota: non sederti mai più vicino a Ryan.*

«Tony è il nome che affibbio a qualsiasi ragazzo con cui esco. La maggior parte di loro vuole tenere nascosta la propria omosessualità, non vuole far sapere a tutta la scuola cosa facciamo… e io non voglio costringere nessuno a fare coming out. Anche perché non l'ho fatto nemmeno io».

Hailey si affrettò a spiegare meglio. «Nostra madre è una specie di…».

«Bigotta», sbottò Ryan, completando il pensiero della sorella. «Ha avuto un'educazione molto religiosa, e l'omosessualità, come dire, non è proprio in cima alla lista delle sue cose preferite. Non sa nemmeno che Hailey…».

«Che studio buddismo», disse con un sorriso, completando la frase del fratello. Lo facevano spessissimo, e non se ne rendevano nemmeno conto. «È convinta che i miei murales sul soffitto siano un modo per avvicinarmi di più a Dio…».

«Voi due siete alquanto complicati», chiosai. «Ecco, Ryan, ora ho capito cosa intendevi quando mi hai rivelato di non essere uno sciupafemmine».

«Più che altro sono uno sciupamaschi», ridacchiò Ryan.

«Te l'ho detto. Non fanno altro che affibbiarti etichette inventate. Che cazzata, eh?»

«Ma quindi con quanti Tony hai a che fare, adesso?»

«Se te lo dico, penserai che sono una puttana», rise lui.

«Se non me lo dici, penserò che sei una *gran* puttana». Ryan mi scrutò per un momento con espressione sorniona e poi si voltò verso la sorella.

«Mi piace questa ragazza».

Hailey sorrise. «Sì, anche a me».

«Vado a prendere qualcos'altro da mangiare. Torno subito». Ryan si alzò dalla sedia, ma non si unì alla fila davanti al bancone. Passò invece da tavolo a tavolo, dove salutò tutti con abbracci e virili strette di mano. A quanto pareva, Ryan piaceva a tutti, e potevo capirne la ragione.

Appena il fratello lasciò il tavolo, Hailey si rabbuiò. «Non lasciarti abbindolare dalle sue stupidaggini. È molto più sensibile di quello che fa trapelare. E dubito che abbia tradito Tony».

«Che vuoi dire?»

«Non ho mai visto due persone amarsi così silenziosamente come loro due».

Brancolavo ancora nel buio ma immaginai che, prima o poi, mi avrebbe spiegato tutto. «E di te che mi dici, Hailey? Di te cosa dicono, invece?», chiesi.

«Oh, che sono stramba e ho una cotta per mio fratello». Alzò gli occhi al cielo. «Due anni fa, quando ero al primo anno, ero molto più grassa di adesso, una vera sfigata. Mangiavo da sola qui ogni giorno. Finché Ryan non ha deciso di scaricare i suoi amici e ha cominciato a farmi compagnia».

Era la cosa più carina che avessi mai sentito. Forse avrei finito per prendermi una cotta per Ryan anch'io (ero proprio predestinata per gli uomini impossibili, eh?).

«Poi mi sono fatta qualche amico e ho trovato anche un ragazzo, ma mangiare con Ryan mi dà sicurezza… Non so come farò l'anno prossimo, quando si diplomerà».

Quando Ryan tornò al tavolo sembrava un'altra persona. «Quella lì è Lia, Hailey?», sbottò, nero in volto, e picchiò un pugno sul tavolo.

La sorella alzò gli occhi, scrutò tra la folla della mensa e si soffermò su una persona. Seguii il suo sguardo, e intercettai un tipo intento ad abbracciare una ragazza. Più che un tipo che abbracciava una ragazza, però, sembrava un polipo affetto dal ballo di San Vito.

«Sì», mormorò Hailey con gli occhi pieni di lacrime.

«Chi è Lia?». Mi sembrava un nome familiare, ma non riuscivo a ricordare perché.

«La mia… la mia migliore amica». Hailey si asciugò in fretta gli occhi, mentre Lia ridacchiava civettuola per qualcosa che il ragazzo le aveva appena sussurrato all'orecchio.

«Lo ammazzo», borbottò Ryan, sempre più furioso. Io, strano a dirsi, non ci stavo capendo niente.

«No, Ryan», lo fermò, afferrandolo per il braccio. «Lo sai che lo dirà a tutti».

«Non me ne importa niente», rispose, troppo arrabbiato per riflettere.

«Be', a me sì», ribadì Hailey con fermezza, facendolo sedere.

«Chi sono quei due?», chiesi.

«Il mio ragazzo, Theo», rispose Hailey con un sospiro. «E la mia migliore amica, con cui mi ha messo le corna».

«Quando lo hai scoperto?»

«Circa… due secondi fa».

All'improvviso, ricordai dove li avessi già visti: sul comodino di Hailey, dove campeggiavano in una grande cornice. *Che stronzi.* Lia non aveva nessun rispetto della parola "amicizia". Ci sono delle regole quando diventi amico di qualcuno, chiaro? Per esempio, è d'obbligo odiare per sempre il ragazzo che ha spezzato il cuore del tuo migliore amico. E poi, sostenere sempre il tuo amico in pubblico, anche se ha torto marcio. E mai, *mai* uscire con il fidanzato della tua migliore amica! Più o meno erano le stesse regole che ci eravamo imposte io e Gabby. Lia non era un'amica vera, era solo un avvoltoio che non aspettava altro che fiondarsi sulla storia di Hailey. La odiavo, e odiavo anche Theo.

Mi voltai e mi accorsi che Daniel mi stava fissando. Sentii un tuffo al cuore. Odiavo il suo atteggiamento freddo, e anche che fosse più preoccupato per la mia parentela con Henry che per i miei sentimenti. E ho già detto quanto odiassi essere presa in giro per il mio aspetto fisico, del quale non avevo nessuna colpa? Odiavo le mie tette. Odiavo non essere invisibile. Odiavo quegli stronzi che avevo incontrato nel corridoio. Odiavo ufficialmente tutti i ragazzi, e i ragazzuomini, e i cantanti, e anche Lia. E Gabby, perché era morta. *Sigh*. No, non la odiavo: mi mancava tanto. Ma mentre mi dicevo che era tutto uno schifo, mi venne un'idea; forse, la soluzione ad almeno uno dei problemi era lì a portata di mano.

Mi alzai dalla sedia e marciai verso Theo. Guardai Daniel, che mi fissava confuso, e quegli occhi perfetti mi fecero battere ancora di più il cuore e fomentarono la mia rabbia. Raggiunsi il ragazzo di Hailey e gli toccai una spalla. Lui si voltò verso di me, con quei capelli ridicoli e quelle collanine da hippy dei poveri. «Ehi, ci conoscia...». Afferrai una bottiglia d'acqua e gliela sbattei sul muso. Tutta la mensa sussultò e si voltò a guardarci. «*Questo* è perché sei uno stronzo». Poi presi la sua insalata vegana del cazzo e gliela rovesciai in testa. «E *questo* per averle mentito e averle messo le corna con la sua *ex* migliore amica davanti a tutti!». Quindi afferrai il piatto di Lia con il formaggio grigliato e lo sollevai, ma qualcuno mi afferrò il polso.

«Ashlyn, fermati!», gridò Daniel alle mie spalle.

«Lasciami!», urlai cercando di divincolarmi, mentre le lacrime cominciavano a solcarmi il viso. Lanciai il formaggio in faccia a Lia. «Ti considerava la sua migliore amica, brutta cretina! Ci sono delle regole. Ci sono delle regole quando sei il miglior amico di qualcuno, e tu hai preferito questo cretino con i capelli da scemo alla tua amica che ha una tua foto sul comodino! Sei solo una stronza!».

Theo era attonito. Sollevò una mano e si tolse un pezzo di lattuga che gli pendeva da un labbro. «Ma chi diavolo sei?»

«Sono una ragazza che ha dei sentimenti, pezzo di merda!», riuscii a gridare prima che Daniel mi trascinasse via.

«Ashlyn! Nell'ufficio del preside, *subito*!», strillò Daniel nella mensa ormai silenziosa.

Lo guardai mentre piangevo, e per un secondo mi sembrò di vedere Gabby dietro di lui che mi sorrideva. Le lacrime scesero ancora più copiose e mi incamminai verso l'ufficio al primo piano.

* * *

«Che cosa?», gridò Henry quando mi sedetti davanti alla sua scrivania. Doveva essere sgattaiolato fuori per una pausa sigaretta in macchina, lo capii dall'odore dei suoi vestiti. Sprofondai nella poltrona e alzai gli occhi al cielo.

«Pensavo che avrei parlato con il preside», gli feci notare con insolenza. Mi disprezzavo per essere sempre così dura con lui, ma non riuscivo a farne a meno.

«Sì, be', di solito non si occupa dei bambini di due anni», rispose alzandosi e cominciando a camminare su e giù per l'ufficio.

Guardai la sua scrivania, dove campeggiava una fotografia di Rebecca, Ryan e Hailey.

«Senti, Ashlyn. Lo so», disse Henry tornando alla poltrona. «Ti manca tua sorella, ti sei appena trasferita e stai affrontando un mucchio di novità. Manca anche a me, sai?».

Lo guardai negli occhi senza fiatare. Non sapeva cosa significasse sentire la mancanza di Gabby, non ne aveva la più pallida idea. Tirai fuori la lista dalla tasca del vestito e la aprii sulla scrivania. «Eri al numero tre della sua lista. Sopra ogni altra cosa, lei voleva soprattutto dimenticarti». Presi la foto che aveva sulla scrivania e la studiai. «Io no, invece».

Henry prese il foglio e lesse le parole di Gabby. Quando finì, si stropicciò gli occhi. «Lo so che sei arrabbiata», sussurrò. «Incazzata nera, anzi. Ma non tagliare fuori il resto del mondo, Ash».

Non se ne rendeva conto, vero? Non si era mai accorto di quanta fatica facessi a non chiamarlo papà, e di quanto lo desiderassi. Stavo facendo del mio meglio per nascondere la delusione nel constatare che non aveva nessuna fotografia mia o di Gabby sulla scrivania. Perché ero così cocciuta, perché non riuscivo ad aprirmi con lui? *Di' qualcosa!*, urlavo dentro di me. *Parla!*, mi dicevo. Ma forse non bastavano le parole per recuperare il nostro rapporto.

«Bene. Che dire». Fissai le bocche di leone gialle che ondeggiavano sul davanzale della finestra. Sembravano così liberi quei fiori, ma erano le radici ben salde che permettevano loro di muoversi senza cadere. *Non ha nemmeno pianto, al funerale.* Che razza di padre non versa nemmeno una lacrima al funerale della figlia? «Abbiamo finito?»

«Sì. Abbiamo finito. Torna pure al tuo pranzo».

Mi alzai e uscii dal suo ufficio. Nel corridoio, Daniel era in piedi, fuori dalla sua classe. Ci guardammo solo un istante, poi continuai a camminare diretta alla mensa, ma udii i suoi passi farsi sempre più vicini e mi fermai.

«Che c'è?», gli chiesi in tono poco amichevole. Probabilmente stavo superando il record assoluto del peggior primo giorno di scuola.

«Theo Robinson frequenta la mia prima ora di lezione. Posso già dirti che è un vero coglione. E non è certo il ragazzo più brillante che io conosca». Daniel si guardò intorno per essere sicuro che nessuno ci stesse guardando e fece un passo verso di me. «Credeva che *Macbeth* forse una specie di nuovo panino del McDonald's ed è venuto da me per dirmi che il suo veganesimo gli impediva di studiare quella che era "una vera e propria mattanza di mucche innocenti"». Ridacchiò tra sé e sé, ma sembrava triste.

«Cosa vuoi?», sussurrai.

«Non lo so, non ne ho idea».

«E pensi che io ce l'abbia? Pensi che sia facile per me?»

«Certo che no».

«Senti. Non è successo granché tra noi, in fin dei conti», mentii. «Farò finta che non sia accaduto nulla», mentii di nuovo. «Se prometti però di non trattarmi come se non esistessi. Posso sopportare i bulli qui a scuola, ma non credo di farcela se mi ignori completamente».

Daniel mi guardò negli occhi per qualche secondo, poi fece un altro piccolo passo avanti. «Hai gli occhi gonfi. Hai pianto, ed è stata colpa mia».

Più si avvicinava, più sentivo un formicolio sulla pelle. «La vita, mi ha fatto piangere». Strinsi ancora di più libri al petto e chiusi gli occhi. «"Nel nascere, piangiamo il nostro arrivo in questo grande teatro di pazzi"». Che meraviglia, il *Re Lear*.

«Sei la persona più intelligente che abbia mai incontrato».

Sospirai. «*Tu* sei la persona più intelligente che io abbia mai incontrato. Non sono stupida, Daniel. Lo so bene che... non può esserci niente tra noi. Non avrei mai scelto la tua classe, ma Henry si è assicurato che capitassi proprio con te. Che sfiga, eh?»

«Già...», mormorò. «Vorrei solo che non mi piacessi così tanto».

Mi veniva da piangere. Perché anche a me lui piaceva, e tanto. Quel sabato sera, al concerto, eravamo stati una cosa sola, o almeno così l'avevo vissuta io: Daniel era riuscito a svegliarmi da un sonno che durava da troppo tempo.

«Non voglio che tu perda il lavoro», proseguii. Mi accorsi che, non so come, ci eravamo avvicinati ancora di più, e adesso potevo sentire il profumo del suo bagnoschiuma. Ero stata io a muovermi, oppure lui? A ogni modo, nessuno dei due aveva intenzione di fare un passo indietro. Chiusi gli occhi e mi inebriai di quell'odore di pulito, che aveva il potere di solleticare fantasie e false speranze.

Quando riaprii gli occhi, lo sguardo forte e determinato di Daniel era fisso su di me: mi afferrò un braccio e mi guidò dietro un angolo del corridoio, aprì una porta e mi trascinò sulla scala antincendio, si guardò intorno per l'ennesima volta e finalmente mi baciò. Le mie labbra si schiusero senza alcuna esitazione, mentre la mia lingua cercava febbrilmente la sua. Gli afferrai i capelli, e ritrovai di nuovo il Daniel di quella sera al locale, il mio salvatore. Eravamo due idioti che stavano rischiando grosso, ma quell'avventura era un segreto bellissimo e reale, e lì con lui mi sentivo al sicuro.

Quando allontanò la sua bocca dalla mia, sapevamo entrambi che quello che era accaduto non poteva succedere di nuovo. «Mi spiace, Ashlyn», disse scuotendo la testa. La campanella suonò prima che potessi rispondere, Daniel aprì la porta e sgattaiolò via. La cosa più triste era che mi mancava già, ancora prima che se ne fosse andato.

Capitolo 10
Daniel

Oggi non sarò me stesso,
oggi indosserò la maschera che portavo
la prima volta che ti ho visto.

Romeo's Quest

C'era qualcosa che mi calamitava verso di lei, sin dalla prima volta che l'avevo vista, quel giorno sul treno, e quell'attrazione era cresciuta ancora di più la sera del concerto, quando era crollata in mille pezzi davanti ai miei occhi. Eppure niente mi era sembrato così perfetto come il momento in cui ci eravamo ritrovati nel corridoio della scuola. Sapevo che non era giusto. Niente di tutto questo lo era, d'altra parte. C'era poco di cui discutere: i professori non se la fanno con le studentesse, punto e basta. Era una regola ferrea, che ci avevano ripetuto allo sfinimento dai tempi dell'università. E mai nella mia vita avrei pensato di volerla violare. Ma poi mi ero imbattuto in Ashlyn, e avevo cominciato a fare pensieri folli. Ashlyn mi faceva venir voglia di infrangere le regole, di tenerla stretta a me, di nascosto, negli angoli dei corridoi, e leggerle Shakespeare nelle corsie deserte della biblioteca.

Avevo passato più di un'ora, alla fine delle lezioni, in giro per la scuola in cerca di posti appartati dove poterla incontrare al riparo da sguardi indiscreti, dove poterci scambiare un saluto veloce prima del suono della campanella. Una pazzia, vero? Sì, ero diventato pazzo.

Quando tornai a casa, trovai Randy che dormiva sul divano. Andai in cucina, presi una birra dal frigo e mi sedetti al tavolo ad ammirare il panorama oltre la finestra sopra al lavandino. Il cielo stava diventando nero, e nuvole minacciose si stagliavano all'orizzonte. L'aria era satura di pioggia: il temporale era imminente. Rimasi seduto lì per un tempo che mi sembrò infinito, fino a quando le prime gocce sul davanzale mi scossero dal torpore, e il primo squarcio abbagliante crepò il cielo. *Forse potremmo essere amici.* Che idiota. Certo che no. Era una mia alunna, e oltretutto, dopo quel bacio, non avevo nessuna intenzione di essere suo amico. E poi la vita di Ash era già tanto complicata, con quale coraggio avrei potuto peggiorare le cose?

«Sei solo al primo giorno di scuola e ti sei già buttato sull'alcol?», mi domandò Randy, avvicinandosi al frigo e tirando fuori due birre.

«Già», mormorai, senza distogliere gli occhi dalla finestra.

«Hai bisogno di una scopata».

Lo guardai infastidito. «Sto bene».

«No». Scosse la testa avanti e indietro, poi si sedette. «Hai bisogno di sesso. Che fine ha fatto quella pollastrella che è venuta al concerto, sabato?»

«Non chiamarla pollastrella, per favore». Ashlyn non era una pollastrella. Le pollastrelle sono quelle di cui non ti importa niente. Non c'entrava proprio niente, con una pollastrella. Lei era intelligente, divertente, intrigante. Non c'entrava davvero *davvero* niente con una pollastrella.

«Però te lo dico lo stesso. La tua aura sta messa male», mi spiegò, agitando una mano sopra la mia testa. Sospirai. Randy stava di nuovo delirando. «Sembra depressa, amico».

Bevvi un sorso di birra. «E per farla riprendere, tu suggerisci...».

«Sesso. Ore e ore di sesso». Lo disse come se fosse la soluzione più ovvia, e mi scappò da ridere. «Davvero, Dan. Quand'è l'ultima volta che sei andato a letto con qualcuno? Non sono nemmeno sicuro che tu abbia ancora qualcosa nelle mutande. Te lo dico, non fa bene alla salute. L'ho studiato all'università».

«Un corso solo, Randy», precisai. «Hai seguito *un* corso di sessuologia, e per giunta *online*, e parli come se avessi due lauree».

Batté le mani eccitato, colto da una improvvisa illuminazione. «Rifacciamo una Festa nudista della musica!».

«No», obiettai, puntandogli un dito contro.

«Cosa? Ma perché? Dài, non la facciamo da anni!».

«E c'è un motivo». Quando vivevo da solo da poco, io e Randy organizzammo un paio di jam session in compagnia di splendide ragazze… nude. Dopo la morte di Sarah stavo davvero male, e secondo Randy il modo migliore per riprendermi era tenermi occupato con il sesso e la musica. Una delle sue tante teorie. «Niente Festa nudista della musica, non mi va».

«Va bene, va bene. Ho seguito anche un corso di aromaterapia e se vuoi posso prescriverti qualche olio essenziale che ti aiuti a rilassarti e a combattere lo stress».

«Non sono stressato», sbottai.

«Olio di eucalipto, olio di rosmarino e qualche goccia di olio di mandorle dolci nell'acqua del bagno, fidati. Nel mio cassetto ci sono anche barattoli di fiori secchi di diversi tipi da aggiungere all'acqua insieme agli olii. Su ognuno trovi un'etichetta su cui ho scritto le proprietà».

Lo guardai in tralice. «E tu sei sicuro di avere ancora qualcosa nelle mutande? Sembri mia nonna».

«Io, caro mio, faccio sesso almeno cinque volte a settimana. La mia pelle è luminosa e rilassata, e la mia vita va a gonfie vele. Inoltre, le mie performance a letto…».

«Taci, per favore. Grazie».

«Va bene, calmo, calmo… Che ne dici allora di un bel massaggio rilassante? Ho seguito un corso base qualche tempo fa. Una cosa tranquilla, senza secondi fini eh! Ti sciolgo i muscoli della schiena».

«Oookay, a questo proposito». Scostai la sedia e posai la birra sul tavolo. «Vado a fare una corsetta».

«Ma fuori sta diluviando!», esclamò Randy.

«Le corse migliori si fanno sotto la pioggia», gli feci notare mentre mi dirigevo in camera mia per cambiarmi.

«Oh, certo. Comunque, se ti capita di imbatterti in una vagina, invitala a fare una chiacchierata. E per "chiacchierata" ovviamente intendo "rapporto sessuale"!».

* * *

Il temporale cessò, lasciando dietro di sé pozzanghere in cui corsi per più di un'ora. Prima di tornare verso casa, raggiunsi la rimessa della barca ed entrai. Dalla morte della mamma non ci avevo più messo piede. Avevo pensato molte volte di venderla e, a dirla tutta, avevo pensato di vendere anche la casa. Ma che razza di persona avrebbe *svenduto* i sogni dei propri genitori? E poi la casa era già a rischio, perché tra tasse e spese per la manutenzione ogni mese era un salasso. Il lavoro da insegnante e la musica nel fine settimana erano le uniche attività che mi consentivano di tirare avanti, ma per quanto tempo sarebbe durata? Mi sembrava di aver deluso i miei genitori così tante volte, quando erano in vita, che adesso l'idea di svendere anche i loro sogni mi deprimeva e basta. Non potevo farlo: discorso chiuso.

Entrai, era buio. Accarezzai il legno scolorito di quella barca e la ruvidezza sotto le dita mi commosse: era stupenda, e non meritava di rimanere chiusa lì dentro, lontana dall'unico luogo dove si sarebbe sentita viva, libera. Era l'acqua la sua casa, e io la tenevo chiusa lì, intrappolata in una scatola di legno. «Mi dispiace, piccola. Forse l'estate prossima». Forse. Non te lo posso promettere.

Capitolo 11
Ashlyn

Il mondo va in malora
ma oggi non mi importa,
oggi brindo all'amicizia.

Romeo's Quest

«Spiegami ancora una volta perché non siamo in camera nostra», sbottai mentre Hailey mi trascinava verso casa di Theo, dove la festa era cominciata da un po'. Due settimane prima era stato beccato con le mani nel sacco a mensa, ma a quanto pareva Hailey non aveva un briciolo di amor proprio.

Sbirciai attraverso le finestre, dietro le quali potevo vedere le sagome sfocate degli studenti della Edgewood muoversi come una massa indistinta, e mi sembrava di sentire già il vocio confuso sopraffatto dalla musica. Insomma, la solita festa di diciottenni. Ma perché nessuno organizzava mai feste a tema lettura? Avrei dovuto pensarci io, invece di passare la serata in mezzo a quella merda.

«Te l'ho detto. Mi ha scritto l'altra sera scusandosi. Probabilmente ho frainteso». Sì, probabilmente aveva frainteso la lingua di Theo nella bocca della sua ex migliore amica. «Tra l'altro, c'è anche Ryan».

«Avevo capito che odiasse Theo», osservai.

«Lo odia infatti. Ma gli piace Tony. E situazioni come questa sono le uniche in cui può stare insieme a lui».

Entrammo, e un odore fortissimo di salvia bruciata mi si appiccicò subito addosso, sebbene fossi abbastanza certa che non fosse salvia quella che stavano bruciando.

«Ashlyn!», esclamò Jake venendomi incontro sorridente e scandendo il mio nome come aveva fatto in classe. «Non sapevo andassi alle feste!». I suoi occhi indugiarono sul mio seno, ma stavolta per poco.

«Non ci vado, infatti», ribattei guardandolo torva. Ogni cosa lì mi faceva sentire a disagio: il rumore, l'alcol, la musica sorprendentemente brutta. Gabby si sarebbe vergognata di quella situazione.

Jake rise e mi poggiò una mano sulla schiena, guidandomi per le stanze della casa. «Vieni, mettiti comoda». Hailey lo guardava sospettosa, e Jake le rispose con uno sguardo interrogativo. Odorava un po' troppo di quella salvia bruciata, a dire il vero. «Oh! Ho capito chi sei, la sorella di Ryan, giusto?»

«*Hailey*», lo corressi. «Un nome ce l'ha».

«Giusto, *Hailey*», sorrise Jake. «Mi fa piacere che tu sia qui, *Hailey*. Mi sono appena fumato una pipetta con tuo fratello. Se vi interessa, ce n'è ancora. Siete mie ospiti». Ci stava gentilmente offrendo della droga, e Hailey sembrò d'improvviso interessata.

«No, grazie, Jake. Non fa per noi».

«Potremmo provare però», cinguettò Hailey eccitata.

Le lanciai uno sguardo di fuoco e mi voltai di nuovo verso Jake. «No, grazie. Dài, ci si vede in giro, eh?».

Mi sorrise, fissando ancora una volta la mia scollatura, e disse che sarebbe venuto a cercarci più tardi.

«Perché gli hai detto di no? Jake è gentile», protestò Hailey imbronciata. «Secondo me gli piaci».

Alzai teatralmente gli occhi al cielo. «Ne dubito. Ascolta, se vuoi che rimaniamo qui, ci sono delle regole da rispettare».

«Va bene, mamma», mi canzonò. «Quali sarebbero?»

«Regola numero uno: niente droghe».

«Theo dice che la marijuana è una pianta. Proprio come il tè».

«Theo è un cretino», conclusi senza mezzi termini. «Regola numero due: massimo due bicchieri». Hailey aprì la bocca per dire qualcosa, ma non le diedi il tempo. «Regola numero tre: niente sesso». Le sue labbra si aprirono.

«Tanto vale tornare a casa!», esclamò, allontanandosi per cercare Theo.

«È quello che dico anche io!», le gridai dietro ridendo.

La stanza in cui eravamo si era fatta ancora più affollata. Odiavo quella puzza, odiavo muovermi tra la gente, odiavo *tutto* di quel posto. Le feste, nei romanzi, sembrano sempre più divertenti, e questo era solo uno dei tanti motivi per cui i libri erano una delle mie cose preferite.

Cominciava a farmi male la testa a causa dell'odore forte di erba e vomito mischiati insieme, e dopo l'ennesimo giro a vuoto per la casa decisi di uscire nel portico sul retro e prendere una boccata di aria fresca. Dei gradini conducevano a un ampio giardino. Afferrai la ringhiera fredda e mi sedetti sotto la luce fioca, che sfarfallava ormai quasi consumata. Poteva bastare. Tirai fuori un libro dalla borsa: adesso sì che era perfetto. Sarei rimasta lì finché Hailey non avesse finito di farsi spezzare il cuore, per quella sera. Aprii il libro e toccai delicatamente le pagine, percependo la consistenza ruvida della carta sotto i polpastrelli, poi lo sollevai davanti al viso e inspirai profondamente, inebriandomi del profumo di quelle parole di inchiostro. Non c'era niente di più romantico della sensazione di un libro tra le mani. Daniel escluso. *No.* Niente Daniel, per quella sera. Se non pensavo a Daniel però finivo per pensare a Gabby, e forse era anche peggio.

Le parole sulla pagina cominciarono a sdoppiarsi, e una goccia d'acqua bagnò il segnalibro. Oh, che sorpresa. Stavo piangendo di nuovo.

«Non posso credere di essere qui…», mormorai un po' a me, un po' a Gabby. «Hailey mi ricorda me quando uscivo con Billy. Non finirà bene, questa storia». Mi fermai, aspettando una risposta che non poteva arrivare. «La mamma ancora non ha chiamato. Volevo chiamarla io… ma non l'ho fatto. E scusami per l'altro giorno, me la sono presa con te, con la tua morte. Come se fosse colpa tua». Risi al pensiero che qualcuno potesse sentirmi, ma quello sfogo mi aveva fatto sentire leggermente meglio.

Una ragazza aprì la porta e barcollò sul portico, lo sguardo appannato e le braccia leggermente protese in avanti. Avrei potuto scambiarla facilmente per uno zombie. Si chiamava Tiffany Snow, seguivamo insieme il corso di Storia, e a scuola sembrava molto più carina; lì alla festa il mascara sciolto sul volto e gli occhi spenti non le rendevano giustizia. Fece un profondo respiro e spalancò le braccia cercando di mantenere l'equilibrio, poi ridacchiò, compiaciuta dalla sua abilità e ancora inconsapevole della mia presenza. Dopo un istante di attonito stupore, corse verso il lato sinistro del portico e vomitò sulla ringhiera quindi scivolò per terra sorridendo ebete. Raffinata, la ragazza.

All'improvviso, i cespugli del giardino si mossero. «Sst…», seguì un parlottio confuso, e il rumore di una cerniera. «Piano!». C'era qualcuno. Arrossii e mi immersi nel libro, ma quando vidi Ryan sgattaiolare fuori dalla siepe allacciandosi la cintura dei pantaloni, diventai paonazza.

«Chicago!», esclamò. Aveva gli occhi iniettati di sangue, e anche lui odorava decisamente di salvia bruciata. «Cosa ci fai qui?»

«Hailey», dissi, indicando la porta.

«Theo è uno stronzo», affermò sedendosi accanto a me sul gradino. «Ma ha sempre dell'ottima erba». Mi poggiò la testa sulla spalla. «Lì in mezzo ai cespugli c'è ancora qualcuno», sussurrò.

«Lo immaginavo».

«Non è ancora pronto per uscire allo scoperto...», mi spiegò, e capii cosa intendeva.

Ryan lanciò un'occhiata a Tiffany, ancora riversa sul portico, priva di sensi. «Tiffany!», gridò, colpendo le assi di legno del portico con un pugno. «Svegliati, la colazione è pronta!».

Tiffany aprì un occhio e ridacchiò. «Ryan...», sussurrò, sventolando la mano in aria. «*Cooome mi piasherebbe shcopare con te, adesho*», e perse di nuovo i sensi.

Io ce la stavo mettendo tutta per vedere i lati positivi di quella festa, ma gli altri non mi stavano aiutando. Ryan ridacchiò e si voltò di nuovo verso di me. «Cooome mi farebbe schifo scopare con lei, *adesho*!».

«Fanno la fila per te, eh?»

«Vorrei dire lo stesso di te». Fece una pausa. «A volte ho l'impressione che ti nascondi dietro i libri per non affrontare la realtà». Trasalii: era la verità.

«Posso dirti un segreto?», proseguì Ryan tirando fuori il suo pacchetto di sigarette finto e "accendendosene" una. «Ho l'impressione di potermelo permettere con te, visto che a scuola non conosci nessuno. Sono al sicuro».

«Vai».

Il suo sguardo era fermo sui cespugli, e una lacrima gli scese lungo il viso. «Non sono così felice come fingo di essere».

«E perché fingi, allora?», chiesi.

«Perché fingere di essere felici è quasi come esserlo davvero», mormorò con occhi fissi sulle mie scarpe. «Finché non ti ricordi che stai solo facendo finta. Allora diventi triste. *Molto* triste. Indossare una maschera ogni giorno è la cosa più difficile e faticosa che ci sia. E anche la più rischiosa, perché dopo un po' ti accorgi che la maschera è diventata parte di te».

«Ryan... tu non sei solo». Gli strinsi una spalla con affetto. «E quando ci sono io, non devi indossare la maschera».

«Stessa cosa per te», mi sussurrò vicino all'orecchio prima di schioccarmi un bacio sulla guancia.

Dopo poco ci raggiunse anche Hailey, si sedette accanto a me sui gradini del portico e poggiò come il fratello la testa sulla mia spalla. «Lo odio», fu tutto quello che disse.

Ero al posto giusto nel momento giusto, in fin dei conti. Mi sentivo persa, ma lo erano anche loro due, dopotutto. Non avevo mappe per ritrovare la strada, ma almeno non stavo camminando da sola.

Capitolo 12
Daniel

Mentirò se sarà necessario,
mentirò per salvarti,
e per allontanare da noi le tempeste peggiori,
le tempeste dell'anima.

Romeo's Quest

Ottobre arrivò, e il mio desiderio per Ashlyn non si era sopito nemmeno un po'. Era passata qualche settimana da quando avevamo scoperto come stavano le cose, e niente era cambiato. Una mattina, ci ritrovammo sui gradini della scuola nello stesso momento. I nostri occhi si incrociarono per un secondo o due, Ashlyn non riuscì a soffocare un sussulto, e io me ne accorsi. Quando andò via di corsa, provai l'impulso irrefrenabile di seguirla e abbracciarla forte, e per poco non lo assecondai. Ma cosa mi saltava in mente? Cosa c'era che non andava in me?

Ero convinto che se non avessimo ricreato quell'intimità che tanto bramavo, i miei sentimenti si sarebbero affievoliti. Eppure, non era così. Anzi, crescevano sempre di più ogni volta che la vedevo mettere piede nella mia classe. A volte speravo di incontrarla per i corridoi, magari mentre camminava con Ryan, e il modo in cui sorrideva mentre gli parlava mi faceva uscire di testa: Ashlyn mi creava dipendenza, e avrei voluto che i suoi sorrisi fossero solo per me.

Odiavo non poterle dire quanto fosse bella, ogni giorno. Odiavo dover nascondere ogni mattina, quando entrava in classe, il mio interesse per lei. Odiavo il modo in cui ignorava le mie domande a lezione, perché sapevo che conosceva sempre tutte le risposte. Odiavo il modo in cui gli altri studenti la guardavano. Come le sbavavano dietro. Come la infastidivano. Come la molestavano. Odiavo che stesse così male per la sorella, e per se stessa. Odiavo che si sentisse sola, anche se non lo dava mai a vedere. Odiavo il modo in cui mi mancavano le sue labbra, la sua risata, il suo sorriso. Odiavo quanto ci sentissimo lontani, pur stando così vicini.

* * *

Ma amavo il suo splendido viso, ogni giorno. Amavo, ogni mattina non appena entrava in classe, guardarla di sfuggita per farle capire il mio interesse. Amavo il modo in cui ignorava le mie domande a lezione, perché sapevo che conosceva sempre tutte le risposte.

Amavo il fatto che riuscissi a essere imparziale quando valutavo i suoi compiti: non era difficile, Ashlyn era semplicemente un genio. Amavo portarla con me, nei pensieri, mentre correvo, e amavo ricambiare il suo sguardo quando in classe la sorprendevo a fissarmi rapita.

Amavo il modo in cui ignorava gli altri studenti. Come riusciva ad averla vinta sui bulli della scuola. Come si piegava senza spezzarsi. Amavo quei suoi vestiti così femminili (anche se qualcosa di più castigato avrebbe distolto l'attenzione di quegli stronzi...), amavo il fatto che li indossasse perché erano appartenuti alla sorella, e così facendo onorava ogni giorno la sua memoria. Amavo il modo in cui incedeva con passo sicuro in corridoio, anche quando era nervosa. Amavo il modo in cui si muoveva, in cui si toccava i capelli e il modo in cui si sedeva.

Amavo quanto ci sentissimo vicini, pur dovendo mantenere le distanze.

Capitolo 13
Ashlyn

Dimmi cosa posso fare
per dimostrarti che il mio amore è reale.

Romeo's Quest

Ero piuttosto soddisfatta di me. Nonostante i ragazzi a scuola continuassero a prendermi di mira, li ignoravo, così come ignoravo i pettegolezzi sulle mie notti brave che cominciarono a circolare per i corridoi (senza alcun fondamento, mi preme aggiungere). Ogni tanto sorridevo a Daniel per fargli capire che non ce l'avevo con lui, e che dovevamo stare tranquilli perché tutto si sarebbe aggiustato (sebbene mi venisse da piangere ogni volta che entrava in classe, mi preme aggiungere di nuovo). Ce la stavo mettendo tutta, e non andava poi così male.

Per distrarmi, avevo deciso che fosse cosa buona e giusta richiedere la tessera della biblioteca, e ogni pomeriggio, dopo la scuola, mi rintanavo lì dentro che il sole era ancora alto e tornavo a casa con la luna.

«Theo mi ha chiesto di nuovo di uscire», mi informò Hailey una mattina prima della scuola, mentre era intenta a pettinarsi i capelli.

Mi voltai verso di lei, indignata. Non mi aveva più parlato di lui dalla festa, ed erano passate settimane. «Che merda», mormorai.

«Sì», concordò. «Comunque credo che accetterò».

«Stai scherzando!?», esclamai sbigottita.

No, non stava scherzando. «Non sono come te, va bene? I ragazzi non mi si buttano addosso, anzi, nemmeno mi guardano. Theo è la mia unica speranza, altrimenti non avrò mai una storia!».

«Quelli che mi si "buttano addosso" sono dei completi imbecilli. Credimi, non ti perdi niente. E poi, hai diciassette anni, non ottantatré. Ci sono tanti altri ragazzi in giro».

Hailey tacque, rimuginando sulle mie parole. Poi scosse la testa. «Ash, si è scusato. Per quello che ha fatto con Lia».

«Puoi scusarti per aver preso a pugni qualcuno, ma questo non fa sparire i lividi».

«Dove l'hai letto, in uno dei tuoi libri?», ridacchiò.

«Hailey...».

Tirò fuori un sacchetto pieno di pasticche. «Vuole che provi queste. Ha detto che più cose condividiamo, più c'è la possibilità che tra noi funzioni».

La guardai come se fosse improvvisamente impazzita. «Cioè, vuole che ti droghi?»

«Tu sei vergine?». E adesso cosa c'entrava? Scossi la testa, confusa. Erano solo le sei e un quarto del mattino, e stavamo già parlando di droga e di sesso. Avevo decisamente bisogno di una tazza di tè.

«No. Billy, il mio primo ragazzo, ha fatto i suoi porci comodi finché non ha trovato qualcosa di meglio». Pensai a Billy, e a quanto mi avesse fatto piangere.

«Eri spaventata?», mi chiese in un sussurro.

«Un po'. Avevo sedici anni, e decisi di andare a letto con lui pensando fosse amore vero, sai, l'amore della mia vita. A quell'età siamo tutti stupidi. Non ho bei ricordi: fu molto doloroso e per niente romantico. Ma lo rifacemmo molte altre volte. Speravo che prima o poi mi sarebbe piaciuto perché lo amavo... Poi però scoprii che Billy andava a letto anche con Susie Kenner. Ero disperata, e Gabby cercò di consolarmi in tutti i modi: suonava la chitarra per me, e mi ripeteva che Billy era solo un povero coglione con il cazzetto! Sul cazzetto aveva ragione, tra l'altro. Era praticamente invisibile».

Hailey rise. «E poi?»

«Billy mi chiamò, e mi disse che gli mancavo tantissimo e che voleva tornare con me. Io non smisi un attimo di piangere, durante la telefonata. Gli dissi che lo amavo, e che avrei fatto tutto quello che voleva. E tornai con lui. E quello che voleva non era altro che potermi toccare le tette e scopare ogni volta che i suoi gli lasciavano casa libera. Se non ci fosse stata mia sorella, adesso starei ancora con lui. Per fortuna, Gabby riuscì a convincermi che le dimensioni del mio cervello valgono molto di più di quelle del mio seno». Nella camera calò il silenzio e io rimasi a fissare il tappeto sul pavimento. «Hailey, lo dico anche a te: le dimensioni del tuo cervello contano molto di più».

«Tua sorella doveva essere proprio una bella persona, da quello che mi racconti», sospirò.

«La migliore», annuii dolcemente. «Comunque, pensaci, va bene? Alla questione Theo».

Mi promise che lo avrebbe fatto, ma avevo visto un lampo di speranza nei suoi occhi quando mi aveva parlato di Theo, lo stesso che avevo io quando tornai da Billy pensando che fosse cambiato. Mia madre diceva sempre, "lasciati il passato alle spalle, così il futuro potrà trovarti": era uno dei suoi motti preferiti. Dopo il tradimento di Henry cercò davvero di buttarsi tutto alle spalle, e alla fine ci è riuscita, e ha trovato Jeremy sul suo cammino.

«Quante voci hai depennato dalla lista?», chiese Hailey, cambiando discorso.

«Solo due», risposi. *Baciare uno sconosciuto*. In un istante, le labbra di Daniel mi tornarono alla mente, e cercai di scacciare quel ricordo.

«Fammi vedere la lista», ordinò Hailey allungando un braccio verso di me.

Presi la lista dalla tasca del vestito appeso dietro la porta e gliela diedi. «Mmm...», osservò, maliziosa, cominciando a leggere. «Il numero quattordici sarebbe da cancellare».

«Qual è?», chiesi un po' impaziente.

«Farsi un nuovo amico». Sorrise.

«Saresti tu?», chiesi piano, non sapendo bene cosa dire.

«Be', se non è così, ho fatto davvero la figura della cretina», rise divertita. «Certo che sono tua amica. Il modo in cui mi hai difeso a scuola qualche settimana fa... e poi il fatto che odi Theo... Credo si possa chiamare amicizia». Le sorrisi di cuore, e lei mi diede un colpetto sulla spalla. «E quindi, puoi leggere la lettera corrispondente!».

Subito presi la scatola di legno e la cercai tra le buste, ma quando la trovai rimasi profondamente delusa: l'intestazione, scritta sul retro nella bella grafia di Gabby, mi avvisava che la lettera non era indirizzata a me, ma al mio nuovo amico. Come avevo fatto a non notarla prima? Controllai anche le altre lettere ancora chiuse e, sorpresa, non erano tutte per me. Mi sentii un po' morire.

Passai la busta a Hailey e scrollai le spalle. «Questa è per te».

«Davvero?». Hailey era sorpresa quanto me. Ma io mi fidavo di Gabby, sapevo che c'era una logica dietro quella sua decisione. «Posso passare a un'altra voce sulla lista», si schermì Hailey. «Non siamo mica amiche per davvero!», scherzò.

Risi. «Sì, Hailey, lo siamo».

«Bene, ma rimani qui. La leggeremo insieme».

#14. Farsi un nuovo amico.

Caro amico,

spero non sia un problema se mi rivolgo a te in questo modo.

In fondo, se sei un amico di Ashlyn, sei anche amico mio. Mi sarebbe piaciuto conoscerti in circostanze migliori, ma il mio stato, come dire, cadaverico, non mi permetterebbe di fare una buona prima impressione.

Insomma, quello che voglio dirti è grazie. Grazie per essere diventato amico di una ragazza che probabilmente in questo momento sta soffrendo molto, ma che nello stesso tempo continua a dare il meglio di sé (ne sono sicura). Grazie per essere diventato amico di una ragazza che probabilmente sembra un po' diversa dalle altre, e che infila un po' troppe citazioni di Shakespeare anche mentre parla della pizza.

Grazie per essere diventato amico di una ragazza che non parla molto dei suoi sentimenti, ma che, credimi, ne prova molti.

Grazie per rimanerle accanto.

Voglio prometterti che anche io ti sarò vicino.

Non so in che modo, a dire il vero, e probabilmente non dovrei fare questo tipo di promesse… però sappi solamente che quando vedrai il vento muovere i fiori, quella sono io che ti ringrazio e ti abbraccio.

Grazie, amico.

Sei molto importante.

Gabrielle

Hailey ripiegò la lettera e sospirò. «Tua sorella mi piace davvero tanto». Disse "piace", al presente, e per un attimo mi sembrò che Gabby fosse ancora viva. La consapevolezza che non mi avrebbe mai lasciato mi avvolse come una soffice, calda coperta fatta di felicità: con queste lettere, con le sue parole, mia sorella aveva sconfitto la morte, ed era sopravvissuta.

* * *

Hailey accompagnò come al solito me e Ryan a scuola in macchina, e ci salutò dandoci appuntamento a pranzo, come sempre. Mentre mi avviavo verso il mio armadietto, Jake mi raggiunse.

«Ehi, Ashlyn!».

«Ciao, Jake», gli sorrisi.

«Sei bellissima oggi», disse, squadrandomi dalla testa ai piedi.

Nel corridoio, Daniel ci fissava con espressione rabbiosa in volto. Aveva la mascella serrata, e sembrava sparare dardi infuocati dagli occhi. Quando si accorse di me, distolse lo sguardo. Avevo davvero tutto questo potere? Bastava che scambiassi due parole con un compagno di scuola per farlo impazzire di gelosia. Ottima notizia...

«Grazie, Jake», mormorai, lanciando un'ultima occhiata a Daniel, che svanì nei bagni dei professori. Ah, quant'era bello! Se fosse stato un po' meno *meraviglioso* di così (sguardo incazzoso compreso), avrei certamente fatto meno fatica. Daniel era il punto più alto della mia giornata, e nello stesso tempo quello più basso. Com'era possibile?

Jake continuò a camminare accanto a me, a distanza un po' troppo ravvicinata per i miei gusti. «Stavo pensando...». Si fece ancora più vicino. La puzza di colonia da quattro soldi che proveniva dalla sua camicia quasi mi soffocò, e cominciai a tossire. «Darò una festa per Halloween il prossimo fine settimana, dopo la partita di football. I miei genitori saranno fuori città, e dovresti proprio venire. Maschera obbligatoria!».

Feci una smorfia, sperando di non essere vista. «Non sono proprio un'amante delle feste, Jake. L'ultima volta è stata un mezzo disastro, per me».

«Già...». Sorrise. «Ma come si dice, *carpe dame* no?». Uhm, ero quasi sicura si dicesse *carpe diem*, ma comunque. «Dài, Ashlyn. Non fare sempre la parte della figlia del vicepreside. Devi cominciare a mostrarti per quella che sei davvero. Altrimenti qui a scuola cominceranno a mangiarti viva...».

«Io...». Tacqui. «Non mi va, Jake». Si rabbuiò, e mi sentii subito uno schifo. «Magari la prossima festa?». Gli feci una specie di sorriso e gli strinsi il braccio.

Lui sembrò riprendersi. «Va bene! Sarai la prima sulla lista degli invitati. Ci vediamo in classe, ok?», e corse via con un sorrisone stampato in faccia. Forse lo avevo illuso, ma non mi importava.

Quando fui a pochi metri dal mio armadietto, mi accorsi che Daniel era proprio lì davanti: sembrava intento a strappare qualcosa dallo sportello di metallo.

«Cosa stai facendo?», chiesi.

«Stupidi ragazzini», mormorò, accelerando quando mi vide. «Troverò chi ha combinato questo casino e...».

«Combinato cosa?», mi avvicinai, e capii a cosa si riferiva. Volgari foto di seni ritagliate e appiccicate ovunque. Le lacrime mi salirono agli occhi, ma quando udii alle mie spalle le risatine sciocche di due ragazze mi imposi di resistere, e mi morsi il labbro per fermarmi. Non dovevo piangere, perché era esattamente quello che volevano. Ero così imbarazzata, e Daniel aveva visto tutto!

«Daniel...», sussurrai, guardandolo mentre si dava da fare per far sparire le foto. Mi ignorò. «Professor Daniels!», esclamai a voce alta, cosa che scatenò ancora di più le risate delle due ragazze. «La prego, si tolga da qui».

«Questo... questo non deve accadere a nessuno», balbettò. «A nessuno, in questa scuola. Specialmente a...». Fece una pausa, notando la folla attorno a lui.

«A chi?», chiesi.

Quando infine si fermò e lo guardai negli occhi, capii dal suo sguardo dolce quanto fosse dispiaciuto e tutto finalmente mi fu chiaro. *Specialmente a me*. Fece un passo indietro, poi si voltò e si allontanò, ordinando agli studenti raggruppati lì intorno di filare in classe. Raccolsi da terra una delle foto strappate e sospirai: le mie tette non erano mica *così* grandi.

* * *

Più tardi, in classe, Daniel si scusò con me per il modo in cui aveva reagito, dicendomi che non era stato professionale. *Io non voglio tu sia professionale*, pensai. Ero seduta al mio posto, e lui alla sua cattedra. Aveva le maniche della camicia arrotolate fino ai gomiti, e in mano stringeva nervosamente una penna. Era stupendo, e il mio corpo sembrava saperlo molto bene. Anche quando provavo a reprimere la mia attrazione per lui, questa cresceva e non mi dava tregua, come fosse alimentata dalla distanza che ci imponevamo. Era evidente che riuscivamo a comunicare benissimo anche senza parlarci: qualche occhiata qui e lì, qualche sorriso... Forse la nostra connessione non aveva bisogno di suoni, né parole di circostanza. E poi, era così intelligente. Era così brillante che mi faceva venir voglia di intrufolarmi nella sua testa e scoprire i suoi pensieri più reconditi. Non mi stavo innamorando di Daniel, lì a scuola. Mi stavo innamorando del *professor Daniels*. E pensare che la metà degli studenti in classe probabilmente nemmeno si rendeva conto di quanto fosse colto e fico. Per loro non era altro che un noioso insegnante. Ma io ero rapita dal modo in cui riusciva a trasmetterci con entusiasmo le sue conoscenze, come riuscisse sempre a farmi comprendere nuovi concetti.

Eravamo nell'ora di poesia, e stavamo parlando di sonetti, haiku e di uno dei miei generi letterari preferiti. Il professor Daniels si alzò dalla cattedra e si avvicinò alla lavagna, dove scrisse: "Micro-storia, o flash fiction".

«Forza, signore e signori. Chi di voi sa di cosa stiamo parlando? Su, provate a spiegarmelo a parole vostre».

«Romanzi su Flash, il supereroe», rispose Ryan ridacchiando.

«Quasi...», rise Daniel. «Ma non esattamente». Alzai la mano per la prima volta dall'inizio dell'anno. Daniel mi notò subito e mi rivolse un sorriso radioso. «Sì, Ashlyn?»

«Mini-racconti. Insomma, storie molto, molto brevi... In genere racchiudono tutto in poche parole, si concludono nel giro di qualche frase».

Avery, uno dei pochi giocatori della squadra di football che *non* mi prendeva in giro, ridacchiò. «È impossibile». Era lo stesso ragazzo che era stato allontanato dalla classe di catechismo di Rebecca. Mi domandai cosa avesse mai combinato.

«Invece sì, è possibile», ribattei calma.

Daniel sollevò un sopracciglio, incuriosito, fece un passo verso la cattedra e si sedette di nuovo, allungando le gambe. «Ha voglia di spiegarci meglio, signorina Jennings?». Mi chiamò per cognome, e per qualche ragione, la cosa mi eccitò.

Volevo impressionarlo. Volevo mostrargli quante cose sapessi. Mi asciugai i palmi sudati sulle cosce, lasciate scoperte dal vestitino verde acqua che indossavo quel giorno e che come al solito era troppo corto. Ma essere vestita così davanti a lui mi piaceva. C'era qualcosa di male? Mi eccitava ogni cosa di Daniel, la sua musica, la sua voce e le sue mani, la sua gentilezza e il suo senso dell'umorismo. Ma il *professor Daniels* mi faceva fremere in una maniera completamente diversa. In una maniera proibita. Avevo una fantasia ricorrente: immaginavo che, finita l'ora, mi chiedesse di rimanere in classe con una scusa, e non appena fossero usciti tutti gli altri, avrebbe chiuso la porta e mi ci avrebbe spinto contro, mentre con la mano, lentamente, sollevava l'orlo del mio vestito. Sotto quelle carezze gemevo come stordita, mentre le sue dita raggiungevano subito le mie mutandine e scivolavano lentamente lungo l'elastico, avanti e indietro, facendomi impazzire. «Professor Daniels...», ansimavo io, implorandolo di non fermarsi mentre mi stringevo a lui. Dall'incavo dell'orecchio scendeva sempre più giù, inesorabilmente, respirando contro la mia scollatura e leccandomi il collo, e sollevandomi di peso avrebbe fatto scivolare la spallina del mio vestito, e afferrato i miei seni nel palmo della mano. Poi, nel mio sogno a occhi aperti qualcuno bussava alla porta, e io in tutta fretta mi nascondevo dietro la lavagna, ma senza abbassare completamente la gonna, così che il professor Daniels avrebbe visto le mie mutandine azzurre, ancora umide, e si sarebbe arrapato ancora di più. Oh sì, il professor Daniels riusciva a farmi immaginare tutto questo e molto altro.

«Ehi... Ashlyn?», Ryan mi diede un colpetto sul braccio. Tutta la classe mi stava fissando, e io me ne stavo imbambolata lì, con la bocca aperta. Divenni paonazza.

«Ah... sì». Mi schiarii la voce e anche i pensieri, e proseguii. «Pare sia un genere inventato da Ernest Hemingway. Certo, nel tempo la leggenda si è arricchita di particolari, e ora è difficile dire se siano fatti realmente avvenuti. Comunque, Hemingway aveva scommesso di riuscire a scrivere un romanzo usando solo sei parole».

«Come ho già detto», intervenne Avery, «è impossibile».

Daniel mi fissava interessato, con un sorrisetto malizioso stampato sulle labbra. Sapeva che facevo fantasie su di lui? E a lui accadeva lo stesso?

«Impossibile?», disse Daniel. «Lo è davvero?», chiese, avvicinandosi di nuovo alla lavagna. «"Vendesi scarpe da bambino, mai indossate"», scrisse. La micro-storia di Hemingway.

La classe rimase in silenzio. Le parole sulla lavagna mi fecero rabbrividire, nonostante le conoscessi già. Ryan fu il primo a parlare. «Ti ha fregato, Avery!».

Tutti scoppiarono a ridere, e mi unii anch'io. Non doveva stupirmi che Daniel sapesse di cosa stessi parlando: era troppo intelligente. «Va bene», disse Daniel alzando una mano per riportarci al silenzio. «Ora quello che voglio è che prendiate gli esercizi che avete svolto all'inizio dell'anno, quelle domande sugli obiettivi della vostra vita, su cui vi ho dato solo qualche indicazione», prese una pila di fogli e cominciò a distribuirceli, «e che li riscriviate in tre stili diversi. Per la prossima settimana, trasformate le risposte in un sonetto. La settimana successiva voglio un haiku. E tra tre settimane una micro-storia. Al termine di ogni settimana, presenterete il vostro lavoro in classe. Non pretendo che facciate come Hemingway però: non vi concedo solo sei parole, facciamo una decina». Posò il mio compito sul banco e mi sorrise. Era lo stesso sorriso gentile che mi aveva rivolto alla stazione. «Mi raccomando, voglio vedere l'impegno».

Quando porse il compito a Ryan, Daniel si fermò. «Questo è il miglior tema che io abbia mai letto, Ryan. Continua così». Ryan gli sorrise e lo ringraziò.

La campanella suonò e tutti si affrettarono a uscire. Io come al solito indugiai: quella era la mia lezione preferita, e la lasciavo sempre a malincuore. Prima di alzarmi, l'occhio mi cadde su un foglietto attaccato al mio compito.

Brillante. Semplicemente brillante.
Diventerai una scrittrice fantastica.
Leggerò qualsiasi cosa scriverai.
Mi manchi così tanto che a volte non riesco a respirare.

Era la grafia di Daniel. Quando alzai lo sguardo, i suoi occhi erano fissi su di me. Provai la solita sensazione di sollievo e leggerezza: lui era ancora lì, era ancora il Daniel della stazione e della sera del concerto. E io ero ancora nei suoi pensieri, esattamente come lui era nei miei.

Forse non c'erano due Daniel diversi, forse il professor Daniels era solo una parte della stessa persona. Per questo non c'era da sorprendersi che fossi attratta da entrambi: ero pazza di tutti i Daniels, quello buono, quello cattivo, quello serio e quello triste. Quello triste era il Daniel che amavo di più.

Non sapevo cosa avrebbe significato quel biglietto, né quali conseguenze avrebbe avuto quello sguardo su di me. Ma non mi importava: in quel momento mi bastava, perché avevo ancora una speranza.

Mi alzai dalla sedia e riposi tutto nel mio zaino, eccetto il libro di turno. Lo strinsi al petto come al solito, e quando passai davanti alla cattedra di Daniel udii il mio nome, e mi fermai.

«Durante la lezione, quando ti sei imbambolata, stavi pensando proprio a *quello*?», sussurrò. «Perché succede sempre anche a me».

«Davvero?», dissi, guardandolo negli occhi.

«Davvero davvero».

Mi voltai di nuovo, e quando fui fuori dalla sua vista, sorrisi raggiante, così tanto che cominciarono a farmi male le guance.

Capitolo 14
Ashlyn

Ehi, ehi, non avrai davvero dimenticato
il modo in cui mormoro il tuo nome,
o il sapore delle mie labbra?

Romeo's Quest

Dopo la scuola mi rifugiai subito in biblioteca e vi rimasi fino a tardi. Scovai un tavolo, in un angolo in fondo a una sala, che rimaneva sempre libero e lo elessi a mio paradiso personale. Non sempre leggevo, però. La maggior parte del tempo ero intenta a scrivere tutte le ragioni, punto per punto, per le quali tra me e Daniel avrebbe potuto funzionare. Non appena fosse terminata la scuola, il nostro rapporto sarebbe potuto evolvere in qualcosa di più, e alla fine dell'anno scolastico mancavano circa centoventi giorni. Centoventiquattro, per l'esattezza. Non che li contassi, intendiamoci. Insomma, principalmente scrivevo quelle fantasie che speravo un giorno di realizzare, e mi gingillavo con i miei sogni a occhi aperti, le mie speranze e poco altro.

Presi in prestito qualche libro nuovo e mi avviai verso casa. Le luci delle strade illuminavano il cemento, e il cielo stava per assopirsi. Quel giorno indossavo solo un vestito leggero e l'aria fredda della sera mi prese alla sprovvista: l'autunno caldo del Wisconsin stava lentamente lasciando il posto all'inverno. Quando passai accanto al cimitero di May Street mi fermai e guardai oltre il cancello. La prima cosa che notai fu la sua macchina parcheggiata nell'area di sosta. Poi lo vidi, e i battiti del mio cuore andarono in tilt. Se ne stava in piedi da solo, davanti a due tombe. Indossava dei pantaloncini, una semplice maglietta nera e scarpe da corsa. Correva? Avrei voluto saperlo. Avrei voluto sapere tutto di lui.

«Oh...», mormorai, portandomi le mani al cuore.

Daniel si inginocchiò davanti alle lapidi. Muoveva le labbra, ma non riuscivo a sentire le sue parole, poi rise ma senza fare rumore: la risata più triste e sofferente che avessi mai visto.

Cercai di capire se fosse in compagnia di qualcuno, ma non sembrava così. Cosa avrei dovuto fare? Non riuscivo a decidermi, e cominciai a sfregare nervosamente il dorso del libro. Dovevo tornare a casa e far finta di non averlo visto. Ma io lo avevo visto, e nessuno dovrebbe stare in un cimitero da solo. Soprattutto Daniel.

In pochi istanti mi ritrovai accanto a lui. Non avrei saputo dire come fossi arrivata fin lì: avevo l'impressione che i miei piedi si fossero librati portandomi fino a lui. Daniel aveva anche il potere di farmi levitare...

«Ehi...», lo chiamai piano.

«Ashlyn», esclamò sorpreso. Avevo quasi dimenticato quanto amassi il modo in cui mi guardava.

«Mi spiace disturbarti. Ti ho visto qui tutto solo e ho pensato...». *Cosa?* «Be', niente», sussurrai.

«Non ero mai stato qui in compagnia di qualcuno, è una sensazione strana...».

«Fai finta che io non sia qui, allora».

Mi osservò per qualche secondo, poi mi rivolse un piccolo sorriso. «Ho detto strana, non brutta».

Mi guardai intorno, notando l'oscurità che stava per avvolgerci. Forse era il momento giusto per andare via, ma le mie gambe non avevano nessuna intenzione di fare dietrofront.

«Perché ti chiamano tettona?», chiese Daniel, sedendosi sull'erba.

Lo presi come un invito a rimanere. Mi sedetti accanto a lui, ridendo. «Me lo stai chiedendo davvero?»

«No». Fece scivolare una mano tra i fili d'erba intorno a noi e ne strappò una manciata. «Hai un corpo bellissimo, non è certo un segreto. Allora, perché si concentrano solo su questo dettaglio e tralasciano il resto? Non notano i tuoi occhi meravigliosi, per esempio, o la tua incredibile intelligenza. Mi fanno incazzare quando ti trattano male, Ash! O quando dicono quelle cose orrende. O quando attaccano foto stupide al tuo armadietto. O quando ti sorridono. O quando ti fanno i complimenti. O… be', insomma, sempre!». Fece un grosso sospiro. «Qualsiasi cosa accada, che ti faccia arrabbiare o no, mi fa venir voglia di prenderli a pugni». Nuovo sospiro. «E questo non è proprio normale, vero?».

Ero rimasta senza parole, chinai lo sguardo e giocherellai con l'orlo del vestito.

«Scusami, Ashlyn. Non dovrei condividere con te la merda che ho nel cervello».

«Ho ragionato a lungo sulla nostra amicizia. Non è un progetto impossibile, dobbiamo solo lavorarci un po'», replicai. Aprii un libro e presi un foglio. «Ho fatto una piccola ricerca su Wikipedia, tieni, leggila».

Daniel spiegò il foglio e lesse ad alta voce. «I quattro requisiti più importanti dell'amicizia». Si fermò per un istante. «Sei veramente una nerd».

Non aveva torto. «Sono una nerd fica e geniale. Che posso farci? Vai avanti adesso».

«Numero uno. Prossimità, che significa essere vicini abbastanza da frequentarsi assiduamente e svolgere attività insieme».

«Be', sto seduta in seconda fila davanti a te per molte ore a settimana, si può dire che sia una specie di prossimità, no?».

Mi guardò scettico e passò al punto due. «Incontri frequenti in situazioni informali, anche senza pianificare».

«Merda. Fammi pensare… be', quando ci siamo visti al locale. O quando ci vediamo a scuola. O… qui al cimitero. Non ci eravamo dati appuntamento! Ammetto che questa uscita sia un po' deprimente, ma gli amici non fanno mica festa in continuazione».

«Numero tre, opportunità di condividere idee, opinioni e sentimenti».

«Mmm. A essere onesti, su questo ci stiamo ancora lavorando. Qual è l'ultimo?»

«Ashlyn», grugnì Daniel leggendo l'ultimo punto. «Questa roba l'hai presa da Wikipedia?». Annuii convinta. «Sicura sicura?»

«Te lo giuro! Forza, leggi», insistetti, ma mi veniva da ridere.

Si schiarì la voce e raddrizzò la schiena. «Ultimo ma non meno importante, numero quattro. Perché l'amicizia sia sincera, i soggetti devono chiamarsi Ashley Jennings e Daniel Daniels». Ripiegò il foglio e lo rimise nel libro.

«Cosa? Dice proprio questo? Assurdo! Abbiamo tre punti su quattro. Direi che va abbastanza bene, no?»

«Non abbiamo raggiunto la perfezione, però», osservò. Si passò una mano tra i capelli, scompigliandoli un po'. Adesso non sembrava più il professor Daniels, ma semplicemente Daniel. Il mio Daniel.

«Gli esseri umani non sono fatti per essere perfetti. Nella vita sbaglierai, tornerai sui tuoi passi e imparerai cose nuove. Siamo perfettamente imperfetti, vedila così».

Socchiuse gli occhi e si avvicinò. Mi sistemò i capelli dietro un orecchio, e quel piccolo contatto risvegliò tutto quello che era ancora assopito dentro di me.

«Perché sei una mia studentessa?»

«Perché Dio ha un senso dell'umorismo malato». Guardai i fiori sulla tomba della madre di Daniel. Probabilmente li aveva comprati lui: erano margherite, i miei fiori preferiti. «Io li adoro, quelli», dissi, indicandoli.

«A mia madre saresti piaciuta molto. Ne sono sicuro. Papà avrebbe detto che eri troppo intelligente per me».

Sogghignai. «Era un uomo saggio».

Rabbrividii un po' e Daniel si preoccupò subito. «Hai freddo?»

«No, sto bene».

Mi prese le mani tra le sue e cominciò a sfregarle per scaldarmi. Mi chiesi se sapesse quanto significava per me quel gesto. Quanto mi fosse mancato il contatto con lui.

«Posso confidarti un segreto? Però non devi prendermi per matta», gli sussurrai.

«Certo», disse.

Il suo volto si addolcì e sentii il mio cuore prendere fuoco: il desiderio che provavo per lui era innegabile, e l'urgenza mi lasciava ogni volta senza fiato. Non volevo fare altro che baciarlo, perché solo le sue labbra avevano il potere di farmi sentire viva. *Come faccio a essere solo tua amica?*

«Mi piace tenerti per mano», sussurrai. «Mi piace *tanto*. Mi fa sentire... importante».

«Tu *sei* importante». Daniel cominciò ad accarezzarmi il polso con movimenti circolari del pollice, e il mio cervello si spense. Sentii la sua mano salire lungo la gamba, poi mi sollevò e mi adagiò sul suo grembo, e io allacciai le gambe intorno a lui. Adesso i nostri corpi erano perfettamente incastrati: sembravano creati l'uno per l'altro. La sua faccia era così vicina alla mia che non potevo dire se le nostre labbra si stessero toccando oppure no.

«Per me sei incredibilmente importante, Ashlyn».

Chissà se si rendeva conto che quelle parole avevano il potere di controllare i battiti del mio cuore. Mi rannicchiai contro il suo petto e delicatamente gli baciai il collo. Lui poggiò il mento sulla mia testa e con un movimento deciso ma gentile mi avvicinò ancora di più a sé.

«Parlami di loro, amico mio».

«Mia madre era un'insegnante di musica. Papà, un professore di inglese».

«Tu sei un mix di entrambi».

«Io sono un mix di entrambi».

«So cosa è accaduto a tuo padre... e tua madre?»

«È stata uccisa», rispose con voce piatta.

Sussultai. «Mi dispiace così tanto», dissi, sfiorandogli i capelli.

Lui mi guardò con occhi tristi e scrollò le spalle. Poggiai le mie labbra sulle sue per un bacio fugace.

«Sei bellissimo», gli sussurrai, ripetendo quello che mi aveva scritto lui in un SMS, molte settimane prima. «E non intendo esteriormente... La tua intelligenza è bellissima, il modo in cui mi proteggi, le tue debolezze. Tutto questo è bellissimo».

La sua mano scivolò dietro la mia testa e mi spinse ancora più vicino, poi il suo sapore invase le mie labbra, e il calore del suo corpo riscaldò ogni centimetro del mio. «Non voglio essere tuo amico», ansimò. Respiravamo all'unisono ormai, i battiti dei nostri cuori erano diventati indistinguibili. «Voglio essere tuo, voglio che tu sia mia, e odio che ci sia negato. Perché siamo fatti l'uno per l'altra, Ashlyn, e lo sai anche tu».

«Mi sembra di conoscerti meglio di chiunque altro, anche se abbiamo passato pochissimo tempo insieme. Come te lo spieghi, Daniel? Com'è possibile che io continui a essere innamorata di te?».

Lo sguardo di stupore nei suoi occhi era incantevole. Si riconosceva in quelle parole, perché anche lui si era posto quelle stesse domande.

«Non lo so. Forse perché quando due cuori cominciano ad ardere, niente e nessuno può estinguere quel fuoco».

«Deve rimanere un segreto...», bisbigliai. «Il nostro segreto. Al cento percento solo nostro».

Quando premette le sue labbra contro le mie, intorno a me tutto scomparve. L'universo si fermò: Daniel mi trasportò ancora una volta nel suo mondo di pura emozione, in cui non c'era traccia di tristezza, ma solo di amore e conforto.

Le mie mani corsero all'orlo della sua maglietta e la sollevarono, scoprendo il fisico asciutto e irresistibile. «Ash», gemette. Poi, la sua lingua si intrufolò nella mia bocca, e fummo un tutt'uno. Respiravo con voracità mentre Daniel correva al mio collo e cominciava a succhiare e a leccare con movimenti circolari della lingua. Sotto il vestito, sentivo i capezzoli sempre più duri, come se una brezza leggera avesse sfiorato i nostri corpi, poi ci baciammo ancora. Corse con le dita alle mie spalline, le abbassò e afferrò i miei seni, continuando a baciarmi ovunque. Amavo il modo in cui mi toccava, sembrava avesse una mappa mentale di tutti i miei punti deboli.

«Non dovremmo farlo...», mormorò, ma non era chiaro se lo stesse dicendo a se stesso o a me.

Zittii quelle parole con un bacio, prima che potessero convincerci a fermarci. Non ero mai stata così sicura di qualcosa nella mia vita come in quel momento. Lì nel buio del cimitero, stretta a qualcuno che soffriva tanto quanto me, mi sentivo al sicuro. Daniel Daniels era la mia casa.

Capitolo 15
Ashlyn

Allora lei mi baciò con i suoi occhi,
e poi con i suoi fianchi.
Buon Dio, se sapevano baciare quei fianchi.

Romeo's Quest

Le settimane che seguirono furono un susseguirsi di eccitanti momenti segreti. Daniel e io comunicavamo soprattutto attraverso i messaggi sul telefono. In corridoio, a scuola, capitava spesso che andassimo a sbattere accidentalmente l'uno contro l'altra, e qualche volta mi chiedeva di rimanere in classe dopo la lezione per rubare ancora qualche piccolo bacio. Mi piaceva tutta quella segretezza, mi sembrava di essere la protagonista di film di spionaggio: dovevo portare a termine la missione senza essere scoperta.

Un venerdì mattina trovai tre margherite sul mio banco. «I bulletti ora ti mandano fiori?», chiese Ryan entrando.

Ridacchiai e annusai le margherite, chiudendo gli occhi. «Avranno cambiato idea! Saranno un po' lunatici».

Ryan rise e si sedette al suo posto. «In fondo chi non lo è. In ogni modo, Hailey mi ha raccontato della tua lista di cose da fare prima di morire». Non ero sorpresa. «E da quello che ho potuto constatare, quando ho sbirciato tra le tue cose mentre ti stavi facendo la doccia… questa Gabrielle doveva proprio essere fantastica».

Annuii.

«Voglio dire, se Gabrielle fosse qui sono sicuro che lascerei perdere i Tony con la Y e mi concentrerei sulle Toni con la I».

«Stai dicendo che saresti uscito con mia sorella, ma con me no?», gli chiesi mettendo il broncio.

«Uhm, per caso sei morta e hai lasciato a tua sorella un pacco di lettere personalizzate per ogni evento importante della sua vita?»

«No».

«Allora ovviamente non voglio uscire con te. C'è qualcosa di molto sensuale in un fantasma che lascia lettere ai suoi cari!».

«Così ti interessano solo le ragazze fantasma, ma non quelle in carne e ossa», ridacchiai.

«Oh, mi piace quando lo dici. Ripetilo ancora...».

«Ripetere cosa? Ragazze fantasma?». Ryan rabbrividì di piacere. «Ragazze fantasma, ragazze fantasma, ragazze fantasma...», sussurrai con voce sensuale avvicinandomi al suo orecchio.

Lui chiuse gli occhi e si fece scivolare la mano sul petto, avanti e indietro, come se fosse estremamente eccitato. «Mmm! Questo sì che mi piace».

«Sei un idiota», esclamai ridendo.

«Un idiota a cui vuoi molto bene», fece. «Ma tornando alle cose importanti. Theo darà presto un'altra festa e io...». Mise una mano nella tasca e tirò fuori una tessera di plastica. «Ho una carta di identità falsa».

Gliela presi dalle mani e sorrisi. «Dove cazzo l'hai presa?!».

I suoi occhi si posarono su Avery. «Conosco persone che conoscono altre persone, sai com'è».

«Summerstone?», chiesi, leggendo il cognome stampato sul documento.

Ryan riprese il tesserino dalle mie mani e se lo rinfilò in tasca. «Non è il nome la cosa importante, pupa, ma la data di nascita. Sono ufficialmente uno studente di ventuno anni. Preparati a bere fino a svenire, e a cancellare la voce sulla tua lista. Inchinati al tuo re, mia schiava». Tirò fuori un'altra carta di identità per me. Summer Burtstone: che originalità.

«Peccato che io continui a non sopportare Theo, è stato troppo stronzo con Hailey», gli feci notare.

«Una ragione in più per andare alla festa e mostrargli un bel dito medio», mi fece notare Ryan divertito.

Ryan sapeva sempre come farti tornare il sorriso; aveva un dono naturale. Mi sentivo fortunata a essermi trasferita lì nel Wisconsin e aver conosciuto Hailey e Ryan: senza di loro non ce l'avrei mai fatta. Le prime settimane a Edgewood erano state molto dure, soprattutto per il mio rapporto con Henry: ma adesso cominciavo a pensare alla mia nuova vita senza timori, e alla famiglia di mio padre con affetto. *Casa*, forse, non è un posto preciso, ma sono semplicemente le persone che ti sono accanto e che riescono a farti sentire te stessa, ovunque tu sia. *Casa*, forse, significa amicizia.

* * *

La classe cominciò a svuotarsi, la lezione era finita e io infilai le mie cose nello zaino con la solita lentezza.

«Niente vestitino, oggi?», chiese Daniel sedendosi sulla cattedra quando anche l'ultimo studente fu uscito. Mi guardò avidamente, e quando il suo sguardo incontrò i miei occhi mi sentii avvampare. Mi guardava come se ogni più piccola parte del mio corpo fosse perfetta. Come se per lui fossi perfettamente imperfetta.

«No, oggi no». Indossavo un paio di jeans e un maglione di due taglie più grandi che mi lasciava scoperta la spalla sinistra. Per la prima volta dall'inizio della scuola, quell'abbigliamento mi rispecchiava davvero. Ed essere me stessa mi piaceva.

«Questo è il mio look preferito», commentò.

«Be', anche il mio».
«Il mio coinquilino non c'è, stasera...».
«Grazie per l'informazione disinteressata», risi.
«Mi piacerebbe prepararti la cena».
«Tu cucini?», chiesi scettica.
«Certo». Sembrava molto sicuro delle sue capacità, ma sapevo bene che avrei mangiato qualsiasi cosa preparata da lui. «So fare molto di più che cucinare...».
Mi mordicchiai il labbro inferiore e gettai un occhio alla porta per accertarmi che nessuno stesse entrando. «Sta tentando di sedurmi, professor Daniels?»
«Credo proprio che dovrà attendere per scoprirlo, signorina Jennings».
«Appuntamento dietro la biblioteca, al termine delle lezioni?», suggerii.
«Affare fatto».
Il suo sguardo danzò sul mio corpo ancora una volta. Non mi aveva mai guardato così, prima di allora. Era come se finalmente potesse vedermi davvero, e apprezzasse la vera Ashlyn Jennings. Ero pienamente me stessa, in quel momento, con i miei jeans, i miei libri e il mio maglione sformato. Ed ero completamente sua.

* * *

Sarebbe stata una giornata colma di prime volte, quella, perché non ero mai stata a casa sua, né ero mai salita sulla sua auto. Negli ultimi tempi avevo pensato spesso a tutte le cose che non avevamo mai fatto insieme: non eravamo mai usciti per un appuntamento vero e proprio, non avevamo mai ballato insieme, non avevamo mai fatto sesso. Non gli avevo mai detto "ti amo".
Aprii lo sportello della jeep e quando lo vidi per poco non

mi venne un colpo. Indossava un cappellino da baseball. Non lo avevo mai visto con un cappellino da baseball! Un'altra prima volta. C'erano così tanti lati di lui che ancora dovevo scoprire, per non parlare dei suoi gusti, oppure del suo passato. Mi sorrise, mi prese la mano e ne baciò delicatamente il palmo.

«Ehi, come mai quegli occhi tristi?», chiese.

«Niente», risposi scuotendo la testa. «È solo che... ci sono così tante cose che non vedo l'ora di fare insieme a te».

«Anch'io». Non mi lasciò andare la mano dopo averla baciata. La tenne stretta anche mentre accendeva il motore e si allontanava dal marciapiede della biblioteca.

«Raccontami cose noiose», gli dissi, mettendomi comoda sul sedile. «Raccontami quelle cose che fanno addormentare la maggior parte delle persone».

Alzò un sopracciglio. «Cose noiose?»

«Il tuo colore preferito, il tuo gelato preferito, il tuo film preferito. Dài, le cose noiose».

«Ah, capito. Il mio colore preferito è il verde. Poi vediamo... il mio gelato preferito è la coppa al cioccolato, con pezzetti di cioccolato e guarnizione al cioccolato sopra. Non chiedermi se ne abbia mai mangiate più di tre di seguito, non te lo dirò. Il mio film preferito è una via di mezzo tra *Arma letale* e *Una notte da leoni*».

«Coppa al cioccolato anch'io», affermai.

Daniel mi strinse la mano. «Adesso tocca a te», disse. «Che altro ti piace? Animale preferito, stagione preferita, colazione preferita?»

«Panda. Una volta ho visto un programma su Discovery Channel in cui mostravano questo posto da qualche parte in Cina dove, se paghi un bel po', puoi spupazzarti cuccioli di panda. Sarebbe il mio sogno! La mia stagione preferita è la primavera, invece. Mi piace scrivere durante la pioggia di aprile. Colazione: se mi metti davanti una scodella di cereali e marshmallow, perdo il controllo. Orgasmo multiplo garantito».

«Questa è la cosa più sporca che tu abbia mai detto!», esclamò divertito.

«Cosa? I marshmallow?», replicai ridendo.

«No. Spupazzarti i cuccioli di panda».

Quando arrivammo a destinazione, rimasi incantata da tutta quella bellezza. La casa sul lago aveva una lunga storia, mi aveva spiegato Daniel, e sprigionava una forte personalità. Il portico anteriore era rivestito di piccole pietre tonde e i gradini ricoperti da ciottoli accuratamente incastonati. Due sedie a dondolo in legno di quercia e una panca a due posti erano addossate al muro, e tutto irradiava amore. Daniel non mi lasciò molto tempo per studiare la casa. Mi guidò subito sul giardino posteriore, e a quella vista mi lasciai sfuggire un sospiro: il sole brillava sulle acque del lago, creando infiniti giochi di luce che mi ipnotizzavano. Mi incamminai sulla passerella del molo, e lasciai scorrere le dita sulla superficie dell'acqua fredda.

«È bellissimo», mormorai senza fiato guardando l'orizzonte. Mi sedetti sul bordo, sfilai scarpe e calzini e immersi la punta dei piedi nell'acqua, increspandola lievemente.

«Già», disse Daniel con un filo di voce. «Lo è». Si sedette accanto a me. Dopo essersi arrotolato i pantaloni immerse anche lui i piedi nell'acqua. Muovemmo in contemporanea le gambe, avanti e indietro, alzando piccole onde timide.

«Confidami le cose che preferiresti tenere nascoste, ora», mi chiese. «Il tuo peggior appuntamento, il libro preferito di cui ti vergogni. La cosa più strana che ti fa eccitare».

«Mmm...». Inspirai a fondo l'aria fresca dell'autunno lacustre. «Non ho avuto molti appuntamenti, il mio ultimo fidanzato mi ha portato al cinema, la prima sera. Credeva fosse romantico mostrarmi il suo...», arrossii di colpo. Non potevo credere gli stessi raccontando quella storia. «Il suo pene. Non mi rimase che chiedergli se poteva prestarmi i suoi occhialetti 3D, così lo avrei visto meglio, perché non mi sembrava molto *vivace*, ecco».

«Ahi», gemette Daniel, portandosi una mano al petto. «Sei stata davvero brutale!».

«Mi aveva fatto vedere il pene! Al primo appuntamento!», gridai.

«Nota per me: non mostrare a Ashlyn il mio pene stasera».

Divenni rossa e gli sorrisi timida. «Più o meno il nostro primo appuntamento è stato quella sera, al locale. Quindi, oggi puoi farmi vedere quello che vuoi».

«Interessante. Continua».

«Il libro di cui mi dovrei vergognare, ma che invece mi piace un casino... parla di zombie. Alla fine, gli zombie riescono a prendere il potere in America, cercando di corrompere le menti più creative e geniali del paese. Anche Steven Spielberg viene zombificato, e ne documenta personalmente la trasformazione lasciando la telecamera puntata su di lui. Poi trasformano anche la conduttrice televisiva Ellen DeGeneres, ma non cambia molto perché anche da zombie Ellen DeGeneres è sarcastica e sfrontata e non smette un istante di prenderli in giro. Anche loro la trovano divertente, per inciso, e a volte ridono così tanto che perdono il naso e le braccia, tanto si sbellicano. Insomma, è davvero un bel libro, e ha anche tanti significati nascosti: affronta temi complessi come la verità, l'importanza di accettare se stessi, l'accoglienza del diverso, pur essendo comunque una stronzata».

«Wow», esclamò Daniel alla fine del mio racconto.

«Però alla fine muoiono tutti».

«Per caso è *America chiama Zombie*?»

«Non ci credo», esclamai. «Lo hai letto!».

«Al primo anno di università. Miglior libro in assoluto», ammise sorridendomi. Ero in estasi. «E ora, la cosa che più ti fa eccitare».

«Oh, questa è facile. La cosa che più mi fa eccitare è un ragazzo che legge per me».

«Io l'ho fatto».

«E infatti non sono rimasta indifferente».

Mi cinse la vita e mi sollevò adagiandomi sul suo grembo. «Giusto». Mi afferrò un labbro tra i denti e lo tirò delicatamente. Gli accarezzai il petto, e quando si scostò gli diedi un dolce bacio.

«Forza, andiamo a preparare la cena».

«Io me ne starò in poltrona, sei tu che devi cucinare stasera», precisai scuotendo energicamente la testa.

Mi strinse forte, poi mi sollevò e mi portò dentro casa. Sperai non mi posasse mai più per terra, ma purtroppo lo fece e mi adagiò sul bancone della cucina. Poi cominciò a darsi da fare e sistemò accanto ai fornelli quelli che definì "gli ingredienti della cena del secolo": *mac and cheese*, ovvero maccheroni al formaggio, confezionati. Prese un coltellino dalla tasca dei jeans e li aprì.

«Usi sempre i coltellini per aprire le scatole?»

«Mio padre lo faceva sempre. Portava il suo coltellino ovunque, diceva che non sai mai quando può servirti. E perciò quasi sempre s'inventava qualche scusa per usarlo. Ci apriva scatole, buste da lettera, casse di bottiglie d'acqua», rise tra sé e sé. «Temo che insieme al coltellino mi abbia passato anche le sue manie».

Si rabbuiò. Stava chiaramente pensando a suo padre.

«Raccontami la cosa più triste», sussurrai, mentre lo guardavo riempire una pentola d'acqua e metterla sul fuoco.

Si avvicinò a me, mi aprì le gambe e fece un passo avanti. «Sta diventando una cena difficile».

«Non abbiamo ancora mangiato».

Ci guardammo negli occhi, in silenzio. «Il 22 marzo dell'anno scorso». Si voltò e scrutò oltre la finestra, verso il giardino sul retro. La sua voce era tagliente come un coltello, ora. «Mia madre è morta tra le mie braccia». Sollevai una mano verso il suo volto e lo attirai a me. «E mio padre era lì mentre accadeva».

Sapevo cosa stava provando: tristezza e rimorso. Lo baciai intensamente, cercando di esprimere il mio dispiacere per quel giorno straziante, e così dissipare tutto il suo dolore.

«Come si supera una cosa del genere?», chiesi.

Si mosse impercettibilmente. «Facile. Non si può».

«Sai chi è stato?».

Si mosse di nuovo. Non solo il suo corpo, ma anche il suo cuore.

«Questo non importa», rispose cupo. «Tanto non me la riporterebbe indietro». Si spostò verso il lavello della cucina e guardò di nuovo il giardino.

«Ma le farebbe giustizia».

«No!». Il suo grido risuonò come un tuono improvviso che scuote i passeri dai rami degli alberi. Rabbrividii, e un gemito mi salì alle labbra. Quando si voltò verso di me, aveva il volto trasfigurato dalla rabbia. O era senso di colpa?

«Vieni qui», gli dissi.

«Scusami», mormorò abbassando le spalle e venendomi vicino. «Non parlo mai di lei. Non voglio pensare a chi può averla uccisa. Voglio andare avanti». Non risposi, ma lo avvinghiai di nuovo tra le mie gambe. «Possiamo parlare di te, invece che di me?», mi chiese calmo.

Non aveva mai voluto parlarmi di quell'incidente, e io avrei voluto che condividesse con me ogni cosa. Ma evidentemente non se la sentiva ancora, e io non volevo allontanarlo. Annuii, sospirando di sollievo.

«Qual è stato il tuo momento più triste?», sussurrò, poggiandomi le mani sui fianchi.

«Leucemia». Una sola parola, ma molto significativa per me. Una parola che aveva cambiato il mio rapporto con Gabby. Una parola che mi aveva fatto piangere e disperare ogni notte, per mesi. Una parola che non augurerei nemmeno al mio peggior nemico. Una lacrima mi scivolò sulla guancia e Daniel la cancellò con un bacio.

«E la cosa più bella che ti sia mai capitata?», chiese.

Sollevai una mano in aria, il palmo rivolto verso di lui, e lui poggiò la mano sulla mia. «Questa», risposi, osservando le nostre mani unite.

Daniel sollevò anche l'altra mano, e io lo imitai, poggiando la mia sulla sua. Intrecciammo le dita. «Questo», sorrise.

Avanzai lentamente sul bancone avvicinando le anche al suo bacino, e Daniel cominciò a baciare lentamente il mio collo. «Daniel...», chiusi gli occhi quando il suo bacio cominciò a scendere lungo la mia spalla.

«Sì?», mugugnò con la bocca contro la mia pelle.

«Questo mi piace...», sospirai quando la sua lingua cominciò a fare avanti e indietro sulla mia spalla.

«Voglio fare solo cose che ti piacciono...». I suoi occhi azzurri mi guardarono sorridenti. Poi mi baciò la fronte. «Sono pazzo di te, Ashlyn Jennings».

«E io di te, Daniel Daniels». Ci guardammo per qualche istante e poi scoppiammo a ridere, incapaci di fermarci. Sì, lui era il mio professore, e io una sua studentessa, e stavamo uscendo insieme. Ma ci basta sapere che una persona è inaccessibile, addirittura *proibita*, per non innamorarci?

«Siamo pazzi, vero?»

«Maledettamente pazzi», confermò stringendomi a sé.

Maledettamente pazzi. E quella era la cosa più bella che mi fosse capitata insieme a lui.

Capitolo 16
Ashlyn

Se scappiamo insieme,
se andiamo via adesso,
arriveremo in tempo per vedere il tramonto.

Romeo's Quest

Cancellammo insieme alcune voci dalla mia lista.

Non parlammo mai del suo passato, ma io imparai molte cose sul suo presente.

E ci baciammo tanto, tantissimo, perché ci piaceva baciarci.

Capitolo 17
Ashlyn

Ma se perdiamo tempo,
se rimandiamo a domani,
perderemo lo spettacolo.

Romeo's Quest

#23. ~~Baciare uno sconosciuto.~~
~~#16. Andare a una festa.~~
~~#14. Farsi un nuovo amico.~~
~~#21. Imparare a fare giochi di prestigio.~~
~~#15. Correre una decina di chilometri.~~
~~#6. Provare a suonare la chitarra.~~
#1. Innamorarsi.

Capitolo 18
Ashlyn

> Ho pensato a un po' di cose da fare insieme a te,
> te le scrivo su un foglio di carta,
> e le spedisco al tuo cuore.
>
> Romeo's Quest

I nostri incontri divennero più frequenti. Ci legammo ogni giorno di più, e forse era inevitabile. Ogni pomeriggio, dopo la scuola, aspettavo Daniel sul retro della biblioteca con un nuovo libro da condividere insieme a lui. Me lo leggeva mentre preparavamo la cena, e io leggevo per lui mentre si aggirava per casa con in mano i campioni di colore per le pareti che aveva deciso di ridipingere. Daniel leggeva per me seduto sulla poltrona a dondolo mentre io finivo i compiti, e poi gli declamavo i miei romanzi preferiti mentre correggeva gli esercizi dei suoi studenti. Sapeva rendere alla perfezione le emozioni dei personaggi, modulando la voce nei passaggi più rabbiosi e in quelli più allegri: le parole suonavano più dolci e più profonde quando giungevano dalle sue labbra.

Quel giorno Daniel sedeva con la schiena contro il tavolinetto del salotto e leggeva per me mentre io lo guardavo, osservando incantata i movimenti della sua bocca. Osservai con attenzione le sue dita voltare le pagine e i suoi piedi muoversi irrequieti sul tappeto. E piansi. Non per le parole del libro, ma per la speranza ritrovata, per quella reale e inaspettata occasione di felicità.

«Daniel...», sussurrai, avvicinandomi a lui. Poggiai una

mano sul libro, interrompendo la sua lettura. Lui alzò gli occhi su di me e mi fece un sorriso. Presi le sue mani tra le mie e me le poggiai sul cuore. «Ci stai riuscendo».

«A fare cosa?»

«A riportarmi alla vita».

* * *

Non sempre riuscivo a essere forte, però, e qualche volta mi lasciavo andare, sospinta dai ricordi di Gabby negli ultimi giorni di vita. In quei momenti Daniel chiudeva il libro, metteva su uno dei suoi CD e alzava il volume al massimo. E così fece anche quella volta.

«Pausa danzereccia», propose, cercando di scuotermi dalla tristezza.

«Daniel…», sospirai alzandomi, incapace di declinare un invito che proveniva da lui. Qualche settimana prima gli avevo confidato quanto mi piacesse ballare, e da allora aveva sempre trovato una scusa per farmi scatenare.

«Forza, dài», disse, dimenando il sedere e facendo smorfie buffe. Alzai le braccia e cominciai a muovermi lentamente avanti e indietro. Lui mi afferrò per la vita e cominciò a farmi ruotare sempre più forte. «Raccontami la cosa che più la rendeva felice».

«Bentley, il suo ragazzo», risposi sorridendo.

«E adesso una stupida», continuò, interrompendo quel girotondo impazzito.

«Mmm… Le piacevano molto i sandwich con burro di arachidi e sottaceti. Quando eravamo piccole, mise su un banchetto di limonate e panini al burro di arachidi e sottaceti che non ebbe molto successo. Chi lo avrebbe mai detto».

«Ne hai mai assaggiato uno?»

«Oddio, no. Era Gabby quella strana, non io».

«Mi permetto di dissentire. Ti piacciono i cereali con i marshmallow. Tanto normale non sei», e scomparve in cucina. Quando tornò, aveva in mano sottaceti, pane e burro di arachidi.

«Non se ne parla», dissi inflessibile.

Sollevò un sopracciglio. «Pensa alla lista. Potresti cancellare un'altra voce».

Era vero. "Provare qualcosa di nuovo" era uno dei comandamenti che Gabby aveva scritto. Ma doveva proprio essere una cosa così disgustosa?

Ci preparammo un sandwich a testa e diedi un morso, riluttante: era disgustoso proprio come avevamo immaginato, ma allo stesso tempo era il sandwich migliore che avessi mai mangiato perché era una parte di Gabby, e la stavo condividendo con Daniel.

«So cosa farai ora», annunciai, posando il mio sandwich. «Ballerai con me».

«A volte, quando senti la mancanza di qualcuno, l'unica cosa che riesci a fare è aggrapparti alla sofferenza», proseguì Daniel sorridendo. «Ma non si pensa mai che è meglio concentrarsi sui ricordi gioiosi, gli unici che dobbiamo conservare e che ci faranno stare meglio».

Guardai per un attimo il mio sandwich, poi lo aprii e aggiunsi altro burro di arachidi. «Sei un insegnante fantastico».

«E tu una studentessa molto intelligente». Immerse un dito nel burro e lo spalmò sul mio collo.

«Daniel», sussurrai quando la sua lingua cominciò a muoversi sulla mia pelle. Istantaneamente, un brivido mi attraversò la schiena.

«Sì?»

«Insegnami qualcos'altro».

Senza dire altro, mi sollevò tra le sua braccia e mi portò in camera da letto, dove era prevista la nostra lezione successiva.

* * *

«Non fermarti...». Ero distesa su letto di Daniel, con gli occhi chiusi. «... Continua a leggere...».

Mi ero tolta la mia felpa di una taglia in più, rimanendo in canottiera e jeans aderenti. Lui era su di me, a torso nudo. Le mie dita correvano sul suo petto scolpito, mentre sentivo il suo respiro farsi sempre più pesante. Daniel si sorreggeva con la mano sinistra e con la destra teneva aperto un libro. Proseguì, leggendo la riga successiva di *Molto rumore per nulla.* «"Lei dell'onore è solo maschera e simulacro"». Parlava con voce roca e profonda, e ogni parola mi trasmetteva l'intensità del suo desiderio. «"Guardate, ora arrossisce come una verginella!"». Mi morse dolcemente il lobo dell'orecchio sinistro. «"Ah, di che autorevolezza e apparenza di vero..."», mi baciò il collo, «"... può ammantarsi..."». Posò le labbra sulla curva del mio seno, abbassò le spalline della mia canottiera e con la lingua seguì il bordo del mio reggiseno. «"... lo scaltro peccato"».

Afferrai la cinta dei suoi pantaloni e lo tirai su di me, premendo il mio corpo contro il suo. Anche a lui, come me, eccitavano situazioni come quella, potevo sentirlo distintamente attraverso i suoi jeans...

«Daniel», mormorai in un soffio.

«Sì?». Affondò la faccia nel mio petto, dentro di me.

«Chiudi il libro», gli chiesi con voce tremante. Non se lo fece ripetere due volte. Gli baciai il mento, il cuore che mi batteva sempre più forte. «Ti voglio...». Daniel si tirò su e sollevò la canottiera, poi cominciò a far scivolare la sua bocca sul mio ombelico, senza fretta. «Ti prego, Daniel...».

«Sei perfetta», sospirò contro la mia pelle. «Cominceremo lentamente». Mi sfilò la canottiera, gettandola sul pavimento, poi poggiò una mano sul mio seno e sentì il mio cuore che batteva per lui. *Solo per lui*. Mi sollevai sui gomiti e lo attirai a me con una mano, baciandolo e sussurrando il suo nome. Mi mancava il fiato. Ero turbata dalla sua capacità di risvegliare la mia anima ogni volta che eravamo vicini, dal come si concedeva totalmente, con generosità. Ormai conosceva tutte le mie debolezze, e le stuzzicava, riempiendole di sé.

Feci scivolare la mano sulla patta dei suoi pantaloni e la aprii. Le mie dita affondarono dentro, e Daniel chiuse gli occhi, gemendo di piacere. Poi si sfilò i pantaloni, e quando sfiorai con le dita l'elastico dei boxer, un lamento profondo salì dalla sua gola: un suono primitivo che mi riempì di piacere. Venne il suo turno: aprì i bottoni dei miei jeans e mi aiutò a toglierli, cosa che non fu affatto facile. Ci mettemmo un po', e ci scappò anche da ridere, ma non ero mai stata così a mio agio senza vestiti davanti a qualcuno.

«Non stiamo per fare sesso, Ashlyn», mi disse all'improvviso.

Cosa? Non ero mai stata così eccitata, e non aspettavo altro che sentirlo sopra di me. *Dentro* di me.

«Daniel, io voglio farlo. Te lo giuro».

«Lo so. Ma voglio che ci prendiamo il nostro tempo. Senza fretta. E poi...». Le sue dita corsero sulle mie mutandine di cotone. *Ommioddio*, mi sentivo mancare. «Possiamo fare molte altre cose, oltre al sesso», disse, e scivolò tra le mie gambe. Mi irrigidii immediatamente e chiusi gli occhi: non avevo mai fatto niente del genere con nessuno, Billy pensava solo a se stesso, ai suoi desideri, ai suoi bisogni. Ma Daniel era diverso, voleva farmi stare bene. Voleva darmi piacere. Voleva me.

Sentii il suo respiro caldo contro la mia pelle. «Ora ti bacerò, Ashlyn», sussurrò. Spalancai le braccia sulle lenzuola fresche, mentre le sue labbra umide scendevano sulla mia pancia, poi afferrò l'elastico degli slip e cominciò lentamente ad abbassarlo.

«Dan...», mormorai, incapace di pronunciare il suo nome per intero. Arcuai la schiena, chiedendogli di più, molto di più. I baci non si fermarono, e i miei gemiti nemmeno. Ogni centimetro in più che scopriva, mi scoccava un bacio umido, seguito dalla lingua che correva tutto intorno, poi un altro bacio, e poi, quando raggiunse l'obiettivo, si soffermò più a lungo.

«Daniel», dissi, stavolta a voce più alta, sapendo di non desiderare assolutamente altro. Mi baciò in profondità, succhiò e leccò, con intensità e trasporto. Con amore. Ero quasi in paradiso ormai, e tremavo, spingendo il pube contro la sua bocca con movimenti decisi.

«Sei perfetta», disse mentre io affondavano le mani tra le coperte. «Così perfetta...».

Affondai il volto nel cuscino, ansimando e gemendo mentre le sue dita si facevano strada dentro di me, tastando, strofinandosi a un ritmo perfetto insieme alla sua lingua. Respiravamo insieme. Quando cominciò ad accelerare, il mio respiro si fece più pesante, affamato di lui. Feci scorrere le dita tra i suoi capelli, strattonandolo leggermente. Un altro ultimo, piccolo bacio fu quello che mi portò alle stelle, lasciandomi esausta e immobile. Non avevo mai provato un piacere così intenso. Daniel mi aveva fatto vivere un'altra prima volta... il mio primo orgasmo.

Si stese accanto a me e mi baciò il collo. «Grazie», mi sussurrò, abbracciandomi. «Grazie per aver avuto fiducia in me».

Rimanemmo sdraiati vicino per quella che mi parve un'eternità. Mi sentivo scottare, ed ero stanca. Ma non così stanca.

«Daniel», dissi, sfiorando con un dito la curva del suo collo.

«Mmm?»

«Ti va di farlo ancora?».

Capitolo 19
Daniel

Non essere geloso,
anche se sanguina, e fa male,
non essere geloso,
e fidati del cuore che hai nella testa.

Romeo's Quest

Sapevo che era una reazione infantile: in fondo, non avrebbe dovuto darmi così tanto fastidio, ma non potevo farci niente. Jake ronzava intorno a Ashlyn ogni giorno di più, a scuola, e io impazzivo di gelosia.

Passai vicino all'armadietto di Ashlyn, e quando vidi Jake salutarla con un cenno della mano, finsi di dover controllare qualcosa nel fascio di compiti che stavo portando in classe e mi fermai a pochi passi da loro, sperando di riuscire a origliare.

«Il ballo della scuola sarà prima delle vacanze per il Giorno del ringraziamento e mi domandavo...». Jake sembrava teso, e sorrise a Ashlyn. «Ti andrebbe di andarci con me?».

Ashlyn mi guardò di sfuggita e strinse ancora di più il libro contro il petto. La campanella suonò, e Jake parve infastidito. Una coppia ci oltrepassò, ridendo e tenendosi per mano, e gli occhi di Ashlyn si fermarono su quelle mani intrecciate. Mi sentii profondamente in colpa, c'era una tale invidia nel suo sguardo. Non le sfuggiva nessuna dimostrazione pubblica di affetto. Agognava potermi prendere per mano anche alla luce del sole, e non solo di nascosto, tra le mura di casa mia.

Quando la terza ora di Inglese terminò, le chiesi di rimanere per un minuto in classe in modo da poterle parlare. I suoi occhi sembravano appannati. Era stanca.

«Puoi andare, se vuoi. Al ballo con Jake».

«No, va bene così», mentì, cullando i suoi libri.

«Ma tu ami ballare», le feci notare.

«Con *te*. Mi piace ballare con te, Daniel».

«Sei arrabbiata».

Chinò il capo, e annuì impercettibilmente. «È solo che... le tue mani sono qui, proprio qui. E anche le mie mani. Ma non possiamo toccarci, capisci?».

Le accarezzai il mignolo, come facevo sempre, e sentii un singhiozzo squassarle il petto.

«Mi dispiace, Ashlyn».

«Non è colpa tua. È la vita, credo».

«Se vuoi uscire allo scoperto, dimmelo. Ti prometto che farò tutto quello che vuoi».

«Non voglio!», esclamò sgranando gli occhi. «Mi va bene così, Daniel. Ho solo avuto una brutta giornata, tutto qui».

Ash sentiva la mancanza di tutte quelle piccole cose che fanno le coppie normali. Cene al ristorante. Film. Week-end fuori città.

«I Romeo's Quest si esibiranno di nuovo da Joe...», le annunciai, perdendomi nei suoi occhi verdi. «Dovresti venire».

Una luce si riaccese nel suo sguardo. «Intendi dire vederci in un posto che non è casa tua?». Fece una pausa e ridacchiò. «Non fraintendermi. È una casa bellissima, e anche il lago non è male, ma ecco...».

La interruppi. Allungai una gamba per chiudere la porta dell'aula, poi la presi per mano e la baciai. Ashlyn strofinò le labbra contro le mie e mi baciò con ancora più ardore proprio mentre la campanella annunciava l'inizio della quarta ora.

«Sei in ritardo per la tua lezione».

Sentii il suo sorriso contro la mia bocca quando mi parlò. «Ne è valsa la pena».

* * *

Il concerto da Joe era previsto per il week-end prima del Giorno del ringraziamento. Grazie a un accordo che Randy aveva stipulato con il proprietario del locale, gli avventori avrebbero potuto portare cibo in scatola da donare ai più bisognosi. Tipico di Randy: pensare sempre agli altri, anche quando il protagonista era lui.

Ashlyn spuntò dalla biblioteca con due barattoli di mais in una busta e un taccuino sotto il braccio sinistro. Era così adorabile, così allegra: ormai conoscevo bene quel suo sorriso radioso. Mi accostai al marciapiede e saltò in macchina.

«Ehi». Mi diede un bacio sulle labbra e si infilò la cintura di sicurezza. «Stasera scriverò un po', durante il concerto».

«Hai ricominciato?». Non mi aveva più parlato del suo romanzo, per cui rimasi stupito.

«Qualcosina. Niente di importante».

«È molto importante, invece», dissi.

Arrivammo al locale e Randy ci venne incontro. «Ehi! Sei tornata per me!», disse a Ashlyn con il suo tipico atteggiamento da giullare di corte. «Che emozione. Ma devo avvisarti: credo che il mio amico Danny abbia un debole per te».

«Davvero?», rise Ashlyn.

«Già. L'altro giorno entro in camera sua, e lo trovo che parlava nel sonno abbracciato al cuscino. Mormorava "Ashlyn, Ashlyn!", sembrava un assatanato».

Alzai gli occhi al cielo e mi voltai verso di lei. «Non è vero».

Randy annuì convinto. «Sì che lo è».

«E ci credo, caro mio. Sei completamente cotto», mi canzonò Ashlyn prendendomi una mano tra le sue. Be', non potevo negarlo.

Randy si allontanò per fare una telefonata, lasciandomi solo con lei. «Tra poco devo andare. Vuoi qualcosa da bere?»

«Sì, ma vengo con te al bar...», rispose. «Oddio!», esclamò, coprendosi il volto all'improvviso.

«Mmm, non è un gran problema. Se non ti va, mi basta un semplice no...».

«Merda, merda, merda», borbottò. Era carino sentirla imprecare; mi faceva venire voglia di baciarla.

«Che succede?», chiesi, mentre mi guardavo intorno per cercare di capire cosa avesse visto.

«Henry!», disse in un soffio, affondando il viso nella manica della mia maglietta e indicando il bancone del bar.

Lo vidi, seduto su un sgabello che beveva. «Oh cazzo!», balbettai, spingendola fuori dal locale. Corremmo lungo l'edificio e ci fermammo a riprendere fiato. «Cosa ci fa qui?! Sapeva che saresti venuta?»

«No, no! Non l'ho detto a nessuno!».

«E dove pensa che sia andata stasera?», mi domandò.

«Non me lo chiede mai. Non credo gli interessi». Notai un leggero tremito del labbro inferiore.

«Non può sapere niente, giusto? Non lo sa. Non può». Mi sentivo lo stomaco in subbuglio all'idea che suo padre, il mio capo, ci scoprisse.

Ashlyn si strinse a me e mi baciò. «Devo andare prima che possa vedermi. Torno a casa, così non corro nessun rischio».

La baciai anche io, assaporando quelle labbra così familiari, poi presi le chiavi dalla tasca e gliele passai. «Prendi la mia macchina. Parcheggiala in fondo alla strada, mi restituirai le chiavi domattina».

Cominciò a nevicare proprio in quel momento: la prima

neve della stagione. Sollevai il volto verso il cielo e lasciai che i fiocchi mi bagnassero la fronte e il naso, poi li osservai posarsi anche sulle lunghe ciglia di Ashlyn. Le baciai la punta del naso. «Scrivi un po'. Voglio leggere tutto, poi».

«Vedrò cosa riesco a fare». Rimase ferma. «Però è divertente, vero? Ci hanno quasi scoperto!». Arricciò il naso e fece una smorfia buffa.

«Sei pazza». Le mordicchiai delicatamente le labbra. «Completamente pazza».

«Ma solo per lei, professor Daniels. Solo per lei».

Feci scivolare le mani sul suo sedere e la baciai sul collo. «"Buona notte, buona notte! Lasciarti è un dolore così dolce..."», dissi, citando *Romeo e Giulietta.*

«"... che vorrei dir buonanotte finché fosse giorno"», sussurrò Ashlyn ridendo.

«Mmm... mi piaci quando mi dici cose sporche».

Chissà se solo noi ci eccitavamo recitando Shakespeare.

«Oh! Questa è per te!». Mi consegnò una lettera da parte di Gabby, poi fece un cenno in direzione del locale. «Henry mi sembrava un po' triste, vero?»

«Temo di sì».

«Pensi di potergli dare un'occhiata?»

«Sicuro».

«Grazie», mi disse, e si avviò verso la macchina.

In quel momento ero più innamorato che mai. Ashlyn era convinta che a Henry non importasse niente di lei, eppure non riusciva a fare a meno di volergli bene.

* * *

«Henry?», lo chiamai avvicinandomi al bancone del bar.

Non sembrava lo stesso Henry che incontravo ogni mattina a scuola. Indossava una polo grigia tutta spiegazzata, e aveva i capelli scarmigliati. All'inizio sembrò sorpreso di vedermi. Poi, piano piano, si rilassò.

«Dan, ehi. Che ci fai qui?».

Scivolai sullo sgabello accanto a lui, sebbene non mi avesse certo invitato a sedermi, né mi sembrasse particolarmente desideroso di parlare. Tra le mani stringeva un bicchiere di whiskey e odorava di tabacco. Per un momento inspirai quell'odore, e mi sembrò di avere accanto mio padre.

«Suono con una band, i Romeo's Quest. Come stai?»

«Quale risposta vuoi, quella da capo o la verità?», rise guardandomi perplesso.

Feci un cenno al barista e ordinai altri due whiskey. «Quella che vuoi tu».

Tacque, strofinando pensieroso il pollice sull'orlo del bicchiere. «Sto bene», mentì, ma sembrava non dormisse da settimane, forse da mesi. «Questa era la risposta da capo».

«E la verità?», domandai.

«La verità è che... sono a pezzi». Buttò giù un lungo sorso di whiskey. «Mia figlia è morta qualche mese fa».

«Mi dispiace molto, Henry», gli dissi, poggiandogli una mano sulla spalla.

«Non ero lì con lei, come non lo sono mai stato. Nemmeno per Ashlyn». Abbassò gli occhi sui tovagliolini, scuotendo la testa. «Quando Kim se ne andò per trasferirsi a Chicago, decisi di rimuovere tutto. Ho cancellato praticamente ogni cosa, fino all'agosto scorso. Fino al funerale di mia figlia». Soffocò un singulto e nascose il volto tra le mani.

Non sapevo cosa dire, così mi limitai a tenere la mano sulla sua spalla, sperando potesse dargli un po' di conforto. Potevo sentire il suo corpo scuotersi e sussultare. «E ora Ashlyn è qui», proseguì. «Il Signore mi ha dato un'ultima possibilità, ma non ci sto nemmeno provando. La conosco a malapena, Daniel, non conosco i suoi gusti, cosa le piace, cosa odia...

Non so davvero da dove cominciare per iniziare ad avere un rapporto con lei».

«Una brutta situazione», commentai portando alle labbra il bicchiere.

Si voltò verso di me, aveva gli occhi rossi, e rise. «Avrei dovuto darti solo la risposta da capo, ma il whiskey ci ha messo del suo».

«E Ashlyn dov'è adesso?», chiesi, già sapendo quale sarebbe stata la risposta.

«Non lo so». Chinò il capo. «Non chiacchiero mai con lei, e perché mai dovrei? Sarebbe proprio da stronzi giocare a fare il padre perfetto: non ci sono mai stato, e lei lo sa. Perché dovrebbe fidarsi di me?»

«Perché le farebbe piacere». Henry non sembrò convinto. «Io ho perso mio padre qualche mese fa. Il nostro rapporto non è mai stato perfetto, era normale, ma niente di più. Ma se avessi avuto la possibilità, ci avrei provato ancora. Avrei voluto giocare a fare il figlio ancora un po', ecco. Hai perso un opportunità con Gabby, è vero. Ma non perdere tempo anche con Ashlyn».

Annuì lentamente, riflettendo sulle mie parole. Mi alzai e mi diressi verso il palco.

«Ehi, Dan?»

«Sì?»

«Come facevi a sapere il suo nome? Di Gabby, dico».

Oh, cazzo. Cominciai a pensare freneticamente a una scusa. «L'hai detto tu».

Aveva lo sguardo un po' vacuo e gli occhi appesantiti dall'alcol. Stava ripensando alla nostra conversazione. «Oh. Ma certo. Giusto», borbottò.

Sospirai di sollievo. «Le piace molto la musica, Henry. In classe, lei e Ryan non parlano d'altro. E i libri. Li ama molto».

«Musica e libri». Mi sorrise. «Direi che è un buon inizio».

«Il migliore». Annuii e infilai le mani in tasca.

Randy mi si avvicinò e mi diede una pacca sulla spalla. «Dov'è la tua signora?», gridò, facendomi sbiancare all'istante.

«Ah, c'è la tua ragazza qui?», chiese Henry, alzandosi e guardandosi intorno.

«Sì», rispose Randy.

«No!», gridai. Randy alzò un sopracciglio e io gli diedi uno spintone. «Allora Henry, è stato un piacere incontrarti. Ci vediamo in giro dopo il concerto!», esclamai e mi trascinai via quel cretino del mio amico, sempre più confuso.

«Che diavolo era?», sibilò.

«Il padre di Ashlyn», sussurrai.

«Siamo già all'incontro con i genitori», sogghignò.

«No», mormorai sottovoce. Randy aveva notato il mio repentino cambiamento d'umore e aspettava impaziente una spiegazione. «È il mio capo».

«Oh, capisco».

«E Ashlyn è una mia studentessa». A questa mia confessione, per poco non gli cascò la mascella. Gli spiegai che quando ci eravamo conosciuti, ancora non lo sapevamo. «So che dovrei fermarmi, ma...».

«Porca puttana», esclamò.

«Cosa?»

«Tu la ami».

«Cosa?!», risi nervoso. «È ridicolo. La conosco a malapena e...».

«Amico, non fare la scena del cazzo tipo "ehi, sono un uomo e non so esprimere i miei sentimenti", per piacere. Tu la *ami*. Non ti ho mai visto sorridere così dai tempi di mia sorella».

«Io...». Sapevo che aveva ragione. Ma ero spaventato. Come potevo amare Ashlyn e non essere in grado di dimostrarglielo? Non avevamo potuto nemmeno stare insieme

quella sera, e sentivo che con il tempo gli ostacoli sarebbero aumentati.
«Confucio dice: "Ovunque tu vada, vacci con tutto il tuo cuore"». Randy mi posò una mano sulla spalla.
«Hai appena citato Confucio o sbaglio?»
«L'ho fatto. Ed è stato divertente». Sorrise e mi diede una spintarella amichevole. «Forza. Sul palco».

* * *

Arrivai a casa esausto e mi gettai sul letto. Randy era riuscito a portarsi a casa due ragazze, e si stavano divertendo un bel po', forse troppo, di là in salotto. Quel ragazzo aveva un debole per le feste improvvisate.
Presi il mio cellulare e scrissi a Ashlyn. Probabilmente stava dormendo, ma avevo troppa voglia di sentirla.

IO: Tutto a posto. Henry non sa niente.
ASHLYN: È rientrato a casa qualche minuto fa. Com'è andato il concerto?
IO: Bene. Ma il tavolo all'angolo in fondo era vuoto.
ASHLYN: Wow, non puoi proprio fare a meno di me. Smettila di abbracciare il cuscino.

Risi ad alta voce, e desiderai che fosse lì sdraiata accanto a me, e mi mandasse messaggi direttamente dal mio letto. Nuda. Non avrei fatto niente però, l'avrei solo tenuta abbracciata.

IO: Smetterò solo quando tu lascerai in pace i cuccioli di panda.
ASHLYN: Mi sembrava che ti piacesse quando coccolavo il tuo cucciolo di panda, però...

Ridacchiai.

IO: Non lo definirei proprio cucciolo, questo panda.

ASHLYN: LOL. Sei un cretino.

IO: Fammi leggere qualcosa che hai scritto stasera, magari del tuo libro.

Ci fu una lunga pausa. O stava trascrivendo un manoscritto di seicento pagine, o si era addormentata di colpo.

ASHLYN: "Non era mai intervenuto nella sua battaglia. La maggior parte delle donne non avrebbe gradito quel comportamento poco signorile, invece Julie pareva ogni giorno più coinvolta. Amava il modo in cui le permetteva di diventare più forte da sola. Amava il modo in cui la guardava, come se avesse la forza di cento divinità. Amava il modo in cui le permetteva di essere se stessa, al cento percento. Ed erano questi i motivi per cui Julie voleva amarlo per il resto della sua vita".

Lessi quelle parole più volte. Lentamente, assorbendole una per una.

IO: Non sono abbastanza per te, avresti dovuto conoscere mio padre.

ASHLYN: Io invece penso proprio che tu vada bene.

IO: Questo è il libro che stavate scrivendo insieme, tu e Gabby?

ASHLYN: No. Ho cominciato una cosa nuova.

Era così bello assistere a quella trasformazione: Ashlyn stava riscoprendo se stessa, stava ritrovando il proprio centro, e lo stava facendo da sola. Per me, era un vero privilegio essere testimone di quella crescita.

ASHLYN: Henry è venuto in camera mia e mi ha guardato per un po'... Cosa gli hai detto?

Sorrisi.

IO: Gli ho chiesto un po' di lui. Forse dovresti farlo anche tu. Buonanotte, dolcezza.

ASHLYN: Buonanotte ☺

Mi sdraiai sulla schiena e aprii la lettera di Gabby che Ashlyn mi aveva consegnato quella sera.

* * *

#1. Innamorarsi.

A te, che sei amato da mia sorella, chiedo se ti rendi conto di quanto sia fortunato.

La mia sorellina costruisce molti muri intorno a sé, senza rendersene conto.

Il suo cuore è chiuso a chiave e incatenato.

La mia sorellina si nasconde dietro i suoi amati libri, e non lascia entrare nessuno. Immagino faccia così perché nostro padre se n'è andato, anni fa, e lei da quel momento non ha più voluto provare quel dolore lacerante.

Il dolore dell'abbandono.

Ma ora eccoti qui. Devi aver trovato la chiave, sei stato bravo.

Puoi farmi un paio di favori?

Portala fuori a cena. Presentala a tutti.

Urla al mondo intero il tuo amore per lei. Sii il suo paradiso personale.

E ti prometto che lei sarà tua per sempre.

Gabrielle.

Aveva ragione: Ashlyn meritava di essere amata alla luce del sole.

E io non sapevo cosa fare.

Capitolo 20
Ashlyn

Dammi la mano e non fermarti,
non fermarti fino alla fine della corsa.
E non guardarti mai indietro,
non farlo mai.

Romeo's Quest

«Passeggi sempre per i cimiteri da solo?», gli chiesi ridendo, quando lo vidi.

«Solo quando sto aspettando una ragazza carina», rispose con un sorriso.

Alzai gli occhi al cielo. «Sei stucchevole, sappilo». Mi strinse a sé e mi leccò rapidamente il labbro inferiore prima di baciarmi. «Mmm», mormorai contro le sue labbra. «Senti... Jake mi ha mandato un altro messaggio per chiedermi di uscire», sussurrai.

Daniel sembrava perplesso. «Il ragazzo è testardo, eh?». Fece una pausa e abbassò la voce. «Tu vuoi uscire con lui?»

«Cosa?»

«Intendo... Lui ti porterebbe fuori, un appuntamento vero e proprio, Ashlyn. Quello che facciamo noi non va bene, non è giusto... incontrarsi di soppiatto dietro la biblioteca, nei cimiteri...».

«Che vuoi, dire?». Spalancai gli occhi. Perché mi stava dicendo quelle cose? Ero così felice con lui. *Eravamo* così felici! L'unica cosa che potesse avergli fatto cambiare idea era stata la lettera che gli avevo consegnato la sera prima. Non avrei dovuto dargliela. Avevo corso troppo.

Per un momento si incupì, sembrava pensieroso. Odiavo non conoscere i suoi pensieri.

«È per quello che c'era scritto nella lettera di ieri?», gli chiesi. «Perché, sai, mi spiace se era troppo presto ma...».

«No, Ash». La sua espressione si addolcì, e tutti i segni del suo repentino cambiamento d'umore scomparvero. «Non è niente. Cancella tutto. In ogni modo, perché hai tirato fuori questa storia di Jake?».

Feci un respiro profondo e provai a diradare la nebbia che c'era tra noi. «So che non possiamo dire in giro della nostra storia, ma forse...». Mi raccolsi i capelli da un lato, lasciando scoperto il collo. «Forse potresti lasciarmi un segno, un ricordo di te... Per dimostrare che sono tua».

«Vuoi che ti faccia un succhiotto?», mi domandò Daniel con una risatina, e io annuii. Lui sospirò. «Ma è così...».

«Da adolescenti?». Risi. «Non dimenticare che la tua ragazza va ancora a scuola...».

«Mmm... la mia ragazza. Mi piace il suono di queste parole». Daniel avvicinò la bocca al mio collo e cominciò a succhiarmi lentamente la pelle. La sua lingua si muoveva lenta, avanti e indietro, e poi più veloce, finché il risucchio non divenne più intenso e mi venne la pelle d'oca. Poi si scostò, ma prima mi diede un ultimo, delicato bacio. «Ecco, adesso sei mia. Contenta?».

Scossi la testa. «Ero tua da prima che ci incontrassimo».

«Quel momento imbarazzante, quando trovi due persone che stanno pomiciando davanti alla tomba dei tuoi genitori...».

Il cuore mi balzò in gola, era una terza voce quella che avevo udito. Mi voltai terrorizzata: in piedi, accanto a noi, c'era un ragazzo che non avevo mai visto prima. Era identico a Daniel, tanto che a uno sguardo distratto non avrei saputo distinguerli. L'unica differenza era che il ragazzo appena arrivato aveva i capelli rasati e gli occhi di un azzurro più freddo. Molto più freddo.

«Cosa ci fai qui?», chiese Daniel. Il suo sguardo era colmo di un sentimento che mi gelò il sangue, qualcosa che non gli avevo mai visto prima. Odio? Amore? Si può amare e odiare qualcuno allo stesso tempo?

«Be', sono in città e ho pensato di fare un saluto a mamma e papà. Ti chiederei anch'io cosa ci fai qui ma...». Mi guardò con espressione divertita. «Penso sia abbastanza chiaro».

Daniel mi guardò e poi guardò di nuovo... *suo fratello*? Mi sentivo arrossire. Da quanto era lì che ci guardava?

«Sono contento ti sia trovato una ragazza. È così carina», commentò lo sconosciuto. «Probabilmente adesso dormirai meglio la notte».

«Vai a casa, Ashlyn», mi intimò Daniel.

Lo guardai confusa. Perché mi stava mandando via? «Co... cosa? Aspetta, io...».

«Subito». La sua voce non ammetteva rifiuti. Non era mai stato così duro con me, così distante, nemmeno quando aveva scoperto che ero una sua studentessa. Mi sentivo il cuore in pezzi, feci un passo verso di lui; volevo cercare di confortarlo, capire il motivo di quella reazione, ma Daniel si scostò da me. Faceva male. Mi voltai verso il ragazzo, che adesso mi sorrideva con espressione subdola. A un tratto, mi sembrò di scorgere Gabby in piedi davanti a noi: aveva la sua chitarra, e stava cantando *Let It Be* dei Beatles. La guardai implorante, sperando potesse aiutarmi, ma scomparve subito, perché non era mai stata lì davvero. Dopo quella che mi sembrò un'eternità me ne andai senza salutarli, senza alzare lo sguardo su Daniel. Dentro sentivo solo un grande vuoto, ma riuscii a trattenermi fino all'uscita del cimitero. Scoppiai in lacrime, delusa da tutti quei mesi di ingiustizie e brutte sorprese, e soprattutto delusa da me stessa, perché pensavo di essere più forte.

* * *

Mi precipitai di corsa a casa e mi buttai sul letto. Cercai di non pensare a quello che era successo. Ma avrei tanto voluto mi scrivesse qualcosa. Che mi spiegasse. Hailey stava facendo la doccia, così mi sfogai in pace, da sola nel mio letto. Tirai fuori il cellulare e mi misi a fissarlo, in attesa. Aspettai. E aspettai ancora. Passarono ore, saltai la cena, e la mia mente era immersa nel buio più totale. Non mi aveva ancora scritto nemmeno una volta.

IO: Che t'è preso?

Aspettavo solo il trillo del messaggio, ma non arrivava.

IO: Per favore, non ignorarmi.

Niente.

IO: Per favore, Dan, non puoi farmi questo…

Nessuna risposta. Mi nascosi il viso tra le mani e ricominciai a singhiozzare.

* * *

«Sappi che è solo colpa tua se mi tocca scrivere questa dannata micro-storia e…». Ryan entrò in camera senza bussare e si bloccò ai piedi del mio letto. «Ashlyn, che succede?», chiese, e la preoccupazione che percepii nella sua voce mi fece piangere ancora più forte. Avrei voluto raccontargli tutto. Avrei voluto poterlo raccontare a qualcuno, chiunque fosse. Ma soprattutto avrei voluto poterne parlare con Gabby. Lei avrebbe saputo cosa dire. Lei avrebbe saputo cosa fare. Lei era quella razionale, non io.

Ryan si sdraiò accanto a me e mi abbracciò con dolcezza. Io mi rannicchiai contro di lui, singhiozzando sulla sua camicia. «Gesù, piccola... che c'è?», sussurrò. Non potevo rispondere, e dubitavo si aspettasse una risposta. Poi, sentii altre due braccia cingermi da dietro e un altro corpo sdraiarsi accanto al mio. Hailey. Non dissero niente, ma i loro abbracci mi bastarono per sapere che non ero sola. Poco dopo, anche Henry si affacciò alla porta ed entrò in camera. Non disse nulla, ma si avvicinò e si sedette ai piedi del letto. Fu il gesto più premuroso che avessi mai ricevuto da mio padre.

Capitolo 21
Ashlyn

Mi piacciono le bugie che inventi,
quando ti chiedo di rimanere,
mi piace il modo in cui mi guardi,
quando ti chiedo di andare via.

Romeo's Quest

«Sarebbe meglio se ti sciogliessi i capelli», mormorò, a colazione, Ryan al mio orecchio. «Se Henry vede quel succhiotto che hai sul collo, potrebbe incazzarsi di brutto».

Obbedii senza fare domande, e sciolsi lo chignon disordinato che mi ero fatta di corsa davanti allo specchio, poco prima.

«Oggi avremo molto di cui parlare, in macchina con Hailey», ridacchiò Ryan.

Hailey entrò barcollando in cucina, la faccia da zombie e gli occhi mezzi chiusi. Prese una tazza, si versò un po' di succo d'arancia e uscì senza dire una parola.

«Non è proprio mattiniera, eh?», chiesi.

«Neanche un po'», confermò Ryan. «Tu stai bene adesso? Ieri notte stavi proprio…».

«… da schifo?»

«Schifissimo», annuì con un sorriso. Ryan sembrava sempre così spontaneo e divertente. Indossava una polo blu, semplice, la sua croce al collo e un paio di jeans, ma sembrava appena uscito da un numero di «GQ». Come ogni giorno. Ogni. Fottuto. Giorno!

«Sì. Sto bene. Sono solo le solite cose».

«Quando è troppo dura, non resta che lasciarsi andare», mi consigliò versandomi del tè.

Aveva ragione. Lo ringraziai per il tè e raggiunsi il soggiorno, dove trovai Rebecca seduta sul divano, che guardava il telegiornale. Mi sistemai meglio i capelli sul collo.

«Oh, Ashlyn». Mi sorrise raggiante e si portò alle labbra la sua tazza di caffè. «Vieni qui. Ho una domanda per te». Diede un colpetto sul divano.

Affondai nei cuscini, e Rebecca prese la mia tazza e insieme alla sua la posò sul tavolinetto. Mi sorrise e si fece più vicina, prendendomi una mano tra le sue.

«Come stai?».

Come dovevo rispondere a questa domanda? *Bene. Odio quasi tutti i ragazzi della scuola.*

Bene. Mi piace tantissimo pranzare ogni giorno con tuo figlio gay e tua figlia buddista.

Bene. Non ho ancora sentito mia madre, e Henry non ha nemmeno una mia foto sulla scrivania dell'ufficio.

Bene. Sono uscita con il mio insegnante di inglese l'altra notte, ci siamo visti in un cimitero e lui mi ha fatto un succhiotto sul collo. Ma ora mi ignora, senza nessuna ragione apparente.

«Sto bene», mormorai. «Sì, bene».

Tirò un sospiro di sollievo e mi accarezzò la mano. «Dio è così buono, vero?».

La guardai sospettosa e lentamente annuii. «Certo». Tacqui, chiedendomi come avrebbe reagito se le avessi confidato tutti i miei problemi. Rebecca non aveva mai dato l'impressione di volersi impicciare, e mi domandai perché Ryan e Hailey le nascondessero così tante cose. La notte precedente erano stati così cari con me che mi venne voglia di aiutarli.

«Senti, Rebecca... Cosa diresti se ti confessassi che mi piacciono le ragazze?»

«Cosa?», balbettò lasciando scivolare la mano dalla mia. Poi accadde. La vidi trasfigurarsi completamente. Sorrise tesa e si alzò in piedi. «Sarà meglio controllare se Hailey si è svegliata».

«Tranquilla, è già sveglia, l'abbiamo vista io e Ryan».

Rebecca spense la TV e si avviò per le scale. «Sì, solo per essere sicura. Non sei mai sicura di niente, con queste cose».

Fece i gradini a due a due. Cosa c'era nei suoi occhi quando mi aveva guardata, pochi istanti prima? Paura, senso di colpa, rabbia? Sì, ma non solo. No, a prevalere era stata la tristezza. Ma cos'è che l'aveva rattristata? Dal piano di sopra giunsero grida e frasi attutite che rimbombarono per tutto il corridoio. Rebecca e Henry stavano litigando furiosamente. Henry si precipitò giù per le scale e si parò davanti a me. Ansimava, e prima di parlare si passò una mano sulla sua barba sale e pepe.

«Sei lesbica?».

Aprii la bocca, sconvolta. «*Henry!*», sibilai.

«Insomma, lo sei o no?». Tacque e fece un passo di lato. «Perché sappi che a me non importa. Davvero, proprio niente». Tirò su con il naso e incrociò le braccia. «E se qui non ti senti a tuo agio, troveremo un altro posto dove andare».

Cadde il silenzio. Mi voltai verso di lui, il corpo immobile. I suoi occhi verdi erano colmi di onestà e passione. «Ti trasferiresti? Per me?»

«Certo che lo farei, Ashlyn. Tu sei mia...». Gli mancarono le parole. Si schiarì la gola. «Sei mia figlia. E non me frega un fico secco di chi ti piace. Ne hai passate abbastanza quest'anno e...».

«Non sono lesbica».

«Non sei lesbica?», chiese spiazzato.

«Non sono lesbica», ripetei.

«Gesù cristo, Ashlyn!», esclamò e si lasciò cadere su una sedia. «Tutto è bene quel che finisce bene, ma se riuscissimo a evitare certi argomenti e tenerci alla larga dai litigi prima delle sette di sera sarebbe ancora meglio».

Mi dispiaceva averlo allarmato, ma non riuscii a reprimere un sorriso: mi aveva messo al primo posto.

* * *

In macchina, mentre andavamo a scuola, la tensione si tagliava con il coltello. Cercai di sprofondare nel sedile posteriore, ma Ryan mi guardò attraverso lo specchietto retrovisore e sospirò. «Allora, vorrei sapere cosa stavi cercando di fare, quando hai detto a mia madre quella cosa, ma...». Borbottò qualcosa di incomprensibile. «Io la conosco, Ashlyn. Okay? So come reagirebbe. Per cui, lascia stare. Punto primo, non approverebbe e, punto secondo, non sono pronto per la sua disapprovazione».

Il senso di colpa mi stava divorando. «Mi dispiace tantissimo, Ryan». Mi dispiaceva davvero. Non erano fatti miei e avevo sbagliato.

Quando arrivammo nel parcheggio della scuola, Theo ci fece un cenno da lontano. «Io vado, vi riporto a casa come al solito, a dopo», ci salutò Hailey e lo raggiunse. Feci per fermarla, ma Ryan mi bloccò mettendomi una mano sulla spalla.

«Deve capirlo da sola, Chicago», disse a voce bassa. «E so che dovrei farlo anche io».

«Ryan, mi dispiace. Non volevo combinare tutto quel casino stamattina».

«Non c'è problema», mi rassicurò. «Ma adesso mi dici chi ti ha fatto quel succhiotto, e allora sì saremo davvero a posto».

Risi e lo presi a braccetto. «Oh, non ci crederesti se te lo dicessi». Alzai gli occhi e vidi Daniel entrare a scuola. Mi guardò, e non vidi dolcezza nei suoi occhi: erano diventati di un azzurro glaciale.

«Buongiorno, Ryan e Ashlyn», ci salutò.

«'Giorno, professore», rispose Ryan, continuando a cingermi con il braccio.

Daniel notò la stretta di Ryan e mi fissò per un secondo. Io mi avvinghiai ancora di più a Ryan e rivolsi a Daniel un'espressione carica d'odio.

«Buongiorno, *professor Daniels*».

* * *

Durante la lezione di inglese Daniel non mi guardò nemmeno una volta. Non solo aveva ignorato i miei messaggi, ma ora mi ignorava anche in classe. Perfetto. Avevamo fatto passi da gigante.

«Okay, chi vuole leggere la sua micro-storia per primo?», chiese Daniel.

Nessuno alzò la mano. Stupide micro-storie. Stupido insegnante che assegnava micro-storie. Stupida vita.

Daniel si guardò intorno, poi gli si illuminò il volto. «Avery, eccoti qui. Grazie per esserti sacrificato! Forza».

«Ma prof, non ho alzato la mano...», sbuffò Avery guardandosi intorno.

«Oh... va bene. Allora significa che è il tuo giorno fortunato e sei stato estratto a sorte».

Il poveretto si trascinò fino alla cattedra e Daniel prese posto in una delle sedie vuote in fondo alla classe. Avery era un ragazzone, e l'idea di sentirlo leggere micro-storie mi aveva fatto sorridere per tutta l'ultima settimana. Ma quella mattina non ero in vena di sorrisi, e per giunta ero in piena sindrome premestruale: meglio starmi alla larga.

Avery si schiarì la gola e imprecò a bassa voce, bofonchiando quanto fosse stupida l'usanza di leggere davanti a tutti. «Tette, birra, football. Questa è la vita». La classe rise; i suoi compagni di squadra ulularono e alzarono i pugni in aria. Ma Avery non la prese bene, e Daniel dovette notarlo.

«Provaci ancora, Avery», lo incoraggiò dal fondo della classe. Non mi voltai a guardarlo.

Avery sospirò, si schiarì ancora la voce e lesse di nuovo. «Desiderare, provarci, fallire».

Io e Ryan iniziammo a battere le mani, e il resto della classe rise. «La storia di uno sfigato!», esclamò uno dei suoi compagni. «Sfigato e ciccione», scherzò un altro. Lui alzò gli occhi al cielo e li prese a cazzotti man mano che passava tra i banchi. Erano sempre le cose dette per scherzo che facevano più male.

«Sì, be', comunque questo sfigato ciccione qui si fa molte più ragazze di voi», replicò Avery.

«Ne dubito», mormorò Ryan.

Avery si voltò di scatto verso di lui. «Hai detto per caso qualcosa Turner?». Com'è che i giocatori di football chiamano gli altri sempre per cognome? Ryan lo guardò dritto negli occhi. «Nemmeno una parola».

«Figuriamoci. Non mi sembra che tu possa permetterti di dire qualcosa».

Avery raggiunse il proprio banco. Il resto degli studenti filò uno alla volta fino alla cattedra, e lesse il proprio lavoro a tutta la classe. Ma quella di Ryan fu la mia micro-storia preferita

«Un'esplosione stellare, e poi la mia nascita. Piacere, sono Tony». Nessuno capì, eccetto me. Ryan mi fece l'occhiolino e gli sorrisi.

Ora era il mio turno. Daniel non mi aveva chiamato, e la cosa non mi sorprese. Continuava a ignorarmi anche nei panni del professore. Mi alzai senza fogli in mano e lo guardai.

«Gemelle identiche, eccetto per la morte. Romeo cerca Giulietta».

Una fiamma si accese nei suoi occhi, ma non sapeva come reagire.

Poi Ryan chiese a Daniel se avesse scritto anche lui una micro-storia, e lui annuì.

«Sì, eccola: "Shakespeare, liste, baci. Il desiderio contro la realtà. Sognare, ancora"».

Una lacrima mi scese sul volto. La classe rise, ma io non ci trovavo niente di divertente.

«Mi oppongo! Non significa nulla!», si lamentò Ryan.

La campanella suonò. «Molto bene, tutti. Gran lavoro, oggi. Per domani voglio che leggiate i primi tre capitoli del *Buio oltre la siepe*. Voci di corridoio dicono che potrebbe esserci un test a sorpresa».

«Non è a sorpresa, se ce lo dice prima, professore», scherzò Ryan.

«Be', ho detto che sono solo voci, meglio organizzarsi comunque», replicò Daniel con un sorrisetto. Alzai gli occhi al cielo: odiavo i suoi sorrisetti. *Sigh*. Ne ero pazza, invece.

Ryan mi diede appuntamento a pranzo e uscì. Era rimasto solo qualche studente in classe, mi chinai sul banco e raccolsi i miei libri. «Professor Daniels, ho una domanda sui compiti assegnati. Pensa di potermi aiutare?»

«Certo. Di che si tratta?». Questo era più di quanto mi avesse detto nell'ultima ora. Quando anche l'ultimo studente lasciò l'aula, sospirai.

«Ashlyn...».

«È per la lettera che ti ho dato? Per quello che c'è tra me e te? Perché se è per questo...».

«Ashlyn, no. Non è questo. Te lo giuro».

«Allora è solo perché sei uno stronzo». Aspettai, ma non mi rispose. «A questo proposito, ho un'altra lettera per te da parte di mia sorella». Posai la busta sulla cattedra. Sul retro c'era scritto: "#25. Club dei cuori spezzati". Daniel la prese e la aprì. Conteneva solo una fotografia di Gabby che la ritraeva mentre guardava dritto nell'obiettivo e mostrava il dito medio. *Ora sì che la riconosco.* Dietro la foto c'era scritto solo: «VAFFANCULO!», con il pennarello nero. Mi veniva da ridere, ma mi trattenni. Mi veniva anche da piangere, ma non lo feci.

Daniel sorrise. «Ha il tuo stesso fascino».

Si sbagliava: Gabby era molto più affascinante. «Dan, mi hai detto che volevi stare con me, e desideravi che fossi solo tua...». Sussurrai, avvicinandomi alla cattedra.

«Lo so, Ashlyn. Lo voglio ancora... è solo che... è complicato».

«Per essere un ragazzo tanto intelligente, sei davvero un idiota. Non venire a parlare a me di cose complicate. Qual è il punto? Mi hai ignorato tutta la notte, perché tuo fratello...».

«Chi mi chiama?».

Ed eccolo lì di nuovo, davanti alla porta della classe, che ci guardava.

«Oh... ma guarda un po'», esclamò.

Oh, no.

«Quindi te la fai con le studentesse, fratellino. Che bella novità». Entrò e si sedette sul bordo della cattedra.

«Non è come sembra, Jace...», grugnì Daniel.

Jace. Non sapevo che il diavolo potesse avere un nome così dolce.

«Davvero? A me sembra proprio che ti stai fottendo la tua studentessa», sibilò.

Spalancai la bocca per dire qualcosa, scioccata dalle sue parole. «Noi non...».

«Ashlyn!», urlò Daniel, sbattendo la mano sulla cattedra. «Non rivolgergli la parola!».

«Non preoccuparti. Sono passato solo per un saluto». Jace tirò fuori un pezzo di carta e lo poggiò sul tavolo. «Chiamami per una seratina tra fratelli, dopo. Io porto la birra e tu le pollastrelle». Mi sorrise soddisfatto e avrei voluto tanto dargli un pugno in faccia. «Solo accertati che la mia abbia più di tredici anni, ho già passato troppo tempo dietro le sbarre». E scomparve, lasciandomi attonita.

«Ash, vattene subito», mormorò Daniel, chinando il capo.

«Perché ce l'ha con te? Spiegamelo!», quasi gridai.

Eravamo stati felici, finché non si era fatto vivo suo fratello. Ma lo eravamo stati davvero? Non ero più sicura di niente, e Daniel taceva.

Ero stata così stupida: come avevo potuto anche solo pensare di essere una cosa sola con lui, perché mi ero fidata? Ripensai al nostro primo incontro al cimitero, settimane prima. Avrei tanto voluto tornare indietro, e continuare per la mia strada, fingere di non vederlo.

Ma io lo avevo visto.

E mi aveva visto anche lui, per un fugace momento.

* * *

Hailey non si fece viva a pranzo, e dopo una rapida occhiata, mi accorsi che nemmeno Theo era sceso a mensa. Mi sedetti al solito tavolo e guardai Daniel: mi stava fissando anche lui, ma tornò al suo piatto prima che qualcuno potesse scoprirci.

Ryan arrivò e posò il suo vassoio. «Lo so, prima ho detto che mia sorella deve farcela da sola, ma ero ancora nella fase ottimista».

«È intelligente. Se la caverà», replicai, prendendo un po' di patatine fritte dal suo piatto.

«Se la fa stare di nuovo male», mormorò guardandosi intorno, in attesa che Hailey facesse la sua comparsa. «Lo uccido». Si infilò una mano in tasca e tirò fuori il finto pacchetto di sigarette.

«Ryan, perché fai questa cosa?», chiesi una volta per tutte.

«Una lunga storia. Quando avevo tredici anni, confidai a mio padre che pensavo di essere gay». Agitò nell'aria una sigaretta invisibile, poi di scatto abbassò la mano sul tavolo, come a voler cancellare quel momento. Alla parola "papà" il mio cuore si fermò per un istante. Non lo avevo mai sentito parlare di lui, e nemmeno Hailey.

«Non facevo che piangere: all'epoca frequentavamo già la chiesa, e mia madre credeva nell'inferno. Ci crede ancora, ovviamente. Ci ripeteva di continuo che i peccatori finiscono lì. Così, mi convinsi di provare sentimenti sbagliati, di *essere* sbagliato».

Oh, Ryan...

«Papà però mi disse che non era importante, e che dovevo fregarmene. Io ero il suo bambino e lui mi amava. Mi disse che avrebbe parlato alla mamma, ma io lo pregai di non farlo. Lo *implorai* di non dirlo a nessuno. Qualche notte dopo, li sentii litigare. Mi sedetti in cima alle scale per origliare, ovviamente parlavano di me. Papà le stava dicendo che pensava io fossi gay, ma non aveva nessuna prova». Ryan socchiuse gli occhi e si guardò le dita. «Mamma lo accusò di essersi inventato solo un mucchio di stronzate, e anche di averla tradita. Che cosa stupida! Lui non aveva mai...». Tacque. «Poi mia madre gli intimò di andarsene e non farsi più vedere. Corsi in camera mia. Dalla finestra lo vidi mentre si allontanava sul vialetto di casa. Si fermò e si accese una sigaretta, portandosi una mano tra i capelli. Poi salì in macchina e sparì».

«E non è più tornato?», chiesi con un nodo in gola.

«L'articolo del giornale recitava, vediamo...». Socchiuse gli occhi, frugando nella memoria. «"Paul Turner, padre di due figli, ha perso la vita in un violento incidente stradale all'angolo tra Jefferson Avenue e Pine Street"».

Il senso di colpa di Ryan doveva essere immenso. «Il pacchetto di sigarette mi ricorda ogni giorno che il mio segreto deve rimanere tale, Ashlyn, perché svelarlo causerebbe solo sofferenze. Ecco perché lo porto sempre con me, ovunque io vada».

Aveva appena concluso la sua triste storia, quando giunse Hailey tutta trafelata. «Scusate per il ritardo», ci salutò sbattendo il vassoio sul tavolo. Alzai gli occhi e vidi Theo entrare nella mensa. Lo odiavo ancora, potevo confermarlo.

«Siamo tornati insieme». Hailey sorrideva raggiante. «Gli ho chiesto scusa per essere così possessiva, e lui ha detto che le nostre anime possono ancora incontrarsi e rimanere unite».

«*Tu* gli hai chiesto scusa?», borbottai, perplessa.

«Ashlyn, non capisci. Io lo amo».

Amore? Cominciavo a chiedermi cosa significasse quella parola. Sembrava che fosse un po' abusata. Tutti la pronunciavano a caso, inclusa me.

Ryan ignorò platealmente la sorella, segno del suo disappunto. E dovevo ammettere che anche io ero un tantino contrariata.

«Era Jake, vero? Che ti ha fatto il succhiotto, intendo», disse Hailey voltandosi verso di me.

«No», arrossii.

«Ma vorrebbe fartelo?»

«Sì».

«E il ragazzo che te l'ha fatto invece sarebbe...».

Distolsi lo sguardo. «Il ragazzo che me l'ha fatto non è più in rubrica».

Capitolo 22
Daniel

Perso.

Romeo's Quest

Seduto sul molo, guardavo il sole immergersi nelle acque del lago. Mi sentivo sconfitto, stanco, prosciugato. Ogni volta che la felicità mi sembrava finalmente a portata di mano, ombre lugubri arrivavano a inghiottirla. La vita non conosceva giustizia né consolazione, e io mi sentivo un cretino per aver pensato il contrario. Io volevo fosse giusta, ne avevo bisogno, almeno per un po'. Perché avevo bisogno di Ashlyn, l'unica capace di contrapporsi alle ombre.

Sentii dei passi cupi dietro di me. Sapevo che era lui, ancora prima che aprisse bocca. Lo avevo cercato e gli avevo chiesto di raggiungermi a casa.

«È una strana sensazione trovarsi di nuovo qui». Mi voltai e vidi Jace che si avvicinava, le mani in tasca e la schiena curva. «Non sono più tornato da quando mamma…», mormorò sedendosi accanto a me. Le sue parole si spensero. Immerse una mano nell'acqua, e da quel suo tocco si propagarono tante piccole onde: aveva infettato anche il lago, senza rendersene nemmeno conto. Perché quello era ciò che Jace faceva: distruggere le cose e le persone. Non lo faceva di proposito, ma accadeva sempre, inevitabilmente. «Ho incontrato Randy, dentro. Vive qui ora, giusto?». Non risposi. «Ha detto che avete suonato da Joe un paio di volte nell'ultimo mese».

«Perché sei tornato? Cosa vuoi?», gli domandai.

Si voltò verso di me, asciugandosi i palmi bagnati sui jeans. Sembrava perplesso dalla mia domanda. «Sono tornato per scoprire chi ha ucciso la mamma, Danny, e sono sconvolto dal tuo comportamento: dopo avermi sbattuto dentro, non hai mosso un dito per scoprirlo!».

Alzai subito la voce. «*Dopo che io ti ho sbattuto dentro…*». Mi mancava il respiro. Avevo immaginato quell'incontro infinite volte, nella mia testa, nei mesi precedenti. Avevo sperato che ormai avesse capito il motivo della mia decisione. «Ti ho sbattuto dentro perché il prossimo saresti stato tu, Jace. Te ne saresti uscito con qualche idea di vendetta del cazzo, e ti avrebbero fatto fuori».

«Non sono stupido», sussurrò. «Avrei potuto gestire…».

«Avresti potuto gestire cosa? Rintracciare il figlio di puttana che ha ucciso nostra madre proprio qui sul molo?». Balzai in piedi. Jace mi imitò. «Magari avresti potuto far incazzare qualche altro teppista del cazzo e fare uccidere papà e poi anche me, prima di farti squartare, eh?»

«Vaffanculo, Danny! Sei stato tu a chiamare la polizia, lì in ospedale! Sono tuo fratello!», urlò. Nei suoi occhi c'era solo risentimento, e le sue mani adesso erano pugni.

«E tu sei il mio fratello minore!», urlai più forte, gesticolando come un forsennato. «Tu sei mio fratello, Jace. Te lo dirò una volta sola: non farlo. Non aprire di nuovo quella ferita». Lo guardai e incrociai le braccia. «Ho già sepolto mamma e papà. Non voglio dover portare fiori su un'altra tomba, al cimitero».

«Non ero nemmeno lì… per seppellire i miei genitori…». Tirò su con il naso. «Red si fida di nuovo di me, Danny».

«Jace…».

«No. Ascoltami: quando ero dentro avrei potuto incastrarli, lui e i suoi scagnozzi. Ma non l'ho fatto, ho tenuto chiuso il becco, e Red... Ora si fida di me. E mi lascerebbe rientrare nel giro».

«Non pensi sia un tantino strano questo perdono repentino da parte sua?».

Jace scrollò le spalle. «Non li ho traditi quando ero dentro. Punto. Si chiama lealtà. Una parola che non fa parte del tuo vocabolario».

Tirai fuori dalla tasca il mio portafoglio. «Senti, Jace... Qui ho duecento dollari, e in banca ne ho altri, se ti servono». Gli porsi le banconote. «Vai a stare dalla nonna a Chicago per un po'. E schiarisciti le idee».

«Ce le ho già chiare, Dan».

«Non credo». Gli presi la testa tra le mani. «Non sono chiare, se hai pensato anche solo per un secondo che questo Red si fidi davvero di te, Jace. Va' via di qui, per favore».

«Devo scoprire chi è stato, Danny», sussurrò, con gli occhi pieni di lacrime. «Devo scoprire chi ha ucciso la mamma, e il modo migliore per farlo è dall'interno».

«Perché non puoi semplicemente buttarti tutto alle spalle? Lei non c'è più. E non tornerà».

«Perché è stata colpa mia!», urlò piangendo, indicando il punto in cui la mamma era stata uccisa. «Sono io il motivo per cui lei...». Si portò un pugno alla bocca. «Quel sangue, la sua morte... sono dentro di me».

«No», scossi la testa. «Sono dentro il bastardo che ha premuto il grilletto».

«Non doveva andare così, lo sai...», mormorò a voce più bassa. «Erano convinti che sarei andato al college. Vero? Papà pensava che avrei fatto l'università».

«Sei ancora in tempo».

«Volevo tornare. Tornare nella band. Volevo ripulirmi. Volevo smetterla con tutta questa roba».

«Jace...».

Era disperato, e stringeva la testa tra gli avambracci, forse per fermare i pensieri che lo stavano opprimendo. «Red vuole che venda un po' della sua roba. Una cosa abbastanza facile. Mi servono solo clienti facili».

«Clienti facili?».

Si voltò di nuovo verso di me. «Senti, Danny. Ho solo bisogno di un piccolo aiuto. Ci sono un paio di ragazzi a scuola che...».

«Vuoi spacciare a dei ragazzini? Vuoi spacciare ai *miei studenti*?». Feci un passo indietro, in preda all'orrore.

«Non io, Danny, Red. Mi sta mettendo alla prova. Sta cercando di capire se può fidarsi pienamente di me. E se riesco a farcela con qualche ragazzino, mi permetterà di vendicarmi e mi rivelerà il nome di chi ha ucciso la mamma, Dan. Visto che tu insegni alla Edgewood, allora pensavo... forse puoi darmi una mano a scoprire chi sono i ragazzini che comprerebbero da me».

«Sei completamente pazzo. Ma ti senti? Ti sta usando, Jace! Ti sta prendendo per il culo, sei un pupazzo nelle sue mani! Red sa bene che faccio l'insegnante in quella scuola! E sa anche che una cosa del genere mi rovinerebbe la vita!».

«Ma non succederà! Te lo prometto», mentì.

«È già successo». Tacqui per un istante. «Non voglio aiutarti. E se ti vedo nei paraggi della scuola, ti farò sbattere di nuovo dentro».

Rise sarcastico. «Allora, è così, eh? Mi faresti sbattere di nuovo dentro solo perché voglio trovare l'assassino di *nostra* madre?», ringhiò, scalciando per aria. «Tranquillo, non ho bisogno del tuo aiuto. Ma se ti incontro sulla mia strada, non avrò nessuna pietà, Dan. Te la farò pagare».

«Sei tu che vuoi spacciare agli studenti, Jace. Non io».

«Hai ragione. Assolutamente ragione», replicò. «Ma sei tu che ti scopi le tue studentesse, non io. Com'è che si chiama?

Ashlyn?». Strinsi i pugni e cominciai a sentire il cuore battere all'impazzata: non gli sfuggì il mio nervosismo. «Oh, è un argomento delicato vero? Sei diventato tutto rosso».

«Jace», sibilai, ma non riuscii a dire altro.

«Avevi ragione su una cosa, Danny». Tirò fuori una sigaretta e se la accese, poi si portò l'indice sulla tempia. «Sono completamente pazzo. Per cui togliti di mezzo, o distruggerò te e la tua piccola studentessa. Mi domando cosa direbbero gli altri compagni su di lei... Come sappiamo entrambi, i compagni di scuola possono essere dei grandi stronzi».

«Jace, se è per Sarah...».

«No! Non tirarla in mezzo. Non sto scherzando, rovinerò la vita della tua ragazza».

Poi si voltò e cominciò ad allontanarsi. «Jace, cosa direbbero mamma e papà se ti vedessero?»

«Be'», rispose senza voltarsi indietro, «sarebbero fieri di me perché almeno sto cercando di ottenere giustizia».

Come una malattia infettiva, Jace si stava propagando nella mia vita. Ancora una volta. Ero riuscito a evitarlo fino a quel momento, buttandomi a capofitto nella musica e nell'insegnamento, ma era tornato, e io non avevo nessun vaccino contro di lui.

* * *

Rientrai dentro casa e sentii strimpellare una chitarra. In salotto, c'era Randy: seduto sul divano, lavorava su alcuni pezzi. «Ho visto Jace, non sapevo fosse uscito di prigione», osservò, provando i nuovi accordi.

«Non lo sapevo nemmeno io». Mi lasciai cadere sul divano, esausto.

«Sembrava in forma però. Pulito».

Non potevo dargli torto: me ne accorgevo subito quando

mio fratello si stava facendo perché era teso, si innervosiva per niente; invece sia al cimitero sia a scuola mi era sembrato forte, deciso. Sembrava essere ritornato quello di un tempo. Si era rasato i capelli e portava completi eleganti, probabilmente gli stessi che indossavano gli scagnozzi di Red. Ma io conoscevo Jace. Sapevo quanto fosse vulnerabile in realtà. La tentazione della droga era sempre in agguato, e non sarebbe passato molto tempo prima che la accogliesse di nuovo nella sua vita.

«A cosa stai lavorando?», gli chiesi, cambiando argomento.

Randy afferrò un libro e me lo passò. «*Otello*. Sto cercando di cavarne un po' di materiale nuovo. Ho pensato che potremmo aprire con questo, venerdì all'Upper Level. Mi rendo conto che è proprio una cosa dell'ultimo momento ma...».

«Fammi dare un'occhiata ai testi».

Mi passò il foglio e cominciai a leggere. Randy era un musicista e un paroliere brillante, per cui non avevo dubbi che le canzoni sarebbero state buone. Ma quelle erano più che buone. Erano strabilianti.

> Sento sussurri di anime oscure,
> quando la natura umana è fuori controllo.
> Vedo colori che non hanno senso,
> e solo nei tuoi occhi
> so che regna la verità.
> Squilibrato e selvaggio io ti chiamo,
> torna da me, prendimi la mano
> e danza, danza in queste terre proibite.

«Volevo qualcosa di leggermente cupo, di sensuale. Shakespeare ha così tante sfaccettature, non credi?»

«Passami la chitarra», dissi. Cominciai a improvvisare, grattando le corde ruvide con i polpastrelli. Chiusi gli occhi e suonai e, come sempre, c'era Ashlyn lì con me. La musica riusciva a portarla vicino a me, le note rendevano reali le mie fantasie. Non potevo permettere a Jace di rovinarle la vita, e non potevo lasciarle credere che non mi importasse niente di lei. Ma cosa potevo fare? Ero perso.

Capitolo 23
Daniel

L'aria è troppo densa,
la mente si appanna,
ti prego,
dimmi che non stiamo perdendo tutto.

Romeo's Quest

I giorni seguenti a scuola furono i più duri in assoluto. Vagavo come immerso in una soffice nuvola nera, e mi sentivo spossato. Dormivo a malapena, perché quando non pensavo a Ashlyn, mi preoccupavo per Jace: avrebbe potuto fare del male a qualcuno. Avrebbe potuto fare del male a se stesso, o a qualche studente. O a Ashlyn.

Ogni lezione era una tortura, perché sapevo che mi sarebbe bastato chiederle di trattenersi in classe alla fine dell'ora per spiegarle come stavano le cose e finalmente tranquillizzarla. Ma avevo paura, e non riuscivo nemmeno a guardarla negli occhi.

Proprio prima di pranzo, la incontrai per i corridoi in compagnia di Jake, che le stava attaccato ogni giorno di più: stava cercando di prendere il mio posto, e non avrebbe dovuto provarci ancora a lungo perché Ash si sarebbe presto stancata di aspettarmi. In fondo, per lei non stavo alzando un dito…

Ash mi lanciò un'occhiata di sfuggita, poi tornò a parlare con Jake. Rideva alle sue battute come se fossero la cosa più divertente che avesse mai sentito, e ogni tanto gli poggiava una mano sul petto e lo guardava dritto negli occhi. Flirtava con quell'idiota, e lui non si tirava indietro. Ma io la conoscevo, e sapevo che voleva solo farmi ingelosire: be', ci stava riuscendo. Però, un rischio c'era, perché Jake poteva dare a Ash quello io le negavo, e che lei desiderava come l'aria: baci in pubblico, cene a lume di candela, serate al cinema.

Che razza di uomo ero se non riuscivo a dare alla mia donna l'amore di cui aveva bisogno? Strinsi i pugni e feci un passo avanti, accecato dalla rabbia. Non sapevo cosa stavo per fare, mentre lei si accontentava di Jake solo perché l'avevo fatta scappare mandando tutto all'aria. La stavo ignorando perché volevo proteggerla, ma... *io ero suo*. Ogni parte di me lo era. Ogni centimetro del mio essere apparteneva a Ashlyn Jennings. E ogni volta che rideva per qualcosa che le aveva sussurrato Jake, ogni volta che toccava il suo braccio e non il mio, una parte di me si inaridiva.

«Ashlyn!», la chiamai. Lei mi guardò come se fossi pazzo. «Posso parlarti un momento del tuo compito?».

Disse a Jake che lo avrebbe rivisto in classe e mi raggiunse. «Che c'è?».

La portai in classe e mi chiusi la porta alle spalle.

«Perché ti comporti così con lui?», le domandai, ancora agitato.

Incrociò le braccia. «Non sono affari tuoi», rispose ferma.

«Lo stai facendo solo per farmi ingelosire».

«Non sto facendo proprio un bel niente», sibilò con un sorrisetto, soddisfatta del risultato.

«Sì invece, tu...». Cercai di calmarmi. «Ashlyn... Non è il momento giusto per iniziare a comportarsi da ragazzina».

«Ah, pensi stia facendo la ragazzina? A quanto pare io sono l'unica, tra noi due, che sa cosa bisogna fare per non mandare a rotoli una storia: comunicare, perché è così che fanno gli adulti. Vaffanculo, professor Daniels».

Le poggiai le mani sulle spalle e la guardai nel modo più

dolce possibile, implorandola di tornare, anche solo per un istante, *noi*. «Ashlyn, ferma, sono io. Daniel. Sono ancora io».

Abbassò gli occhi sul pavimento, e quando alzò di nuovo lo sguardo stava quasi per piangere. «Mi manchi».

Senza pensarci, poggiai le mie labbra sulle sue e la abbracciai stretta. Lei mi restituì il baciò, facendo scivolare le mani sul mio petto, con foga. In un attimo eravamo solo noi due: la sollevai e la appoggiai contro l'armadio della cancelleria, le presi i seni tra le mani e le disegnai i capezzoli induriti con i pollici, lentamente. Poi le sollevai la maglietta, mentre Ash gemeva e si aggrappava alla mia schiena, premendo il suo pube contro il mio. Ma non eravamo soli. Qualcuno stava bussando alla porta. D'istinto, aprii l'armadio e vi spinsi dentro Ashlyn.

La porta dell'aula si aprì e vidi Henry fare capolino, sorridente. Da quanto era lì dietro? Ci aveva visti? Cazzo, avevo nascosto sua figlia in un armadio!

«Ciao, Dan».

«Henry, come stai?», gli sorrisi teso.

«Bene, bene. Mi stavo solo chiedendo… Posso vederti nel mio ufficio il prima possibile? Devo parlarti di Ashlyn».

Di Ashlyn. Di Ashlyn. Quelle parole risuonarono nella mia testa, i pensieri cominciarono a contorcersi. *Lui sapeva*. Ma come era possibile? E se Jace avesse messo in atto quelle orribili minacce? «Sono di turno a mensa», balbettai.

«Non preoccuparti, sarà una cosa veloce». Dall'interno dell'armadio giunse un rumore attutito, e Henry alzò un sopracciglio. «Uhm, l'hai sentito anche tu?»

«Se ho sentito qualcosa?», replicai cominciando a tossire furiosamente. «Sì, una delle lampade al neon va cambiata. Ultimamente fa un ronzio veramente fastidioso. Comunque, ci vediamo nel tuo ufficio tra un paio di minuti».

Per un istante Henry alzò gli occhi al soffitto e scrutò le lampade, poi si voltò e uscì dall'aula. Mi coprii il volto con le mani, cercando di riprendermi. Aprii l'armadio e ne uscì fuori Ashlyn.

«Sa tutto?», sussurrò.

«È tutto ok». I suoi occhi verdi sembrarono tranquillizzarsi un po'. Le sorrisi. «Noi siamo ok».

«No, non lo siamo per niente, Daniel. Lo sai, ho immaginato questa scena tante volte prima e...». Scosse la testa. «Che fossimo quasi scoperti qui a scuola. Nelle mie fantasie era una cosa così sexy e avventurosa... proibita, capisci? Ma nella realtà, sono finita chiusa in un armadio».

«Lo so. Mi dispiace».

«Se ti beccano a fartela con una delle tue studentesse, passeresti guai seri, Daniel», mormorò. «Sono così stupida».

«Ashlyn...».

«È colpa mia. Io vivo nei miei libri, e di tutta questa storia ho sempre visto solo il lato romantico. Ma la verità è che no, non lo è. Non è affatto *romantico* essere il segreto di qualcuno». Le sue lunghe ciglia si abbassarono per un istante. «Non puoi continuare così».

«Lo so!», urlai un po' troppo forte, e uscii per raggiungere l'ufficio del vicepreside.

Quando entrai Henry era già lì. Mi chiusi la porta alle spalle e mi sedetti davanti alla scrivania. La prima cosa che notai fu la fotografia che ritraeva Ryan e sua sorella.

«Grazie per essere venuto...». Sembrava nervoso, ma non quanto un padre che ha appena scoperto che sua figlia se la fa con uno dei professori. No, non sapeva nulla. Cazzo, ero salvo. «Vorrei chiederti un favore».

«Dimmi pure».

«Come sai...». Sollevò un'altra cornice che aveva di fronte e la fissò. Quando la rimise al suo posto, la scorsi di sfuggita.

Le gemelle. I suoi figli erano tutti lì, davanti a lui. «Ashlyn è mia figlia. E ha sofferto tanto per la perdita della sorella...».

«Mi dispiace molto, Henry», mormorai a bassa voce.

Si schiarì la voce e a fatica ricominciò a parlare. «Grazie. Insomma, mi ha appena chiamato Kim, la madre di Ashlyn, per riferirmi che l'Università della California, l'università dei sogni di Ashlyn, le ha appena scritto all'indirizzo di Chicago. Vogliono un'ultima lettera di referenze, e poi la ammetterebbero».

California. Quella parola mi trafisse il cervello e si infiltrò sotto la pelle, squarciandomi con l'orrore di quella rivelazione. Annuii piano, mentre soffocavo l'istinto di alzarmi e correre da Ashlyn per dirle che non poteva andarsene, che doveva restare con me. Che doveva solo aspettare la fine della scuola, e poi saremmo andati a vivere insieme.

«So che è una procedura un po' inusuale», proseguì Henry, «ma ti chiedo di scrivere questa preziosa lettera di referenze. Sarebbe molto d'aiuto... Ash non riuscirebbe ad affrontare un'altra delusione. Sarebbe troppo. Le parlerò della California questa settimana. Ma di nuovo, voglio ripeterti che non è tuo dovere. Le sto solo provando tutte per essere sicuro che anche lei possa avere la sua fetta di felicità».

Mi presi qualche istante per riflettere. Una lettera per aiutarla a esaudire il suo sogno. Chiusi gli occhi, e quando li riaprii, sapevo cosa dire. «Sarà un onore per me». Sarei stato felice di aiutare Ashlyn a vivere la sua vita. Lontano da me.

* * *

A mensa mi voltai verso Ashlyn, seduta al tavolo con Hailey e Ryan, e le sorrisi. Quando capì che Henry non ci aveva scoperti, si lasciò sfuggire un sospiro di sollievo. Mi alzai e la raggiunsi come un automa.

«Ehi, professore, si unisce a noi per il pranzo?», scherzò Ryan.

«Ah, no», rispose. «Su una scala da uno a dieci sarebbe inappropriato... vediamo... dieci?». Ashlyn rise sotto ai baffi, e mi sentii meglio. Com'era bello quel suono, e quanto mi era mancato. «Ashlyn, devo accompagnarti nell'ufficio del vicepreside». Hailey ne chiese la ragione. «Non ne ho assolutamente idea. Faccio solo da messaggero».

«Forse Henry ha visto il succhiotto...», ridacchiò Ryan.

Guardai Ashlyn che divenne subito rossa e si aggiustò i capelli intorno al collo. Si alzò, prese lo zaino e mi seguì fuori dalla mensa.

«Non fare domande», le sussurrai.

«Che succede?», chiese confusa.

«Ti fidi di me?».

Sospirò, poi le sue bellissime labbra si sollevarono in un sorriso. Ma non rimase dietro di me: mi raggiunse al mio fianco, e percorremmo i metri successivi in perfetta sincronia. Scendemmo le scale, che ci portarono ad altre scale, e poi nel seminterrato della scuola. Tutto era silenzioso, eccetto per lo sciabordio delle condutture e il ronzio proveniente dallo sgabuzzino degli interruttori e i quadri elettrici. Ci spostammo verso l'angolo più buio, dove una porta sgangherata immetteva su uno spazio circondato da inferriate. La aprii, e Ashlyn mi seguì. Ora non poteva trovarci nessuno.

«Cosa voleva Henry?», chiese finalmente a voce chiara e forte.

Esitai. Non volevo pronunciare quelle parole, perché se lo avessi fatto la California sarebbe diventata un'opzione reale.

«Tu... uhm...». *Merda*. «Hai fatto domanda per l'Università della California?», le domandai.

«Sì». Era così nervosa che tremava. «Gabby aveva compilato per me il modulo di domanda, ma non ho mai pensato di avere speranze». Si guardò in giro, i lunghi capelli davanti al volto. «Ce l'ho fatta?».

Lo vidi. Il guizzo di gioia nei suoi occhi di giada che adesso sembravano ridere. Gabby aveva spedito il modulo per lei, ma il sogno era di Ashley.

«Vogliono un'ultima lettera di referenze», mormorai. Il suo volto però si incupì. «Ashlyn, è una notizia fantastica: significa che sono interessati!». Volevo che tornasse di nuovo a sorridere come qualche secondo prima. Mi piaceva di più quando era felice. «È meraviglioso!».

«Lo è... Ma tu cosa c'entri in tutto questo?»

«Tuo padre vuole che la scriva io».

«E lo farai?», chiese nervosa.

«Certo che lo farò».

«Non farlo solo per... questo...». Fece un gesto indicandoci entrambi. «Non farlo solo perché ti senti obbligato per... oh, qualsiasi sia la cosa che siamo. Fallo solo se pensi che me lo merito».

«Sentimenti a parte... te lo meriti. Hai lavorato sodo, e sei più che talentuosa. Te lo meriti».

Non sembrava convinta. «Cosa ti succede, Daniel? Cosa succede tra noi?».

Meritava una risposta, ma non ero sicuro di averne una soddisfacente. «Dopo che ho scoperto che eri una mia studentessa... sono diventato pazzo». Sospirai. «Poi è rispuntato mio fratello Jace... adesso ti vedo in giro con altri ragazzi e mi sento morire, Ashlyn. Mi uccide sapere che tu abbia sofferto così tanto, e che io non abbia potuto consolarti, abbracciarti. Mi uccide sapere che ci siano altre persone in grado di farlo».

Mi ascoltò in silenzio e poi poggiò zaino e libro per terra. Si avvicinò a me e prese le mie mani tra le sue. Abbracciai quel piccolo corpo e me la strinsi al petto, affondando nei suoi capelli che odoravano di shampoo alla vaniglia. L'odore di Ashlyn. *Lei.*

«Sono così arrabbiata con te», mormorò contro il mio petto.

Sorrisi. «Lo so. Anche io sono arrabbiato con me stesso».

Alzò la testa e mi guardò. «Sono arrabbiata con te perché stai cercando di proteggermi da qualcosa, ma non ne ho bisogno».

«Non so cosa fare, Ash. È tutto un tale casino...».

«Parlamene. Fammi entrare nella tua vita».

«Tu meriti molto più che startene nascosta nello scantinato di una scuola. Tu non meriti di essere il segreto di nessuno, Ashlyn. Meriti di essere una canzone cantata a squarciagola, la dedica di un libro preferito, il centro del mondo di colui che ti ama. E con me non sei niente di tutto questo. Devi vivere l'ultimo anno di scuola come una studentessa normale, e io complico solo le cose».

«Basta, va bene?», esclamò divincolandosi. Mi guardò con le lacrime agli occhi. «Smettila di dirmi quello che mi merito, e quello che va bene per noi. Non m'importa niente di tutte queste cose!». Le lacrime le scendevano sulle guance. «Non c'è niente di normale nella mia vita. Mia sorella gemella è morta. Mia madre beve, e non mi vuole. Cacchio, e trovo Hemingway molto divertente. E tu, e tu suoni in un gruppo che si ispira a Shakespeare! Tua madre è stata uccisa, e sette giorni dopo la morte di tuo padre stavi suonando in quel locale... *Noi. Non. Siamo. Normali.* E non voglio passare un *normale* ultimo anno di scuola. Io voglio *te*. Se ho imparato qualcosa da questi ultimi pochi mesi, è che la vita fa schifo, Daniel. *Schifo*. È crudele, meschina, impietosa. È nera e spietata. Ma a volte, una luce riesce a penetrare tutto questo, e rischiara l'oscurità. Ed è bellissimo. Ero così sola prima di incontrarti... Ero così sola prima di entrare nel locale di Joe. E c'eri tu sul palco che suonavi e cantavi per me, e illuminavi i miei giorni bui con quella luce. Eppure, non ti sei mai aperto davvero con me, Daniel. Non mi hai mai lasciato entrare».

Mi avvicinai a lei e le carezzai il volto. «Tornavo da Chicago quando ti ho visto la prima volta. Ero andato a passare qualche giorno con mia nonna, per assicurarmi che stesse bene dopo la morte di mio padre. Sedevo su quel treno, a pochi centimetri dal baratro. Poi ho visto questi occhi verdi e ho capito che in qualche modo le cose sarebbero andate per il verso giusto». Mi guardò intensamente, e io mi persi dentro il suo sguardo. «Tu non hai portato la luce nella mia vita, Ash. Tu *sei* la luce».

Sorrise nel modo perfetto in cui solo sapeva sorridere lei. «La normalità è sopravvalutata. Viva gli strambi, viva i matti!», esclamò. «Non devo andare in California. Posso stare qui con te dopo la fine della scuola. Posso frequentare un'università statale, e venire a vivere da te. Possiamo farcela se stiamo insieme...».

Un attimo: ma cosa diavolo stavo facendo? Le avevo inviato i segnali sbagliati, ne ero consapevole, ma dovevo fare marcia indietro: non l'avevo portata lì nello scantinato per fare la pace. Mi ricordai della lettera che Gabby aveva scritto per me e della minaccia di Jace.

«Non possiamo andare avanti così, mai più, Ash», sussurrai.

«Cosa?», balbettò attonita.

«Non posso più vederti». Mi chiesi se quelle parole le stessero bruciando in petto tanto quanto bruciavano me.

«Ma cosa dici, Daniel?», fece un passo indietro. «Mi hai portato fino a qui... per rompere con me?». Aveva gli occhi umidi. Non risposi. Se avessi pronunciato quella frase, non mi sarebbe rimasto altro che arrendermi.

«Dillo!», gridò, avvicinandosi con foga e spingendomi con violenza. «Dillo! Di' che non vuoi stare con me!».

Le lacrime cominciarono a scorrerle lungo il viso, e il corpo fu scosso dai singhiozzi. «Di' che non mi vuoi più! Dillo Daniel!», urlò prendendo a pugni il mio petto, e a ogni suo grido una parte di me moriva. A ogni colpo, una parte di me svaniva.

Le afferrai i polsi e li strinsi, tenendola stretta e abbracciandola.

«Ti ho lasciato entrare», singhiozzò contro di me, i pugni che cercavano ancora di colpirmi. «Ti ho lasciato entrare e tu mi hai abbandonato...».

«Mi spiace così tanto...», mormorai, stringendola più che potevo. Provai di tutto per confortarla, ma non era facile. Ero io quello che la stava ferendo a morte. «Ti amo tanto».

«No». Mi spinse via. «Non devi fare questo. Non puoi allontanarmi, e un attimo dopo dirmi che mi ami, Daniel». Fece un respiro profondo e si asciugò le lacrime che scorrevano copiose e incessanti. «È la prima volta che mi dici queste parole. Non puoi dirmi che mi ami e poi spezzarmi il cuore. Quindi, di' quello che devi dirmi. Dillo, e me ne andrò».

Abbassai lo sguardo: mi vergognavo di me stesso. Quando lo rialzai, Ash mi fissava con gli occhi iniettati di sangue. «È finita. Tra noi è finita, Ashlyn».

Il rossore sulle gote si tramutò in un pallore cadaverico. Ashlyn barcollò, le gambe incerte, poi si voltò e raggiunse l'uscita. «Vai all'inferno, Daniel».

Capitolo 24
Ashlyn

Sono tutte bugie.

Romeo's Quest

Che razza di persona rompe con te, dopo averti completamente illuso? Avevo bisogno di una doccia gelata per riprendermi, perché quel giorno il sangue non riusciva a sbollire. Raggiunsi il bagno che condividevo con Hailey per lavarmi il viso, ma udii la voce di Henry e mi bloccai.

«Lo so… No, non sa niente. Kim, non importa questo! Starà qui».

Un nodo mi si formò nella gola. *Mamma.*

«Va bene. Ciao». Udii un *click* e il pomello della porta girò. Quando mi vide, Henry fece un passo indietro. «Ashlyn. Cosa ci fai qui?»

«Da quando usi il bagno di sopra?»

«Quello di sotto è occupato».

«Ah». Cercai di capire qualcosa dal linguaggio del corpo. Niente. «Stavi parlando con la mamma?».

Si voltò di nuovo verso di me. La bocca tremò per una frazione di secondo e i suoi occhi sembrarono persi. «L'Università della California è interessata alla tua domanda. Il professor Daniels si occuperà della lettera di referenze».

«Non cambiare argomento! E non voglio il suo aiuto», urlai come una bambina. Ma quella che provavo era anche l'angoscia di una bambina.

«Calmati, Ash», disse Henry, colto alla sprovvista dalla mia reazione.

Ma come potevo? Perché la mamma si preoccupava di chiamare Henry, e a me non mandava nemmeno un SMS? «Non voglio calmarmi! Sono stanca del vostro aiuto non richiesto! Nessuno di voi sa cosa sia meglio per me. Non volevo trasferirmi qui. Non volevo andare nella tua stupida scuola. Non volevo avere niente a che fare con te. Perché non potete semplicemente parlarmi? Ho diciannove anni, non cinque! Sono una persona adulta, cazzo! E tu stai rovinando la mia vita!», e corsi via piangendo sbattendo la porta della mia camera.

Hailey era seduta sul suo letto con una scatola di Kleenex accanto. Era malata da qualche giorno, e il suo naso era più rosso che mai. «Ashlyn, che succede?».

Prima che potessi rispondere, Henry aprì la porta ed entrò in camera. «Hailey, io e Ashlyn dobbiamo parlare».

«*Tu* vuoi parlare con me, io no!», urlai, mentre lacrime bollenti mi bruciavano il viso. Mi gettai sul letto e affondai la testa nel cuscino, disperata. «Non capisco perché nessuno di voi mi dica la verità!».

«Ash, tua madre adesso è in una clinica. Per disintossicarsi», mi rivelò, soppesando ogni parola. Lo guardai confusa. Hailey prese la sua scatola di fazzoletti, attonita, e si dileguò in punta di piedi.

«Cosa?», mormorai. Avevo lo stomaco in subbuglio e stringevo così forte il cuscino che da un momento all'altro sarebbe esploso. Cercai di fare ordine tra il turbinio dei pensieri. «Cosa intendi con "disintossicarsi"?»

«Da quando abbiamo scoperto la malattia di Gabby, ha cominciato a bere sempre di più».

«Ma riusciva a controllarsi...», sussurrai.

Scosse la testa. «No, invece. Al funerale mi ha confidato di essere entrata in un programma di riabilitazione di quattro mesi. È uscita dalla clinica durante le vacanze di Natale. Ashlyn, non sei venuta a stare qui perché tua madre non ti vuole bene, tutt'altro... è stata un'idea di Kim, è vero, ma solo perché vuole tornare a essere la madre che ti meriti».

«Così ha ben pensato di spedirmi dall'altro genitore, quello che ha sempre dimenticato i miei compleanni! Sarei potuta rimanere con Jeremy, lo avrei preferito. Lui per me è sempre stato un padre, più di quanto non lo sia stato tu!». Mi rendevo conto della brutalità delle mie parole, e mi odiai per averle sbattute in faccia a Henry, ma dovevo sfogarmi, e lui era l'unico lì presente. Era così facile incolparlo di tutte le delusioni della mia vita.

«Divertente. Implori la gente di parlarti, di trattarti da adulta, di farti partecipe di tutto quello che succede. Poi quando ti scontri faccia a faccia con la realtà, ti trasformi all'istante in una bambina di cinque anni».

Sapevo che aveva ragione, e non lo sopportavo. Ero una bambina di cinque anni ferita. E desideravo solo una cosa: ferire Henry a mia volta. Perché mi aveva offeso, e aveva ragione. Non volevo ce l'avesse! Volevo che fosse il solito padre fallito che mi aveva abbandonato!

«Almeno io non ho tradito mia moglie!».

«Bene. Sei in punizione», urlò fuori di sé.

Ma come si permetteva? «Stasera esco, invece». Incrociai le braccia e mi sedetti sul letto.

«No. Non uscirai. Finché vivi qui, seguirai le mie regole. Sono stufo, Ashlyn!», gridò esasperato. «Sono stufo di questo tuo atteggiamento. Sono stufo delle colpe che mi attribuisci. Sono stufo di avere sempre la sensazione di infastidirti, qualsiasi cosa dica o faccia! Sì, lo so, non ci sono stato per te. Ma adesso, adesso non puoi trattarmi come ti pare. Adesso sono responsabile della tua vita».

«Ma...».

«Niente ma. Per la prossima settimana, chiesa, scuola e dritto a casa. Fine del discorso. Si cena tra un'ora».

«NON HO FAME!».

«CHISSENEFREGA!». Si voltò e uscì dalla stanza sbattendo la porta, e per l'irritazione non potei fare altro che affondare la testa nel cuscino e gridare con tutto il fiato che avevo in corpo.

* * *

Quando arrivai in cucina, erano intenti a pregare. Presi posto sulla sedia pieghevole delle torture, e Ryan si sporse verso di me. «Vuoi cambiare posto?». Me lo chiedeva ogni sera, e ogni sera declinavo l'offerta.

«Amen», mormorarono tutti.

Henry sedeva di fronte a me, e feci di tutto per non guardarlo. Odiavo stare nella stessa stanza con lui. Non capivo nemmeno perché fosse lì. *Alzati! Vattene!* Il mio cervello odiava Henry tanto quanto me, ma il mio cuore era uno sciocco, e in quel momento gridava più forte della mia testa.

«Ashlyn, ho saputo che sarai in punizione per un po'», disse Rebecca mentre mangiava.

«A quanto pare», borbottai scansando i piselli dal piatto.

«Be', avrai compagnia. Anche Ryan è in punizione».

Ryan posò il bicchiere stupito. «Cosa? Che ho fatto?».

La voce di Rebecca era più calma che mai. «Cosa *non* hai fatto, Ryan? Gira voce che lo scorso fine settimana tu sia stato a una festa».

Ryan spalancò la bocca e alzò gli occhi al cielo. «Davvero? Mi stai mettendo in punizione perché sono andato a una festa? Sarò stato a cinquanta feste quest'anno!».

«No. Ti sto punendo per la droga che ho trovato tra il bucato».

Ryan sembrava confuso più che mai, ma quando si voltò verso Hailey, che lo fissava pietrificata dal terrore, la sua espressione si distese.

«Bene. Sono in punizione. Gran bella cosa». Si passò le mani tra i capelli e si calmò. Sapevo di essermi affezionata a Ryan, ma solo quando lo vidi prendersi la colpa al posto della sorella capii davvero che tipo di persona fosse.

«Per un mese». Rebecca ci stava andando giù pesante, e l'odio nella sua voce mi atterrì. «Anzi, facciamo due».

«Che cazzo di problema hai?», urlò il figlio, scostando d'impeto la sedia. «Seriamente. Cosa cazzo ti ho fatto?»

«Attento a come parli». Sua madre era arrabbiata, ma non sembrava che la sua rabbia avesse a che fare con la scoperta delle droghe.

«Perché dovrei? Anche se facessi il bravo bambino, per te non sarebbe abbastanza. Per l'amore del cielo, dimmelo in faccia. Dimmi che mi dai la colpa per la morte di papà e, forse, per almeno un giorno riuscirai a non comportarti come la stronza che sei!». Ryan aveva appena finito di parlare quando lo schiaffo di Rebecca lo colpì in pieno volto.

Henry si alzò e si mise tra i due. «Datevi una calmata, capito? Fate un bel respiro, tutti e due». Rebecca cercò di divincolarsi, ma lui la trattenne.

«Sei un ragazzo molto ingrato che non capisce quanto ti abbia aiutato. Ti ho salvato, Ryan!». Rebecca urlava tra le lacrime.

«Tu sei pazza».

Hailey schizzò dalla sedia. «La droga era mia».

Nella cucina calò il silenzio, poi Rebecca scoppiò a ridere. «Non cercare di coprire tuo fratello, Hailey».

«Non lo sto coprendo». Si voltò verso sua madre, il volto pallido. «Me l'ha data Theo, voleva che la provassi. Pensavo che avrebbe facilitato le cose tra noi: eravamo in crisi, ed era l'unica possibilità per tenerlo vicino a me. E poi volevo fare sesso prima di andare all'università, e Theo era la mia ultima speranza...».

Rebecca aveva gli occhi spalancati dall'orrore. Portò le mani al petto, muovendosi impacciata. «Questa è solo colpa tua!», gridò verso Ryan. «Tu... tu sei sempre stato un cattivo esempio per tua sorella, tu con la tua condotta impura!».

«Rebecca!», gridò Henry, guardandola come fosse un mostro.

«È così! Ha ucciso suo padre e ora sta provando a uccidere anche sua sorella!».

«Stai zitta!», gridai, incapace di controllarmi.

Avevamo raggiunto il limite. Alle parole della madre, Ryan abbassò le spalle e il suo sguardo si velò di costernazione. Poi cominciò a battere le mani, piano, mentre un sorriso triste gli dipingeva il viso. «E questo è tutto, amici». Fece un ultimo inchino e uscì dalla porta d'ingresso, sbattendola con violenza.

Rimanemmo tutti lì, in piedi, con le parole di Ryan che echeggiavano tra le pareti.

«Come hai potuto?», sussurrò Hailey. «La morte di papà lo aveva già distrutto. Si sentiva già abbastanza in colpa da solo, mamma». Poi si avviò verso la porta, e io fui veloce a seguirli entrambi, fuori sulla veranda.

Ryan era seduto fuori, con il pacchetto di sigarette tra le mani che picchiettava ritmicamente sul ginocchio. «Va tutto bene, ragazze».

Sedemmo entrambe accanto a lui, mentre l'aria fredda dell'inverno ci colpiva il viso. Hailey, il naso tutto rosso per il raffreddore, cominciò a tremare e Ryan le frizionò le braccia per scaldarla. Ma non tremava solo per il freddo. Stava piangendo. Quella sera, ci accendemmo tutti e tre una sigaretta finta. Per i dolori passati, e per quelli presenti.

Capitolo 25
Ashlyn

Non perdere di vista
le cose che hanno senso.

Romeo's Quest

Arrivò dicembre e portò con sé molta neve. Ryan e Rebecca non si parlavano dal giorno della lite ed erano ormai passate diverse settimane da quando ci eravamo accesi quella sigaretta finta sulla veranda di casa.

Jake avrebbe dato una festa quella sera, ma per quanto mi riguardava non morivo dalla voglia di andarci. Ci sarei andata solo per fare un piacere a Ryan che, da quando era riuscito a procurarsele, non aveva smesso un attimo di parlare delle nostre carte di identità false. E poi aveva veramente bisogno di uscire, anche se, a dirla tutta, era ancora in punizione. Inoltre c'era anche quell'altra questione: forse dal punto di vista dell'universo non era così importante, ma per me era di fondamentale importanza. Mi mancava Daniel. Odiavo quella sensazione, ma non potevo farci niente. A volte mi ritrovavo a piangere mentre facevo la doccia, altre volte iniziavo a singhiozzare mentre stavo per addormentarmi. E piangevo anche perché sapevo che lui, per me, non stava versando neanche una lacrima.

Prima di tornare a casa per incontrare Hailey e Ryan e andare insieme alla festa, mi fermai in biblioteca per restituire alcuni libri (e per prenderne in prestito un altro da leggere alla festa di Jake, dove me ne sarei rimasta seduta in un angolo). Mentre spulciavo i titoli sentii pronunciare il mio nome: «Ashlyn?».

Sollevai lo sguardo e vidi un volto familiare, che mi fece venire voglia di piangere: era l'amico di Daniel. «Ciao, Randy. Come va?», chiesi con un sussurro, sperando di non attirare l'attenzione della bibliotecaria.

Randy si accostò allo scaffale, e vidi due file di libri oscillare. Immaginai pagine e pagine che crollavano per terra, in un gran frastuono, ma cercai di scacciare quel pensiero. «Sto bene», rispose mentre prese un libro dallo scaffale. «Sono in cerca di un po' di materiale per le mie nuove canzoni. Non ti ho vista molto in giro, ultimamente. Hai litigato con Dan?».

No. È stata più una cosa tipo "Non sei tu, sono io", hai presente?

«È un po' che non ci vediamo, in effetti».

Randy sembrava stupito. «Cosa?! Ma non mi ha detto che vi siete lasciati!».

Mi balzò il cuore in gola. Così era persino peggio del solito.

«Sì, be'...». Gli feci un sorriso tirato mentre sentivo uno strano sapore in bocca. Non avevo voglia di parlare con lui di Daniel, né del fatto che Daniel mi avesse già dimenticato.

Randy incrociò le braccia e si protese verso di me. «Forse mi sono spiegato male, Ashlyn... Quando Dan sta davvero male per qualcosa, non ne parla con nessuno, per nessuna ragione. Si chiude completamente in se stesso. E da quando i suoi genitori sono morti, tu sei stata l'unica che è riuscita a scalfire la sua corazza... Vi siete lasciati perché sei una sua studentessa?».

Lo guardai stupita. Come faceva a saperlo? Pensavo che Daniel non lo avrebbe detto a nessuno. «Non penso che dovremmo parlarne, Randy».

Per la prima volta da quando l'avevo conosciuto lo guardai

per davvero. Aveva i capelli scompigliati che gli cadevano a ciuffi sulla fronte, e quando sorrideva le labbra gli si incurvavano leggermente. I suoi occhi erano scuri come il fondo di un pozzo.

Randy mi stava guardando, allarmato: «Ashlyn, va tutto bene? Sembra che tu stia per svenire».

Mi stavano per cedere le ginocchia, ma poggiai una mano su uno scaffale e riuscii a rimanere in piedi. «Va tutto bene, non ti preoccupare».

Indicò la porta della biblioteca. «Se vuoi posso darti un passaggio a casa».

«No, grazie, è tutto a posto, davvero», lo rassicurai mentre cercavo di guardami intorno. Gli rivolsi un altro sorriso forzato, ma ero divorata dall'ansia. «Devo proprio andare».

«Sì», disse, prendendo i suoi libri. «Anch'io. Stasera suoniamo. Stammi bene, ok?».

Stammi bene. Certo. Sarei stata benissimo.

* * *

Arrivata a casa di Henry, alle quattro e mezzo del pomeriggio, trovai Hailey seduta sui gradini della veranda, in lacrime. Ryan piroettava al centro del prato innevato.

«Che succede?», chiesi a voce alta, avvicinandomi.

Ryan scoppiò in una risata. Alzò una mano, mentre un gran sorriso gli si dipingeva sul volto. «Sono una statistica ambulante», gridò mentre correva verso di me. Non capivo cosa stesse farfugliando, ma lo adoravo quando aveva quelle reazioni sopra le righe.

«Che significa?», chiesi, mentre saltellava su e giù tutto eccitato. Mi prese la mano e cominciò a farmi girare, obbligandomi a saltare insieme a lui. «Ryan, che diavolo stai facendo?!».

Ryan proruppe in una risata che riecheggiò nell'aria fredda, prima di fermarsi con le mani sulle ginocchia. Aveva il fiatone, ma rideva ancora. «Mia madre ha preso il mio telefono e ha letto tutti i messaggi», mi rivelò. «I messaggi di tutti i Tony, cazzo! Prima mi ha maledetto, poi ha iniziato a implorarmi e alla fine mi ha buttato fuori di casa. Ho diciotto anni, sono gay e la mia casa è la macchina di mia sorella!». Sorrise raggiante e si voltò verso Hailey, che piangeva sommessa. «Grazie ancora per le chiavi, Hailey!».

Non ero più così divertita. «Oddio, Ryan, se c'è una cosa che non fa ridere è questa...».

Scuoteva la testa, mentre piangeva e rideva al tempo stesso. «Lo so! Lo so! Ma se smetto di ridere, mi renderò improvvisamente conto della merda in cui mi trovo e del bisogno che provo di farla finita. Non sai quante volte nell'ultima ora ho desiderato soltanto di smettere di respirare. Per cui fammi il favore...».

Continuò a ridere, ma stavolta ero in grado di percepire la sua paura in ogni risata, la sofferenza in ogni guizzo di quell'allegria forzata. Un sorriso triste affiorò sul mio volto, ma poi mi misi a ridere anch'io, e risi di nuovo quando mi fece nuovamente ruotare su me stessa. Feci cenno a Hailey di unirsi a noi. Ci raggiunse e ci tese le mani, che erano bagnate dalle lacrime, e prese a girare vorticosamente insieme a noi. Le nostre risate divennero dei risolini, e poi una risata sommessa. Iniziavano a farmi male le costole ma non mi fermai, perché ero convinta che se mi fossi fermata Ryan sarebbe caduto per terra e avrebbe smesso di respirare.

E io avevo un disperato bisogno che continuasse a respirare. "Devi solo respirare, Ryan. Respira".

* * *

Ero seduta al posto del passeggero, nella macchina di Hailey, a motore spento.

«Non andremo alla festa», annunciai. Ryan voleva a tutti i costi dimenticare i suoi problemi, ma avevo la netta sensazione che quello non fosse il modo migliore di farlo.

«Oh, certo che ci andremo», ribatté Ryan.

«No, invece no, non lo faremo»

«Mia madre mi ha appena buttato fuori di casa, e io voglio andare alla festa».

Hailey ci raggiunse con una valigia in cui aveva messo alcuni oggetti personali di Ryan. La lanciò sul sedile posteriore e salì in macchina. «Ho preso solo qualche vestito di ricambio. Tanto si tratta solo di qualche giorno, no?». Rivolse un'occhiata interrogativa a entrambi. «No?».

Ryan guardò prima me e poi la sua abitazione. «Dovresti tornare a casa, Hailey», sospirò.

«Cosa? Non esiste! Mamma sta dando di matto!», strepitò gesticolando per l'emozione. «Non ho intenzione di lasciarti solo».

Ryan si girò di nuovo verso la sorella e le prese la testa tra le mani. «Nemmeno io ho intenzione di lasciarti sola». Si avvicinò a lei e le diede un bacio sulla fronte. «Ma ora torna a casa, sei troppo buona per Theo. E troppo buona per lasciare la mamma da sola proprio stanotte».

«Ma io la odio», brontolò.

«Oh, non odiarla per quello che è successo tra noi», le rispose Ryan ridendo. «Piuttosto vai a dirle che sei buddista, e quando vedrai come reagirà avrai dei buoni motivi per odiarla».

Hailey soffocò una risatina e Ryan le asciugò le lacrime che stavano iniziando a solcare il suo viso. «Quando compirò diciotto anni, andrò via da casa con te e Ashlyn».

«Ci trasferiremo in California e tu diventerai un'insegnante di yoga. Ashlyn diventerà una scrittrice famosa, mentre io mi prostituirò su Hollywood Boulevard».

La sorella rise di nuovo, e notai che anche Ryan stava accennando un sorriso. Hailey si tirò su con la schiena: «O si vince l'intera posta o torna a casa giusto?».

Ryan la strinse affettuosamente a sé. «Sì, ma tu vai a casa, Hails».

Lei emise un sospiro e annuì. Aprì la portiera e si voltò di nuovo verso il fratello. «Ti voglio bene...».

«Anche io», rispose Ryan.

«Promettimi che baderai a lui, Ashlyn».

Glielo promisi.

Appena Hailey rientrò in casa, uscì Henry sulla veranda. Mi diede un'occhiata e mi fece un cenno. «Torno subito, Ryan».

Uscii dall'auto e raggiunsi Henry, con le braccia ostentatamente incrociate. «Cosa diavolo sta succedendo?», sussurrai, con la schiena rivolta verso Ryan.

Aveva gli occhi stanchi, e sembrava perplesso. «Rebecca... Lei...». Abbassò lo sguardo. «Come sta Ryan?»

«Nell'unico modo in cui può stare, credo».

Henry si infilò una mano in tasca e tirò fuori un rotolo di banconote. «Sono trecento dollari, dalli a Ryan per il fine settimana. Io intanto gli cercherò un appartamento».

Presi i soldi e annuii. «Rebecca non cambierà idea, vero?», gli chiesi.

«È convinta che Ryan sia responsabile della morte del padre, che era anche suo marito». Mentre lo diceva si passò nervoso una mano sulla barba grigia. «Non c'entra niente con il fatto che Ryan sia gay, ma solo con il fatto che Rebecca non ha mai affrontato i suoi demoni, Ashlyn. Anche se non fosse stato gay, avrebbe comunque trovato un motivo per cacciarlo via».

Sapevo cosa si provava a essere lasciati a se stessi proprio nel momento del bisogno. Pensai a mia madre e a quando aveva deciso di mandarmi a stare da Henry, ma poi mi resi conto di quanto fossi stata fortunata all'epoca ad avere un posto dove andare. Ryan al contrario non aveva nessun posto dove andare.

«Stagli vicino, d'accordo? E fammi avere sue notizie, per favore».

«Sì, va bene. Henry, grazie davvero. Per il tuo aiuto».

Mi rivolse un mezzo sorriso e rientrò in casa.

Tornai alla macchina e mi misi alla guida. «Dove ti porto, amico?».

Ryan sorrise e sprofondò nel sedile, poggiando le scarpe sul cruscotto. Tra le dita teneva la sua carta di identità finta. «Al negozio di liquori naturalmente!».

* * *

Eravamo nel reparto alcolici del negozio, e stavamo riempendo il carrello di qualsiasi cosa venisse in mente a Ryan. «Non dobbiamo preoccuparci più di tanto dei documenti falsi», disse Ryan. «L'altra sera ho fatto al tizio della cassa il primo pompino della sua vita».

Non sapevo se ridere o piangere, e decisi di non fare né l'uno né l'altro.

Stavamo per dirigerci verso lo scaffale dei vini, quando Ryan si fermò. Davanti a noi c'era una coppia, un uomo e una donna, più grandi di noi. Ryan pareva allarmato.

La coppia lo vide, e un'espressione di stupore attraversò lo sguardo di entrambi.

«Ryan», disse la donna con un sorriso beffardo. Poi diede una rapida occhiata al nostro carrello colmo di alcolici e cercò di fare del proprio meglio per celare il suo interesse al riguardo. «Come stai, tesoro?».

Era bellissima. Capelli biondi lunghi fino alle spalle, e occhi marroni dolcissimi. Aveva una corporatura esile, che si intravedeva dal caban.

Ryan distolse lo sguardo. «Lieto di vedervi, signore e signora Levels».

L'uomo sorrise, esattamente come aveva fatto sua moglie. «Avery ha fatto il tuo nome giusto la settimana scorsa. Stavo per chiamarti per sapere se andava tutto bene...»

Ryan lo interruppe, e iniziò a spingere di nuovo il carrello. «È stato un piacere. Se avete bisogno di qualcosa, una qualsiasi cosa, basta una telefonata, okay?»

«Okay, grazie. Arrivederci!».

La signora Levels sembrò voler proseguire per la sua strada, ma mentre passava vicino a Ryan lo abbracciò e gli sussurrò qualcosa nell'orecchio. Poi lo allontanò di scatto, e vidi che entrambi avevano gli occhi umidi di lacrime.

«Anche a lei, signora Levels», fece Ryan sorridendo.

La coppia andò via, senza neanche una domanda sul contenuto del carrello.

«Chi erano quelli?», chiesi.

«I genitori di Avery», disse continuando a spingere il carrello e tirando su con il naso.

Pagammo gli alcolici e tornammo alla macchina diretti alla festa di Jake.

Ma nessuno di noi due aveva la benché minima voglia di partecipare a una festa.

Capitolo 26
Ashlyn

Miglioro di giorno in giorno,
e mento anche a me stesso.

Romeo's Quest

«Qualche mese fa mi ha confidato di voler fare coming out: non gli importava niente di quello che avrebbero detto gli altri. Mi ha anche confessato che mi amava e perciò non aveva più importanza chi lo sapesse o no». Ryan ridacchiò mentre buttavamo giù l'ennesimo sorso di vodka, seduti con la schiena contro il muro.

La bottiglia era ormai semivuota, e ogni secondo che passava mi ripetevo che avrei dovuto togliergliela dalle mani. A tre metri da noi una coppia pomiciava e la musica risuonava per tutta la casa. Quello era davvero l'ultimo posto in cui ci saremmo dovuti trovare io e Ryan.

Dal corridoio sbucò Avery e, quando notò Ryan, vidi il suo cuore andare letteralmente a pezzi, come quello di Ryan. Avery si soffermò ancora un istante a osservarlo, poi si voltò e andò via. Ryan mi guardò a sua volta. Aveva gli occhi pieni di lacrime e gli tremavano leggermente le mani.

«Gli ho detto che non ero pronto per fare "coming out", ma lui voleva dirlo lo stesso ai suoi genitori. Hanno pianto, hanno parlato con lui e alla fine lo hanno abbracciato. Hanno capito il suo punto di vista, Ash. E io odio i genitori che piangono, parlano e abbracciano, perché il risultato sono dei figli disfunzionali». Sorrise, ma incontrai il suo sguardo e colsi il dolore celato nelle sue parole.

«Avery è stato cacciato dal corso di studi sulla Bibbia perché alcuni di quelli che frequentano la chiesa sono venuti a sapere che è gay. E allora i suoi genitori hanno trovato una nuova chiesa. Ma a quel punto ho dovuto smettere di frequentarlo, perché mi spaventava, mi spaventava l'amore che provavo per lui, e non volevo perdere mia madre. Ma lo amavo così tanto che pensavo a lui letteralmente a ogni respiro. Così a volte trattenevo il respiro pur di non pensarci. Cercavo di smettere di respirare, perché volevo smetterla di stare in quel modo». I suoi singhiozzi divennero via via più intensi mentre la sua angoscia diventava sempre più profonda. «Voglio che questa merda finisca».

«Ryan...», cominciai a dire, ma piangevo anch'io, e mi sentivo completamente impotente. Presi la bottiglia e la diedi a un ragazzo che passava di lì: accettò il regalo senza farsi troppe domande.

Ryan si tirò su e girò la testa verso di me. Mi passò le dita tra i capelli, mentre i suoi occhi azzurri cominciavano a riempirsi di lacrime. Si fece un po' più vicino e poggiò le sue labbra sulle mie, abbracciandomi. Io non lo respinsi. Le sue labbra erano salate, bagnate dalle lacrime di entrambi.

«Fai sparire tutta questa merda, Ash. Aggiustami», sussurrò, continuando a baciarmi.

«Non posso aggiustarti, Ryan», mormorai. «Perché non hai niente che non va».

Ryan continuava a piangere, scosso da singhiozzi incontrollabili. Io piangevo con lui, perché sapevo che piangere da soli è la cosa più deprimente del mondo.

* * *

«Forza, andiamo a casa», sussurrai all'orecchio di Ryan, ormai stanco e spossato dalle lacrime.

Ryan ridacchiò. «Quale casa? Io vivo in macchina!».

Gli diedi un bacio in fronte. Lui mi fece un cenno e si alzò barcollando. «Aspettami qui, Ryan. Io vado a prendere i nostri cappotti».

Mi diressi verso la camera da letto dove trovai un paio di coppie intente a sbaciucchiarsi. Trattenendo una risata, frugai nella montagna di cappelli, sciarpe e borse e quando trovai quello che cercavo mi avviai verso la porta, ma Jake mi sbarrò la strada. Aveva gli occhi rossi, i capelli scompigliati e più birra sulla camicia che nel bicchiere, anche se sembrava tranquillo e cordiale come sempre.

«Ehi! Dove sei stata per tutta la sera? Pensavo ti fossi persa un'altra delle formidabili feste del mitico Jake Kenn», disse sorridendomi dolcemente.

Mi finsi contenta. «Oh, è stata uno sballo la festa! Ora però devo riportare Ryan a casa...». *Ma quale casa?* «Grazie di tutto, Jake».

«Non c'è proprio niente che possa fare per convincerti a darmi una possibilità?», sparò Jake all'improvviso con un tempismo catastrofico. Poi notò il mio sguardo attonito. «Uhm, scusami, sono ubriaco e strafatto, ho un po' esagerato».

«Jake, tu sei un grande amico...», cominciai, ma lui scoppiò a ridere.

«... ma...».

Alzai le spalle. «Temo di aver prestato il mio cuore a qualcun altro. Che deve ancora restituirmelo».

Jake alzò le mani davanti a sé. «Capisco, ma non puoi impedire a un ragazzo di provarci».

Io ridacchiai e gli diedi un bacio sulla guancia. «'Notte, Jake».

«Non penso che te lo ridarà, sai? Il tuo cuore, intendo». Abbassò gli occhi. «Perché quando un ragazzo ha in mano un cuore come il tuo, se lo tiene stretto per sempre».

Per sempre. Che parole terribili.

Uscii dalla camera da letto e mi imbattei in qualcuno che avrei preferito non incontrare, mai più. «Jace», sussurrai tra me e me, mentre guardavo il fratello di Daniel in piedi in mezzo a un gruppetto di ragazzini. Stava distribuendo delle pasticche: le tirava fuori da un sacchetto che teneva in mano, e ogni tanto ingurgitava qualcosa anche lui. Si voltò nella mia direzione e per un istante i nostri occhi si incrociarono, poi io distolsi lo sguardo e mi affrettai verso Ryan. Lo aiutai a infilare le braccia nel cappotto, in preda all'angoscia. «Andiamo via. *Subito*».

* * *

Dovevo essere pazza, ma non importava. Ryan aveva bisogno di un posto dove stare. Eravamo seduti in macchina, fuori casa di Daniel. Non era ancora tornato, ma immaginai si sarebbe fatto vivo presto. Il concerto doveva essere finito già da un po'.

Ryan era sdraiato sul sedile accanto al mio. «Così, tu e il professor Daniels siete...».

«Eravamo». Sospirai.

«E il succhiotto era di...».

«Era suo». Sospirai di nuovo.

«E lui ha rotto con...».

«Me».

Questa volta fu Ryan a sospirare. «Che pezzo di merda. Ma le ha viste le tue tette?!». Risi. La jeep di Daniel sbucò davanti casa e i fari illuminarono la nostra macchina. Aprii la portiera e mi sbracciai per essere sicura che mi vedesse. Daniel frenò di colpo, uscì e mi corse incontro.

«Ashlyn, tutto bene?». Aveva notato i miei occhi gonfi e me li accarezzò delicatamente. Rabbrividii. Mi abbracciò come se non ci fossimo mai lasciati. «Stai male?».

Scossi la testa. «Io… io ho bisogno del tuo aiuto». Ryan caracollò fuori dalla macchina e sentii la paura di Daniel attraverso il suo abbraccio.

«Ashlyn, cosa stai facendo?», mi chiese a voce bassa, nel panico.

Ryan alzò le braccia in un atteggiamento di resa. «Non si preoccupi, professore. Non voglio fare del male a nessuno», e cominciò a ridere. «Porca miseria, Ash, vai a letto con il prof! Non posso crederci!».

«*Ryan!*», sibilai, lanciandogli un'occhiata di fuoco. Continuò a ridere. «Ha bevuto», spiegai a Daniel.

«Ah, ma giura. Gesù Cristo, Ash! Vuoi farci scoprire?»

«Oh, insomma, Daniel. Non l'ho detto a nessuno! E tu non hai avuto problemi a spifferare tutto a Randy invece. Per cui non cominciare».

«Ma di che stai parlando? Come sai che l'ho detto a Randy?». Socchiuse gli occhi su di me. I suoi bellissimi occhi azzurri… No. Ferma. *Non guardarlo negli occhi.*

«Non importa. Tanto nessuno deve scoprire più niente, giusto? Vengo al sodo. Ryan può rimanere qui?»

«Cosa?», replicò, spiazzato dalla richiesta improvvisa.

La sua espressione mi fece quasi sorridere, finché non ricordai perché Ryan non poteva tornare a casa. Cominciai a raccontare a Daniel quello che era successo, e la confusione fu presto sostituita dall'incredulità.

«Cosa ha in mente di fare?», sussurrò quando terminai. Lanciò un'occhiata a Ryan che adesso era in piedi sulla veranda. Scrollai le spalle. «Non è giusto, Ash…». Mi guardò negli occhi, e mi venne da piangere. «Lo sai che per te farei qualunque cosa».

«A parte amarmi», osservai con sarcasmo. Aprì la bocca per rispondere, ma fui più veloce di lui. «Senti, "no" lo sai dire, giusto? So bene che rischi di perdere il posto, se mi aiuti».

«Rischio di perdere molto di più se rifiuto...». Daniel si avviò verso la veranda e aprì la porta di casa. «Ryan, c'è una camera vuota in fondo al corridoio, sulla sinistra. Vai a letto».

Ryan sorrise e diede una pacca sulla spalla di Daniel. «Mi sei sempre piaciuto, prof. Non sei omo...». Fece una pausa e rise da solo. Poi si fermò un istante e con faccia seria aggiunse: «Be', forse lo sei solo un po'».

E detto questo, Ryan entrò in casa. Daniel mi guardò e fece un cenno alla porta. «Forza. Fuori si gela». Non mi mossi. Daniel mi guardò ancora con sguardo perplesso. Io alzai il viso verso il cielo e guardai i fiocchi che cadevano fitti su di noi, poi mi voltai. «Questo però non vuol dire che non ti odio più. Ti odio ancora».

«Lo so».

Un altro piccolo passo. «Ma un po', pochissimo, mi piaci, perché gli hai dato un letto».

Con "odio", però, intendevo dire "amore". E con "un po', pochissimo" intendevo "tanto".

Capitolo 27
Ashlyn

Cerca di stare meglio,
o almeno cerca di stare bene.
Sia quel che sia, sarò al tuo fianco.

Romeo's Quest

Entrammo in casa e trovammo Ryan nel letto sbagliato. «Be', è andato dritto a sinistra, in effetti», sussurrò Daniel guardando Ryan addormentato nel suo letto, e scoppiamo a ridere. «Be', allora tu puoi prendere la stanza degli ospiti».

«Io dormo sul divano», proposi.

Ovviamente rifiutò. Mentre andava a prendere altre coperte e un cuscino per me, mi distesi esausta in un angolo del suo letto, afferrai il mio telefono e scrissi a Henry. Mi aveva già mandato qualche messaggio, ma fino a quel momento non ero riuscita a rispondere.

Io: Stiamo bene. Siamo al sicuro.
Henry: Grazie a Dio. Vi chiamo domani. Buonanotte, Ash.
Io: 'Notte.

Qualche minuto dopo, alzai gli occhi e vidi Daniel di ritorno. Sistemò coperte e cuscini sul comò e mi fissò. «Seguimi, solo per un istante, ti giuro». I suoi occhi ardevano come braci, ma di colore azzurro. «Ho qualcosa per te».

Mi guidò lungo il corridoio e si fermò davanti al suo bagno. Aprì la porta e fece un passo indietro.

«Ti ho preparato un bagno caldo», annunciò, facendo un cenno verso l'interno. «Randy ha dei sali da bagno e un bagnoschiuma profumato nel suo cassetto. Ogni tanto cerca di convincermi a fare un bagno con qualche olio profumato antistress». Ridacchiò divertito. «Ti ho preso un paio di pantaloncini e una maglietta delle mie, da usare come pigiama. Sono sul comò, assieme alle coperte».

Lo guardai. «Perché sei così gentile con me, Dan?».

Non rispose subito. Abbassò il capo e immaginai stesse cercando le parole giuste. «Non confondere il mio allontanamento con l'indifferenza. In realtà, è esattamente l'opposto». Poi mi invitò a entrare in bagno e chiuse delicatamente la porta.

Poggiai la mano sulla porta, gli occhi chiusi. «Sei ancora lì?», sussurrai. E quando non sentii altro che silenzio, mi scappò un piccolo gemito di paura.

«Ancora qui».

Sospirai e mi tolsi i vestiti. Nella vasca galleggiavano delle piccole margherite, e l'acqua era invasa dalla schiuma profumata. «Daniel», sussurrai, portandomi una mano al petto.

Infilai per primi i piedi nell'acqua, e poi tutto il corpo. Era calda, ma non rovente. Confortevole. Rilassante. Chiusi gli occhi e feci un respiro profondo, immergendomi fino al collo.

Mi voltai verso la porta del bagno: dall'altra parte, qualcuno stava suonando i primi accordi di una canzone. Il cuore mi balzò in gola quando la voce di Daniel giunse alle mie orecchie.

> L'eterno mi spaventa, perché non arriva mai.
> Ma non provo nessuna paura quando lei sussurra il suo nome...

Impossibile fermare le lacrime. La sua voce era dolce, e sembrava molto lontana. Ma allo stesso tempo, sentivo quelle parole nel mio cuore, nella mia anima.

Il mondo gira più veloce di me,
ma lei rallenta il tempo.
L'ho persa quando ho preso strade sbagliate.
L'ho persa a causa di segreti indicibili.
L'ho persa, perdendo me stesso.
E adesso, per favore, qualcuno mi aiuti in questa ricerca
mi aiuti a trovare, trovare, trovare, trovare
La mia Giulietta.

Poggiai la testa sul bordo della vasca, persa in quelle parole. Daniel continuò a suonare. Una sensazione di pace mi invase e ricordai di quando Gabby suonava la chitarra per me, nei momenti bui, quando ero giù per qualche motivo. Come sarebbe stato bello se avesse potuto suonare per Ryan! Mi toccai i polpastrelli ormai avvizziti, dopo quasi un'ora nell'acqua. Mi alzai, mi avvolsi un asciugamano intorno al corpo e mi osservai allo specchio.

«Mi manchi, Gabby», sospirai. Potevo ancora vedere il suo riflesso nei miei occhi.

Mi passai le mani tra i capelli bagnati e un po' annodati, poi li sollevai, li legai con un elastico che avevo intorno al polso e feci un frettoloso chignon. Mi tamponai la pelle con l'asciugamano e cominciai a vestirmi. I pantaloncini di Daniel mi stavano troppo grandi, ma allo stesso tempo sembravano fatti apposta per me. Quando spiegai la maglietta, i ricordi mi invasero. Guardai la manica tagliata e sorrisi, ricordando quella prima notte con lui. Tra noi c'erano ancora tanti segreti: erano così tante le cose che non aveva avuto il coraggio di dirmi! Ma alla fine della giornata, i problemi si facevano da parte per lasciare spazio al Daniel di quella sera al locale, al ragazzo che aveva aiutato una ragazza a uscire dal baratro.

Quando aprii la porta del bagno, era lì davanti. Aveva appoggiato la chitarra al muro e mi sorrideva.

«Dovremmo parlare», dissi.

Annuì e frugò nella tasca. Tirò fuori il coltellino del padre e me lo passò. «Forza, Ryan ha bisogno di te».

Guardai in fondo al corridoio, verso la stanza dalla quale proveniva un pianto sommesso. Mi agitai. «Cosa devo dirgli?»

«Non devi dirgli niente. Rimani solo lì con lui».

Mi avviai a passi lenti, terrorizzata per il mio amico. Quando entrai in camera, lo vidi: era accasciato sul letto, il volto nascosto nel cuscino, il corpo scosso da singhiozzi sotto le coperte e le lenzuola.

Mi sedetti accanto a lui. Ryan sollevò gli occhi rossi e stanchi su di me, allora tagliai l'altra manica della T-shirt e gliela offrii. Lui mi guardò perplesso, ma capì: la prese e vi affondò il viso, singhiozzando pieno di dolore, più di prima. Intensamente. Lo abbracciai e lo strinsi a me.

«Va tutto bene, Ryan», mentii, sperando che un giorno quelle bugie potessero diventare realtà. «Tu sei perfetto. Sei perfetto...».

"Tu sei perfetto".

Capitolo 28
Daniel

Sfido la sorte, per avere un'altra chance.
Ma ho incasinato tutto a tal punto che,
non ti biasimerei se non mi volessi nemmeno più vedere.

Romeo's Quest

Non c'era una sola possibilità in tutto l'universo che riuscissi ad addormentarmi quella notte. Ashlyn e Ryan erano finalmente crollati verso le tre del mattino, e adesso erano le quattro. In piedi davanti al lavandino, stavo svuotando una bottiglia di vodka. Sul bancone della cucina c'erano bottiglie di whiskey, scotch e rum, tutte vuote. Quello che Ryan stava passando era una bomba a orologeria, e l'ultima cosa di cui aveva bisogno era svegliarsi nel cuore della notte e cercare di mettere a tacere le voci nella sua testa nel modo sbagliato. Avevo visto mio padre affrontare i problemi nello stesso modo, e l'ultima cosa che volevo era che anche Ryan imboccasse quella stessa strada senza uscita. Alcuni dei temi che aveva scritto a scuola mi aveva rivelato quanto fosse perso quel ragazzo, ma allo stesso tempo quanto coraggio custodisse dentro di sé. E speravo tanto potesse attingere a quella riserva.

A un tratto, udii la porta d'ingresso. Randy si fece avanti, seguito da Jace, che aveva uno zaino in spalla.

«Dan, che ci fai in piedi?», mi chiese Randy. Vide le bottiglie vuote sul bancone. Poi, mi lanciò un'occhiata perplessa. «Che succede?».

Jace era completamente sudato, gli occhi iniettati di sangue.

Non indossava nemmeno un cappotto, con il freddo che c'era. Il modo in cui giocherellava con le mani e strabuzzava gli occhi mi fece andare subito il sangue alla testa. Era strafatto. Randy notò il mio sconcerto. «L'ho trovato che gironzolava per Edgewood. Non potevo lasciarlo lì, così ho pensato...». Jace si avvicinò al tavolo della cucina e prese una sedia, quindi si sedette e poggiò la testa sul tavolo. «Non la smetteva più di cianciare di questo Red. Danny, non pensi che si stia drogando di nuovo?», mi chiese Randy avvicinandosi a me. Non dissi nulla. E il mio silenzio fu una risposta sufficiente. «Merda». Randy aggrottò la fronte.

«Randy, lasciami due minuti da solo con lui», ringhiai. Il mio amico annuì e uscì dalla stanza.

Jace sollevò leggermente la testa e rise piano. «Oh, fanculo. Non farmi uno di quei discorsi da fratello maggiore per favore. "Sono arrabbiato con te", e blablabla. Risparmiamelo». Ridacchiò ancora. «Comunque, ho visto la tua amica alla festa. Davvero fica».

Ero furibondo e sferrai un pugno sul bancone della cucina. «A quanti dei miei studenti hai spacciato stasera, eh? Oppure te la sei sparata tutta tu?»

«Vaffanculo, Danny», mormorò Jace abbassando la testa.

"Ha ragione. Fanculo, Danny". Mi avvicinai al tavolo e afferrai lo zaino.

«Mollalo!», urlò, cercando di strattonarmi e riprendersi la borsa. Alzai gli occhi al cielo: Jace non riusciva ad averla vinta con me quando era in sé, figuriamoci quando era completamente strafatto. Era una scena comica: gli diedi una spinta prima che potesse fare un passo, aprii lo zaino e vidi i sacchetti colmi di pasticche. «Sei così stupido, cazzo!», urlai dirigendomi verso il lavello. Stava bighellonando per strada, fuori di sé, con tutta quella droga sulle spalle. Chiaramente non ci stava proprio con la testa.

«Porca puttana, Danny, guai a te se lo fai!», gridò Jace impazzito e in un batter d'occhio si alzò dalla sedia, rovesciandola. Azionai il tritarifiuti e svuotai un sacchetto nello scarico del lavandino.

«Sei pazzo, Dan! Non ti rendi conto di quanta roba sia!», urlò avvicinandosi e riprendendosi lo zaino. «Red mi ammazzerà! Red mi ammazza, Danny! Per colpa tua!».

«No, hai fatto tutto tu, Jace. Non mettermi in mezzo!». Riempii un bicchiere d'acqua e glielo lanciai in faccia. «Svegliati, Jace! Torna in te, Cristo!».

Mi sputò sui piedi. «Vai all'inferno».

«Fuori di qui».

«Questa è casa dei miei, fino a prova contraria!». Barcollò, ma non cadde. «Posso rimanere quanto mi pare!».

Gli afferrai un braccio e lo trascinai di peso fino alla porta, spingendolo fuori. «Puoi stare nella rimessa della barca. Ma giuro su Dio... se porti di nuovo quella merda a casa di mamma e papà, ti faccio arrestare».

Ricominciò a torturarsi le mani e a scuotere la testa avanti e indietro. «Spero ti sia divertito con la tua studentessa. Perché se mi fai mettere dentro, ci finite pure voi due».

Sbattei la porta e sferrai un calcio al portaombrelli. «Fanculo!», imprecai, passandomi le mani sul viso. Quando aprii gli occhi, sulla porta della cucina c'era Ashlyn. Sembrava spaventata. «Hai incontrato il mio fratellino sballato?», chiesi e cominciai a ridere, nervoso.

«Avrei voluto farne a meno». Oscillava avanti e indietro, impercettibilmente. «Ti ha ricattato, vero? Per questo devi starmi lontano?»

«Voleva distruggere la tua reputazione Ashlyn...».

Mi si fece vicino e mi carezzò una guancia. Poi si alzò sulla punta dei piedi e mi baciò.

«Andiamo a dormire», disse.

«Ashlyn», cercai di fermarla, ma le sue dita si posarono sulle mie labbra.

«No. Non adesso. Non cercheremo di risolvere nulla adesso. Non ho voglia di piangere, né voglio che tu ti rompa la testa su una soluzione che a quest'ora non riusciremo a trovare. Non voglio preoccuparmi per Ryan, né che tu ti stressi per colpa di Jace. Andremo a letto. Metterò su uno dei tuoi CD, poi spegnerai la luce e ci spoglieremo a vicenda. Ci infileremo sotto le coperte. E tu farai l'amore con ogni centimetro del mio corpo, della mia mente, del mio spirito finché non sorgerà il sole, tra qualche ora. Alla luce del giorno risolveremo tutto. Nell'oscurità, adesso, voglio solo stare abbracciata a te, e basta».

Non si rendeva nemmeno conto di quanto la amassi. A parole non si poteva esprimere. Così giurai a me stesso che avrei usato il linguaggio del corpo per dimostrarglielo. L'avrei amata in tutti i modi, in tutte le posizioni, l'avrei amata lentamente, profondamente, con tutta la passione possibile. L'avrei amata con allegria, tristezza, e gioia, finché il sole non avrebbe ballato sul davanzale della nostra finestra.

* * *

Ashlyn si avvicinò alla mia collezione di CD, ne scelse uno e lo infilò nello stereo. Quando sentii la mia musica uscire dalle casse, mi scappò da ridere.

«Non hai trovato niente di meglio?», chiesi.

Il suo corpo cominciò a muoversi in una danza ipnotica, seguendo il ritmo di quei suoni che conoscevo così bene. Non ci volle molto per capire che la musica era parte di Ashlyn. Poi lentamente sollevò la maglietta, mostrandomi la sua pelle perfetta.

Feci per spegnere le luci, ma lei scosse la testa. «Accese».

Accese, va bene.
«Trivial Shakespeare?», propose.
Io risi. «Cosa? Adesso? Dici sul serio?».
Sorrise e annuì decisa.
«Perché, sai, adesso volevo solo strapparti quei vestiti di dosso e fare l'amore con te fino a domani».
Ridacchiò. Ci rifletté un momento, indecisa, ma poi i suoi occhi brillarono. Si passò la lingua sul labbro inferiore e scosse la testa. «Trivial Shakespeare».
"Trivial Shakespeare" era un gioco che si era inventata Ashlyn: aveva poche regole. Regola numero uno: una persona fa una domanda relativa a un'opera di William Shakespeare. Regola numero due: l'altra persona deve indovinare di quale opera si tratta. Se dà la risposta corretta, il primo giocatore deve togliersi un indumento. Se sbaglia, si tiene l'indumento fino al prossimo turno.
Ci mettemmo faccia a faccia, e Ashlyn continuò a muoversi ipnoticamente, sul volto aveva un sorriso radioso. Si alzò la maglietta sopra l'ombelico, maliziosa, e cominciò.
«"I codardi muoiono molte volte prima della loro dipartita; gli audaci non conoscono la morte che una volta sola"».
Ridacchiai, grattandomi il mento. «*Giulio Cesare*».
La sua maglietta si sollevò, salì oltre il suo meraviglioso seno e atterrò sul pavimento. Ashlyn, con indosso solamente un reggiseno rosa, mi guardava dritto negli occhi. Per un momento, rimasi incantato dalle sue splendide forme. Ashlyn Jennings era una dea e io ero solo un uomo, completamente sopraffatto da lei. Non c'era alcun dubbio nella mia mente: l'unica cosa che dovessi fare nella vita era amarla.
«Daniel», ridacchiò, arrossendo sotto il mio sguardo.
Toccava a me. «"Se la musica è cibo dell'amore suonatene in eccesso"».
Fece correre le mani lungo il corpo, mentre rifletteva. Io

sentivo i miei jeans tirare, mentre osservavo i suoi movimenti sensuali.

«*La Dodicesima notte*», rispose.

Mi tolsi la camicia e la lanciai nel mucchio ai nostri piedi. La sentii gemere leggermente, mentre mi guardava. I suoi occhi erano assettati, e mi ripromisi di esaudire quanto prima quel desiderio. Si morse un labbro, e io non volevo altro che stringere il suo corpo contro il mio. Ma decisi di essere paziente.

«"Il silenzio è l'araldo più perfetto della gioia"», disse, citando un verso di *Molto rumore per nulla.*

Quando diedi la mia risposta, annuì due volte. Infilò le dita nell'elastico dei pantaloncini e li fece scivolare aiutandosi con il movimento delle gambe. Poi, con la punta di un piede, li sollevò e li lanciò in cima agli altri indumenti.

«"La mia generosità è come il mare e non ha confini, e il mio amore è altrettanto profondo: ambedue sono infiniti e così più do a te e più ho per me"». Ripetei queste parole, che significavano molto più di quello che avrei mai saputo dirle. I suoi occhi si riempirono di lacrime e si portò una mano sul cuore. «Non piangere», le dissi sorridendo.

«Piango un sacco», replicò con un sorriso, scrollando le spalle. «È bene che tu lo sappia e lo accetti», continuò mentre le lacrime le scorrevano sulle guance. *Va bene, lo accetto.* Sospirò. «*Romeo e Giulietta*».

Mi sbottonai i jeans e aprii la cerniera, ma Ashlyn alzò un dito per fermarmi. La guardai senza capire. In punta di piedi mi raggiunse, afferrò i jeans e li fece scivolare lungo le mie gambe, sempre più giù, abbassandosi man mano che i pantaloni raggiungevano le caviglie. Le sue labbra si fermarono all'altezza dell'elastico dei boxer, e proprio in quel punto mi diede un piccolo bacio.

Il mio corpo reagì al suo respiro caldo contro la pelle, e ancora di più quando Ash cominciò a far scivolare giù anche i boxer, continuando a baciarmi e poi a leccarmi la pancia. La sua lingua danzava sul mio corpo, e il mio desiderio cresceva alimentato da quel contatto con la sua bocca umida. *Solo per lei.*

«Solo per te», sussurrò mentre le sue mani si muovevano lievi sulla stoffa dei boxer e mi cercavano senza più timore. Chiusi gli occhi, facendo un respiro profondo. *Solo per me.*

«Ash...», sussurrai. Le cinsi le spalle, stringendola ancora più a me. La guardai dritto negli occhi verdi, poi la tirai su e la baciai, cercando la sua lingua. Tenendola per la vita la guidai verso il muro, e con foga poggiai tutto il peso del mio corpo sul suo. Ormai respiravamo e gemevano come una cosa sola, mentre Ash muoveva i fianchi avanti e indietro, sotto di me.

«Mi ami?», mi chiese con voce roca e ansimante.

«Sì», mormorai mentre le baciavo il collo, mordicchiandole la pelle.

«Dimostramelo», sussurrò e si sfilò le mutandine, lasciandole cadere sul pavimento. «Dimostrami quanto mi ami».

Feci scivolare le braccia dietro la sua schiena e le slacciai il reggiseno, lasciandolo cadere con il resto. Poi infilai una mano sotto la sua coscia destra e la sollevai, portandola attorno alla mia vita e, quando mi appoggiai a lei, Ash urlò di piacere e di attesa.

«Ti amerò lentamente...», cominciai, facendo scivolare le mie mani sulle sue cosce. Fu allora che mi spinsi dentro di lei, incapace di resistere ancora a quel dolce invito. Ash schiuse la bocca e io mi fermai, in attesa che mi accogliesse completamente dentro di sé. «Ti amerò profondamente». Sollevai anche l'altra gamba, la avvolsi intorno al mio fianco e cominciai a succhiarle il lobo morbido, lentamente. «Ti amerò silenziosamente», le sussurrai. Cominciai a muovere i fianchi, il mio respiro sempre più pesante, affamato. «Ti amerò energicamente». Ash lasciò cadere la testa contro il muro, ormai persa. «Ti amerò incondizionatamente». Le mie labbra corsero al suo seno, baciandolo, leccandolo, succhiandolo. Mordicchiai il capezzolo sinistro, e poi lo leccai ancora, senza sosta, prima di mordicchiarlo di nuovo, mentre lei mormorava il mio nome e si muoveva sempre di più.

«Ti amo, dolcemente e violentemente, lentamente e velocemente. Prima e dopo». Sorreggendola e tenendola stretta a me la portai sul letto, dove ci sdraiammo, ancora uniti. «Sono nato per amarti». I nostri fianchi si muovevano ritmicamente adesso, i nostri corpi divennero uno solo. Il suo amore soffiava nuova vita dentro di me, in quel momento.

Prima di lei, non avevo mai conosciuto la vita. Dopo di lei, non sapevo più cosa fosse la morte.

I nostri corpi divennero una cosa sola molte volte, quella notte, con i piedi puntati contro il materasso, e i cuori che bussavano contro i petti. Nient'altro ci importava del mondo. Tutti i problemi scomparvero e rimasero chiusi fuori da quella camera da letto, nel freddo di quel dicembre. Chiudemmo fuori tutti i rumori, tutte le sofferenze, e ci amammo finché gli occhi non ci si chiusero. E poi la amai anche in sogno.

Capitolo 29
Ashlyn

Ti scriverò, quando sarai sola,
se tu mi scriverai quando avrò paura.
E ti amerò anche quando al mondo non ci sarà altro che disperazione.
Perché il nostro amore ha due ali
e non conosce la morte.

Romeo's Quest

La mattina dopo, i raggi del sole purtroppo mi riportarono alla realtà: non ero affatto pronta ad affrontarla. Mi mossi piano sotto le coperte e chiusi gli occhi un'ultima volta, cullandomi nel ricordo della notte passata con Daniel, di quanto mi avesse fatto sentire al sicuro, e quanto fosse stato liberatorio quello che avevamo vissuto insieme.

Poi il trillo di un messaggio sul mio telefono mi obbligò a riaprire gli occhi. Mi misi seduta, ancora nuda, e mi strofinai la faccia, poi mi voltai e controllai l'altra metà del letto: "È ancora qui". Mi rincuorò sapere che stava ancora dormendo in pace, e per un istante contemplai il suo respiro che gli faceva abbassare e alzare il petto.

Ding. Ding. Ding. Il telefono trillò altre tre volte. Allungai una mano verso la cassettiera e sussultai: il finto pacchetto di sigarette di Ryan era lì. Lo presi delicatamente, quasi avessi paura di romperlo, e lo aprii: conteneva un biglietto. Distolsi lo sguardo, la testa che girava, e rimasi immobile per alcuni secondi, senza trovare il coraggio di leggerlo. Il telefono trillò di nuovo. «Daniel, svegliati». Ma lo sussurrai troppo debolmente, e lui si mosse a malapena. «Daniel», dissi a voce più alta, impietrita. «*Svegliati!*».

Ding. Daniel si voltò verso di me e aprì gli occhi, guardandomi mentre scuotevo la scatolina di cartone tra le mani. Sapevo che avrei dovuto leggere i messaggi sul telefono, ma non ci riuscivo. Avevo paura. Quando si accorse della preoccupazione nei miei occhi, finalmente Daniel si sedette appoggiandosi al cuscino.

«Che succede?»

«Qualcosa non va», mormorai. Avevo sempre più paura e cominciai a tremare.

«Tesoro...». Mi posò una mano sul braccio. «Dimmi».

«Controlla il mio telefono, per favore», lo pregai.

Si sporse oltre di me e prese il telefono dal cassettone. Lo accese e lesse i messaggi. «Sono da parte di Henry e Rebecca».

«Leggimeli, ti prego».

«Ash, Rebecca vuole che tu e Ryan torniate a casa», rispose. «Dice: "Ash, dove siete?"». Tacque. «"Ashlyn, sono Rebecca. Per favore, di' a Ryan di tornare a casa..."». Altra pausa. «"Perché non rispondete? Per favore. Ti scongiuro. Ho chiamato quindici volte. Riporta il mio bambino a casa, per favore..."». Non erano finiti. «"Ashlyn, state bene?! Siamo preoccupati"».

C'erano ancora decine e decine di messaggi. Rebecca voleva che Ryan tornasse a casa. Ci aveva dormito su e aveva capito i suoi errori. E se fosse stato troppo tardi?

«Se ne è andato», annunciai in lacrime, scuotendo il finto pacchetto di sigarette tra le mani.

Daniel mi guardò, confuso dalla mia reazione. «Ash... va tutto bene. Vogliono che torni a casa». Mi accarezzò i capelli e mi baciò la fronte, ma non riuscivo a essere ottimista.

«No, non va bene per niente». Continuai a singhiozzare: sentivo che qualcosa non andava, provavo la stessa sensazione che avevo provato quando Gabby... Scossi la testa. Non potevo nemmeno pensarci.

«Dobbiamo vestirci», mi spronò Daniel. Uscì dalla stanza e tornò con gli abiti che indossavo il giorno prima. Ma io non riuscivo nemmeno a sollevare le gambe per alzarmi, così, con grande pazienza, cominciò a vestirmi lui: m'infilò tutti gli indumenti uno per volta come fossi una bambina, e quando fui pronta mi sentii morire.

Attraversammo il corridoio ed entrammo nella camera di Daniel. Il letto era vuoto. «Se ne è andato, Daniel. Me lo sento». Lui non rispose, ma quando controllammo il giardino e vedemmo che la macchina di Hailey non c'era più, si agitò. Poi, d'un tratto, scorgemmo uno zaino che giaceva per terra, sulla veranda.

«Aveva dei soldi con sé?», chiese Daniel parlando a voce bassa.

Non riuscivo a ragionare. Mi ripeté la domanda, questa volta alzando la voce e scandendo le parole.

«Henry gli aveva dato trecento dollari…».

«Jace…», mormorò prima di correre verso la rimessa della barca.

Gli corsi dietro. La saracinesca del capanno era aperta e Daniel entrò nella barca. Sul ponte c'erano dei soldi: trecento dollari. Suo fratello stava ancora dormendo, e Daniel iniziò a scuoterlo.

«Jace! Ti giuro su Dio, se hai…».

Jace aprì gli occhi, sbadigliando. «Cosa diamine vuoi?»

«Hai venduto della roba a un ragazzino! *A un mio studente*, Jace!», urlò gettandogli lo zaino in faccia. Mi sentivo svenire. «L'incidente di Sarah non è stata colpa tua. Nemmeno la morte di mamma. Ma giuro su Dio, se succede qualcosa a quel ragazzo, te la faccio pagare! Sarà solo colpa tua, Jace! Mi hai capito?».

Jace si mise seduto, ancora mezzo addormentato. «Ma di cosa diamine stai parlando? Danny, non so niente…».

«Dobbiamo andare», mi incitò Daniel, aiutandomi a scendere dalla barca. «Se muore, Jace… Se muore, è colpa tua. *Solo tua*».

Se muore? Cominciai a piangere di nuovo. Perché sapevo che era già morto.

Capitolo 30
Ashlyn

#56. Lasciarlo andare.

Ashlyn,

la notte scorsa ho sentito il professor Daniels litigare con suo fratello, parlavano di droghe. Ho preso un po' di quelle pasticche. Per favore, digli che gli ho lasciato i soldi.

Volevo svegliarti, ma sembravi così felice accanto a lui. Anche lui sembrava più sereno. Non lasciare che questa felicità svanisca, se c'è qualcuno che se la merita, questa sei tu.

Puoi bruciare la scatolina di cartone per me?

Ricordare non mi servirà più.

Per favore, di' a Hailey che ci sarò,

per sempre.

Ryan

Capitolo 31
Ashlyn

Un'esplosione stellare, e poi la mia nascita.
Piacere, sono Tony.

Ryan Turner

L'articolo del giornale era una lugubre eco di quello di suo padre:

Ryan Turner, figlio di Rebecca Turner, è morto in un violento incidente stradale all'incrocio tra Jefferson Avenue e Pine Street.

A volte la storia si ripete. Quella sera, le anime piangevano in cielo e sulla terra.

Capitolo 32
Ashlyn

Non importa cosa provi,
quel che senti è tutto vero.

Romeo's Quest

Il funerale fu come tutti gli altri: triste, doloroso, disperato. Rebecca, in un angolo, scambiava qualche parola con il sacerdote, mentre Henry si occupava di salutare e ringraziare coloro che avevano deciso di partecipare. Vennero in tanti, e la nostra classe si presentò quasi al completo. Tra la folla notai anche Avery: in piedi, accanto a Hailey, sembrava una maschera tragica, mentre lei lo abbracciava in silenzio, forse incapace di trovare altre parole di conforto.

«Salve a tutti, sono padre Evans. Siamo pronti per cominciare, accomodatevi dentro, grazie».

Mi accarezzai il vestito nero, lo stesso che avevo indossato al funerale di Gabby. Quel giorno mi ero ripromessa di non piangere, perché già troppe lacrime erano state versate in ospedale, e poi in macchina, e a casa. Così, avevo deciso di fare del mio meglio per essere forte almeno in chiesa: qualora gli altri fossero crollati, io li avrei sostenuti. Presi posto in prima fila, tra Hailey e Rebecca, che dal giorno dall'incidente si era chiusa in un silenzio affranto. La guardai e le strinsi affettuosamente un ginocchio, mentre batteva nervosa il piede sul pavimento, e cercai di immaginare cosa stesse provando in quel momento: doveva sentirsi in colpa per aver cacciato Ryan di casa e averlo isolato, e forse desiderava esserci stata lei in quell'auto al posto del figlio. Forse, era morta dentro.

Arrivò infine il momento di dedicare qualche parola a Ryan, alla sua breve vita e ai ricordi che lo vedevano protagonista. Molte persone uscirono dalla chiesa: chi in lacrime, chi invece sollevato per la fine imminente del funerale. Mi voltai impaziente verso Hailey: poco prima mi aveva confessato di volere dire qualche parola in memoria del fratello, ma ora teneva gli occhi bassi e non sembrava intenzionata a raggiungere il microfono.

«Non posso… non ce la faccio», sussurrò mentre una lacrima le scendeva sul viso, poi si alzò e uscì dalla chiesa. Rebecca tremava sempre di più, e quando cominciò a respirare a fatica, capii che stava per avere un attacco di panico. Mi feci ancora più vicina e le sussurrai nell'orecchio: «Ti voleva bene. E te ne vuole ancora. Piangi, se vuoi». Annuì, mentre le lacrime le rigavano il viso. Il respiro pesante man mano si alleggerì finché non ricominciò a respirare normalmente.

Mi voltai, incerta se raggiungere Hailey fuori dalla chiesa, e incrociai gli occhi lucidi di Jake, seduto su una delle panche in fondo. Mi salutò con un cenno del capo, poi si alzò subito e uscì anche lui.

Quando padre Evans invitò un'ultima volta i presenti a ricordare Ryan, Daniel raggiunse il leggio e mi guardò con occhi scuri e colmi di compassione, poi infilò una mano nella tasca dei pantaloni scuri e tirò fuori un biglietto piegato in due.

«Non ero certo di riuscire a stare qui, davanti a voi, oggi», lesse commosso. «Ho conosciuto Ryan Turner solo per un semestre – era un alunno del mio corso di inglese – ma per innamorarsi di lui bastava un solo giorno. Ryan era un ragazzo gioioso, saggio e intelligente, e mi è bastato leggere il suo primo tema per rendermi conto di quanto fosse profondo e originale. Di quanto fosse *unico*. All'inizio la classe di Ryan doveva svolgere questo esercizio...». Daniel fece una pausa e si schiarì la voce, ma le lacrime stavano prendendo il sopravvento. «Scusatemi», mormorò, allontanandosi dal microfono e sfregandosi il volto con le mani. Quando tornò tra noi, aveva gli occhi rossi: lo stesso colore della sua anima sanguinante. «Dicevo... in questo compito che assegno sempre all'inizio dell'anno chiedo agli studenti dove si immaginano tra cinque anni. Chi vogliono essere. Ho qui le risposte di Ryan, che mi piacerebbe leggervi». Raddrizzò la schiena e spinse le spalle all'infuori, poi fece un respiro profondo. «"Cosa voglio essere da grande? Caro prof, per quelli della mia età questa è una domanda troppo difficile. La vita è dura, e gli adulti non ci ripetono altro che questo è il momento migliore, che passerà in fretta. Io, dal canto mio, sto facendo del mio meglio per scoprire cos'è che fa andare avanti le persone, cos'è che li spinge a cercare di migliorarsi. Fede? Speranza? Passione?

"Io sono omosessuale, prof. Non ho mai confessato queste parole a un insegnante, ma quando lei è entrato in classe, il primo giorno di scuola, era così nervoso ed emozionato che ho capito subito che avrei potuto fidarmi, perché come me nasconde qualcosa che le fa paura. Così ho pensato che avrei potuto condividere il mio segreto con lei. Ma in fondo, le chiedo, che importanza ha il mio orientamento sessuale? Ci sono così tante altre cose che parlano di me... Mi piacciono i temporali. Adoro il baseball. E sono fermamente convinto che esista solo un tipo di musica: quella rock! Ho gli occhi azzurri, odio i piselli, il mio sangue è rosso proprio come quello degli altri e il mio cuore, a volte, va in frantumi. Scommetto che succede anche a lei, vero?

"Sa cosa non riesco a capire, prof? Non capisco come sia possibile che le persone che dovrebbero amarti di più, e incondizionatamente, siano proprio quelle che ti voltano le spalle con più facilità. Ci ho messo un po' per convincermi che una certa persona, a me molto vicina, non mi ha davvero respinto, né in cuor suo mi incolpa davvero per la morte di mio padre. Mi vuole bene, lo so per certo, ma non riesce ad accettare i tanti modi diversi in cui può funzionare l'amore. Modi che solo noi ragazzi riusciamo a comprendere fino in fondo, prima che l'età adulta porti via con sé tutta la magia di questo sentimento. Essere un adolescente è una maledizione, ma anche un grande dono: è l'età in cui le favole cessano di esistere e smetti di credere a Babbo Natale, ma una parte del tuo cuore continua a sperarci ancora. È l'età in cui ogni emozione ti travolge e ti lascia senza respiro, l'età in cui gli altri non fanno altro che ripeterti che stai esagerando. In questo momento della mia vita nessuno riesce a capirmi, né lo psicologo della scuola, né la persona che le dicevo prima, né tantomeno gli altri.

"Prof, lei ci pone domande alle quali non sappiamo rispondere. Come ci vediamo tra cinque anni? Non ne ho idea, e la cosa che mi fa più paura, in questo momento, è decidere il mio futuro, scegliere cosa voglio studiare e trasformarlo nella mia vita perché non ho gli strumenti per farlo. Ci chiede chi siamo, poi. Be', nessuno sa chi è alla nostra età! Nessuno ha la più pallida idea di chi sarà tra cinque anni. Però l'ultima domanda è la mia preferita, l'unica a cui forse so dare una risposta: 'Chi vuoi essere?'"».

Daniel fece una pausa e mi guardò, poi lesse le ultime righe, le più potenti. «"*Vivo*. Voglio essere vivo, e non so spiegarle il motivo, visto quanto sa essere orribile a volte la vita. Forse è la fede, la speranza, o la passione, nessuna esclusa. Forse il mio cuore spera solo in un domani migliore che mi ripaghi di questo presente schifoso. Così, le rispondo nel modo più deprimente e adolescenziale che ci sia: da grande voglio essere vivo. E ora le chiedo, prof, cosa vuole essere lei quando crescerà? Ci pensi, perché non si smette mai di crescere, e raramente si smette di sognare"».

Daniel ripiegò il foglio e lo ripose in tasca, poi si avvicinò di nuovo al microfono e con un sorriso triste parlò ancora alla chiesa silenziosa. «Non so cosa né come voglio essere da grande. Ma so a chi voglio somigliare: al giovane uomo che ha scritto queste parole. Voglio essere come lui: senza paura. Voglio accogliere tutto quello che il futuro mi offrirà, voglio apprezzare i momenti tristi, le risate, voglio imparare a tuffarmi nella speranza e a nuotare nell'amore. Voglio essere vivo quando crescerò perché… non sono mai stato vivo in tutta la mia vita. E credo che il minimo che possiamo fare, per onorare la memoria di Ryan, sia cominciare a vivere sin da oggi, e perdonarci per tutto il presente schifoso in cui abbiamo indugiato».

* * *

Fuori, sui gradini della chiesa, Jake e Hailey aspettavano, mentre il vento invernale li schiaffeggiava in faccia. Ogni tanto Jake sussurrava qualcosa, e Hailey annuiva.

«Jake». Al suono della mia voce si voltò, e gli feci cenno di raggiungermi.

«È completamente distrutta, Ash», mi disse venendomi incontro.

«Lo so».

Mi fece un sorriso triste, e quasi mi spezzò il cuore. «Pensa che sia colpa tua».

«So anche questo».

Guardò in lontananza, le mani in tasca. «Oggi sono venuti tutti i ragazzi dell'ultimo anno a salutarlo. Lo sai che era stato eletto il re del ballo a scuola, l'anno scorso?». Fece un respiro profondo. «Come si arriva a sentirsi così soli, Ash?».

Non c'era una risposta, e pensai a quanto fosse ingiusto lasciare quella domanda in sospeso. Si prese il naso tra pollice e indice e chiuse gli occhi. «Ascolta, Ashlyn. So che probabilmente questo non è il momento giusto, ma...». Sospirò. «Il ragazzo a cui hai donato il tuo cuore... perché non è qui?»

«Hai ragione, Jake», replicai con voce tremante. «Ma non è il momento giusto».

«Capisco, ma...». La sua voce si spezzò. «Ryan è morto. E quando la gente muore, ti metti a riflettere su tutte le cose non dette... Sulle cose che hai troppa paura di dire. Probabilmente partirò a Natale, per le vacanze, me ne andrò a Chicago dai nonni, così volevo soltanto dirti...».

«Jake...».

«Che lo odio. Chiunque sia, lo odio perché oggi ti ha lasciato sola». Gli occhi mi si riempirono di lacrime. «Probabilmente pensi che ci provo con te solo per il tuo aspetto fisico. Sì, è vero, in un primo momento è stato così. Sei fantastica, Ash. Ma poi quel giorno durante la lezione di chimica abbiamo chiacchierato, e io ho capito che mi piace tantissimo parlare con te. E ho capito quante cose avevi da dire, e quanto il mondo meritasse di ascoltare quello che avevi da dire. E infine, quanto ti avrei amato, se tu me lo avessi permesso. Ho pensato che se mi fossi comportato meglio, se avessi smesso di fumare erba, o magari se avessi deciso di andare all'università e avessi cominciato a frequentare la biblioteca, allora forse mi avresti voluto bene davvero».

«Io ti voglio bene, Jake».

Rise. «Non dirmi queste stronzate da amica. Va tutto bene, è solo che... avevo bisogno di dirtelo. Nessun rancore, capito?».

Mi avvicinai e gli diedi un bacio sulla guancia. «Per favore, adesso abbracciami», gli sussurrai. Jake mi strinse a sé, e io mi aggrappai al suo petto. «Non lasciarmi ancora», e mi strinse ancora di più.

Dopo l'abbraccio, Jake rientrò in chiesa. Io mossi qualche passo incerto nella neve, verso Hailey. «Ehi».

Era immobile, le labbra strette. Sembrava concentrata su qualcosa oltre la strada, o forse fingeva soltanto.

«Hailey, sono così dispiac...».

«Sai cosa non capisco?», sbottò, girandosi verso di me. «Avresti dovuto essere con lui, in teoria». Il suo corpo era proteso in avanti, in atteggiamento di sfida. «Avresti dovuto controllare che stesse bene, per una notte. *Una notte sola!* Dove diavolo eri, Ashlyn?».

Nemmeno una parola: delle tante parole che c'erano al mondo, io non riuscii a trovarne nemmeno una e rimasi zitta. Hailey sospirò, e l'aria gelata sbuffò dal suo naso come una nuvoletta. «Appunto».

«Hailey... quando Gabby è morta...», cominciai.

«No!», sibilò furiosa. «Oggi non è il giorno del senso di colpa di Ashlyn. Oggi non si parla di Gabrielle. Ryan è morto! Avevi promesso, Ash!», urlò tra le lacrime, boccheggiando disperata. «Avevi promesso che saresti stata attenta a lui, e adesso non c'è più!». I singhiozzi spezzavano quelle parole che diventavano mormorii indistinti. «T-tu... tu fai soffrire chiunque ti stia accanto...», sibilò. Il suo sguardo si piantò sulla neve. No, non credeva davvero a quello che stava dicendo, non poteva.

Se c'era una cosa che ricordavo del funerale di Gabby, è che a volte il modo più semplice per esternare il proprio dolore è sfogarsi sugli altri.

«E adesso con chi mangerò a pranzo?», sussurrò attonita. Si portò le mani al volto e un gemito di dolore le sfuggì dalle labbra. «Mi dispiace, Ashlyn», disse scossa dai singhiozzi. «Non intendevo dire quelle cose».

La abbracciai senza pensarci due volte, e scossi la testa. «Non ci piacciono le scuse, ricordi?», citando quello che mi avevano detto lei e Ryan la prima volta che mi ero unita al loro tavolo, in mensa. «In fondo, nessuno è davvero cattivo».

«Theo non c'è», pianse sulla mia spalla. «È il giorno più brutto della mia vita, e non si è fatto vedere. Dice che è contro il suo sistema di valori. Cazzate, se vuoi sapere come la penso». Si scostò. «La cosa più triste è che venire qui in chiesa non mi è stato di nessun conforto. So bene che Theo è soltanto un cialtrone... ma io invece sto cominciando a capire tante cose del buddismo. E mi sta piacendo molto. Mentre questo», indicò con un gesto veloce la chiesa, «tutto questo per me non ha nessun senso».

«Ehi». Era Randy, che aveva deciso di partecipare al funerale per non lasciare solo Daniel dopo l'ennesimo lutto. Si avvicinò lentamente, temendo di interromperci. «So cosa si prova... quanto sia penosamente inutile una morte del genere. Hai solo voglia di vendicarti con il mondo intero per essersi portato via le cose che ami». Chinò il capo e si grattò una tempia. «Ho studiato buddismo per tanti anni. Se ti va, possiamo recitare una preghiera insieme».

Gli occhi di Hailey si riempirono ancora di più di lacrime. Stava per crollare di nuovo. «Non conosco nessuna preghiera. Non ho studiato tanto quanto te, ancora».

Randy le si fece vicino e le appoggiò le mani sulle spalle. «Va tutto bene, tutto bene». Le asciugò le lacrime. «La dirò io e tu mi seguirai».

Feci un passo di lato, e rimasi a osservarli. Randy le prese le mani e i suoi occhi scuri fissarono gli occhi azzurri di Hailey. «Questa è tratta dal *Bodhicaryāvatāra* di Śāntideva, "Capitolo della Devozione"».

Hailey tirò su con il naso. «Non la conosco...».

«Fa lo stesso. Ora chiudi gli occhi. Ti guido io».

E lo fece. Guardai quei due completi sconosciuti unirsi per darsi conforto l'uno all'altro in quel momento di dolore. Non si chiusero all'ignoto, ma lo accolsero insieme. Il respiro di Hailey si calmò, e continuò a tenere le mani di Randy.

«"Possano tutti gli esseri viventi vivere incommensurabili vite, possano essere sempre felici, e possa la parola 'morte' scomparire per sempre"», recitò Randy, e fu la benedizione più bella quel giorno.

* * *

Quando furono usciti tutti dalla chiesa, ci dirigemmo verso il cimitero. Daniel mi venne vicino per dimostrarmi quanto fosse partecipe del mio dolore, e cercando di non attirare l'attenzione su di noi: quei suoi gesti discreti e silenziosi per me significavano tanto. In cuor mio sapevo quello che provava per me, e questo mi bastava.

«Come stai?», sussurrò. Scrollai le spalle. Daniel sembrava triste. «Vorrei tanto poterti abbracciare Ash».

Gli sorrisi, e qualche lacrima scivolò su una guancia. Fece per asciugarmele. «Fermo...», sussurrai tirando fuori il fazzoletto. «C'è Henry», mormorai.

Annuì. «Ci vediamo dopo», e si avviò alla macchina.

Mi voltai verso il furgoncino di Henry, e rimasi di sasso quando vidi Jace che faceva capolino dietro il muro della chiesa. Si fermò, mi guardò e poi riprese a camminare nella direzione opposta. Lo inseguii, chiamandolo.

«Senti, va bene», sbuffò voltandosi verso di me. «Chiama la polizia. Fammi arrestare. Ma giuro su Dio che non c'entro niente con tutto questo! Non ho dato io la droga a quel ragazzino!». Prese a camminare avanti e indietro, la fronte madida di sudore nonostante l'aria gelata. «Non l'ho ucciso io!», urlò in un soffio. Non dissi niente. Rimasi in piedi, a fissarlo, i suoi occhi azzurri in preda all'angoscia. Si portò le mani sulla testa rasata e piegò le ginocchia, chinandosi al suolo. «Oddio. Ma l'ho ucciso io?»

«Hai i suoi stessi occhi», mormorai. Alzò lo sguardo, confuso. «Di Daniel. Avete gli stessi occhi azzurri».

«Li abbiamo presi da nostro padre». Si alzò in piedi. «Perché non avete chiamato la polizia?»

«Non sei un bambino, Jace. Se pensi di aver fatto qualcosa di sbagliato, prenditi la responsabilità». Mi sforzai di ridere. «E poi, sai, ho avuto una giornata davvero orribile, per cui...».

Rise e annuì. «Mi dispiace. Per tutto questo». Aveva gli occhi pieni di lacrime. «Sono così dispiaciuto, cazzo».

«Sì. Anch'io». Mi baloccai per un istante con qualcosa che forse non avrei dovuto dirgli, ma che gli avrebbe fatto piacere sentire. «Non aveva preso droghe». Mi fermai e spostai il peso sull'altra gamba. «Non hanno trovato niente, durante l'autopsia. Ryan si è schiantato contro quell'albero pienamente cosciente di quello che stava facendo».

«Non è stata colpa mia, quindi?», mormorò tutto d'un fiato, portandosi le mani alla testa. Scossi il capo in risposta. Un sorriso attonito gli si allargò sul viso, e prese a girare in tondo, incapace di stare fermo. Vidi una grossa lacrima scendere lungo la guancia. Sapevo che in quel momento non mi vedeva nemmeno: era da solo con se stesso.

«Mi ripulirò... Ci riesco davvero stavolta...», e le sue ultime parole si persero nel vento, verso le nuvole. «Voglio tornare nella band, magari mi faranno rientrare».

Se c'era un paradiso, sperai che le parole di Jace avessero preso la strada per raggiungerlo. E se c'era un Dio, sperai fosse in ascolto.

Capitolo 33
Daniel

Quanto male fanno gli addii
quando a dirli non sei tu?

Romeo's Quest

Era stata una lunga giornata. Al cimitero, Henry stringeva la mano a Rebecca, che assisteva alla cerimonia del figlio senza ormai più lacrime. Io le sedevo accanto e le presi l'altra mano, e sebbene sapesse a malapena che ero l'insegnante di Ryan, afferrò saldamente la presa e mi guardò grata.

«Grazie...», sussurrò.

Ashlyn abbracciava Hailey, si voltò e mi sorrise. Non mi davo pace. Non facevo che chiedermi cosa avrei dovuto fare con Ash. Le stavo rovinando la vita? E se in qualche modo la stessi mettendo in pericolo? Jace era pericoloso, e la gente con cui aveva a che fare anche di più. Mi rendevo conto che era un pensiero stupido, ma negli ultimi tempi ero andato a troppi funerali. E se fosse accaduto qualcosa a Ashlyn, non me lo sarei mai perdonato.

Jace aveva dato a Ryan quelle pasticche? Ryan sarebbe stato ancora vivo se non gli avessi permesso di dormire da me? Sarebbe stato vivo, adesso, se non mi fossi innamorato di una delle mie studentesse? Il senso di colpa mi toglieva il respiro. E una parte di me aveva ben chiari tutti i motivi per cui non avrei dovuto amare Ashlyn.

* * *

Non vedevo Ashlyn da quattro giorni, il periodo più lungo trascorso senza incontrarci da quando ci eravamo conosciuti. Ero seduto nella mia Jeep, fuori la biblioteca, ormai da quindici minuti. Il cielo era carico di nuvole tetre, e la neve cadeva a ritmo regolare. Poi la vidi, sotto la luce ambrata dei lampioni: camminava verso di me con un grosso sacchetto di carta tra le braccia. Aveva detto a Henry che avrebbe passato la notte a casa di un'amica, promettendogli che si sarebbe fatta viva ogni ora. Significava che potevamo stare insieme per circa quindici ore di fila, solo noi due, e quando la luce le illuminò il volto e la neve danzò sui suoi capelli pensai che un giorno tutto, in qualche modo, si sarebbe risolto. Perché avevo un disperato bisogno che tutto andasse per il verso giusto. Dopo il diploma, a giugno, avrei potuto gridare al mondo intero il mio amore per Ashlyn Jennings, l'unico modo in cui meritava di essere amata. Avremmo affrontato la questione università a tempo debito, ma non un giorno prima. Sì, il senso di colpa è un macigno che rischia di schiacciarti, ma la speranza è un'arma molto più potente.

Ashlyn salì in macchina e posò il sacchetto sulle gambe.

«Cos'hai lì?», le chiesi.

«Prima un bacio, poi le domande», rispose scuotendo la testa. Mi sporsi verso di lei e la baciai, sorridendo quando la sua lingua guizzò sulle mie labbra. «Allora, cos'hai nel sacchetto?», ripetei impaziente.

«La scatola di legno con le lettere di Gabby. E ci sono anche le lettere di Jake, Jose e Morgan per Ryan», rispose. «Stasera ci ubriachiamo e le apriamo tutte».

Alzai gli occhi al cielo. «Dài, dico sul serio. Cosa c'è nel sacchetto?». Mi lanciò uno sguardo malizioso. «Non penso che oggi sia la serata giusta per un progetto del genere, tesoro». Dalla faccia, era evidente che non dormiva da un paio di notti. «E poi tu non bevi nemmeno».

«È vero», sorrise. Mise una mano nel sacchetto e tirò fuori una lettera. «Ma a quanto pare per aprire la lettera #8 devo farlo».

«Ashlyn...», dissi serio, infastidito dall'idea che si sentisse male per una stupida bevuta. Non era ancora venuta a patti con la morte di Ryan, e avevo paura che un giorno o l'altro sarebbe crollata.

«Daniel: *divertirsi*. Ti dice qualcosa questa parola? Cerchiamo di rilassarci un po' stasera, va bene?»

«Va bene», risposi con un sospiro. «Vieni qui adesso». Era impossibile resisterle e desideravo stringerla da quando era salita in macchina. La attrassi a me cingendole la schiena con una mano, mentre con l'indice le sfiorai le labbra, ipnotizzato dalla loro perfezione. Ashlyn schiuse la bocca, mi leccò il dito e poi delicatamente iniziò a succhiarlo. Le afferrai la nuca e la baciai con passione. Ci guardammo negli occhi senza dire una parola, il mio cuore che batteva impazzito. «Ti amo».

«Ti amo», mormorò respirando a un centimetro dalla mia bocca, mentre le sue parole entravano dentro di me per rimanerci per sempre. Le diedi un ultimo piccolo morso sulle labbra, e lei rabbrividì mentre gemeva e ripeteva quasi tra sé e sé: «Ti amo, ti amo, ti amo...».

* * *

Quando arrivammo alla casa sul lago, le luci del salotto erano accese. Non era passato nemmeno un minuto, che le vidi: due donne in reggiseno camminavano avanti e indietro, dietro la finestra. *Merda*. Lanciai un'occhiata a Ashlyn, che doveva sicuramente aver notato come me quelle silhouette. Mi guardò e sorrise.

«Ci sono delle donne nude a casa tua».

Poi comparve Randy, a torso nudo. «Sì, non ci sono dubbi».

Un sorriso saputello spuntò sul suo volto. «Non per farmi i fatti suoi, professor Daniels... ma capita spesso?»

«No! No... è solo che... Be', in passato, Randy ha organizzato un paio di...».

«Di...?»

«Feste nudiste della musica».

Abbassai gli occhi. Silenzio. Non avrei voluto rialzarli mai più per non vedere la sua reazione. Poi una risata esplose improvvisa. «*Feste nudiste della musica?* Ommioddio! Siete due hippie!». Rideva così tanto che le lacrime le scorrevano sul viso.

«Cosa? No! È Randy il fricchettone. Io ero solo un ragazzo... in una stanza... in compagnia di qualche ragazza nuda». Ingranai la retromarcia e mi allontanai.

La mano di Ashlyn si posò sul mio braccio. «Non osare!», sibilò. «Voglio andare alla festa nudista!».

«Non penso proprio», replicai. Ash posò la busta di carta ai suoi piedi e cominciò a sbottonarsi il cappotto. «Ashlyn...», mormorai turbato.

«Parcheggia», mi ordinò, irremovibile.

«No», protestai, ma feci quel che aveva ordinato. Parcheggiai. Certo che parcheggiai: quando una ragazza stupenda comincia a spogliarsi nella tua macchina, tu parcheggi, maledizione! Rimasi in silenzio mentre la guardavo sfilarsi il cappotto, e poi fu il turno del maglione.

«"Ma siete sicuri che siamo svegli? A me pare che ancora stiamo dormendo, che sogniamo..."», e mentre recitava *Sogno di una notte di mezza estate* gettò il maglione sul sedile posteriore.

Fece scivolare le dita sul corpo, partendo dal collo, poi scese sulle clavicole e si fermò all'altezza del reggiseno. Chiuse gli occhi e la guardai mentre si toccava, la bocca schiusa per l'affanno.

«Mi stai uccidendo, Ashlyn...», mormorai, sempre più eccitato. Abbassò il sedile della macchina e si sdraiò, senza smettere di accarezzarsi. «"Qua e là, qua e là, li condurrò qua e là"», continuò. Le sue dita scivolarono lungo il petto e raggiunsero lentamente l'ombelico. Poi voltò la testa nella mia direzione e mi sorrise beata, gli occhi chiusi. Cominciò a sbottonare i jeans. «"In campagna e in città..."». Non potevo resistere oltre, e la toccai. Ashlyn spalancò gli occhi e schiuse la bocca, rapita nel vedere i miei occhi pieni di desiderio. Le sbottonai i pantaloni e glieli feci scivolare fino alle cosce, carezzando con la punta delle dita la pelle, e mi beai dei suoi gemiti.

«"Qua e là, dove Robin vorrà..."», dissi, completando la citazione. Sfiorai il bordo del suo reggiseno, soffermandomi sui capezzoli turgidi. Ashlyn sollevò le braccia dietro la nuca e afferrò il poggiatesta dietro di lei. I suoi respiri erano sempre più veloci, la sua eccitazione cresceva. Facendo scorrere le mie dita su di lei, infilai una mano nelle sue mutandine e sentii l'esplosione dei suoi gemiti. «"Eccone uno!"», le sussurrai all'orecchio.

Non invidiai Randy nemmeno per un istante: non avevo bisogno di nessun'altra ragazza, finché con me ci fosse stata Ashlyn. Non entrammo mai in casa, quella notte, e ci divertimmo molto alla nostra personale versione della Festa nudista. Solo per due.

* * *

Quando ci venne voglia di bere qualcosa, ci spostammo nella rimessa della barca, non volendo imbatterci in Randy e le sue groupie. «Entreremo più tardi. Non rimarranno in casa tutta la notte, le ragazze non rimangono mai a dormire», spiegai. Tirai fuori qualche coperta e ci sdraiammo sulla barca, poi stappai la bottiglia di whiskey. Ashlyn buttò giù il primo sorso, e quasi vomitò. Ma si rifiutò di smettere. Ogni volta che bevevamo un goccio insieme, faceva una smorfia così tenera che mi veniva voglia di baciarla. E poi rideva un sacco, come tutte le ragazze ubriache. Adoravo il suono di quella risata, ma dopo un po' allontanai la bottiglia da lei e la guardai severo. «Stop. Sei ubriaca».

Si sedette ben dritta, tastandosi le guance. «Oh! Dici?», replicò ridendo ancora più forte. «Okay», sghignazzò, frugando nel sacchetto di carta in cerca di qualcosa. «Ho qui due lettere che possiamo aprire! Numero ventisette». Osservò la busta, improvvisamente triste. «A volte mi sembra che siano le lettere a tenermi in vita...», sussurrò, «altre che mi stiano guidando sulla strada sbagliata». Poi scosse la testa e cominciò a leggere, inciampando tra le parole. «"Cara Ash, se stai leggendo questa lettera il giorno del tuo ventunesimo compleanno, sappi che sei proprio una fallita. Ma chi aspetta fino a ventun anni per bere? Se la stai leggendo prima dei tuoi ventuno anni, allora butta giù un altro goccio anche per me, ubriacona! Ti voglio bene da matti. Non cambiare mai. Gab"». Ashlyn si portò la lettera al petto e chinò il capo, ma i suoi occhi sorridevano. «Mi manca da impazzire».

«Manchi anche a lei».

«Pensi sia con Ryan, Daniel?». Tacque. «Credi nel paradiso? Cavolo, io non so se ci credo».

Mi schiarii la gola e poggiai i gomiti sulle ginocchia. «Credo nella possibilità che ci sia qualcosa di più di questo mondo. E credo che quei due siano insieme, al sicuro, e che non soffrano più».

Sospirò sollevata. «Scommetto che qualche volta giocano a Trivial Shakespeare».

«Be' ovvio. Che esci a fare con qualcuno, se poi non giochi a Trivial Shakespeare? Anche se sei morto, intendo».

Finalmente sorrise, e mi sentii subito meglio. Poi riempì altri due bicchierini e me ne passò uno. «Un brindisi per Gabrielle Jennings e Ryan Turner. Che possano chiacchierare in pace di William Shakespeare tutto il giorno». A Gabby e Ryan! Ashlyn prese la seconda lettera di Gabby. «Numero dodici... Fare sesso in macchina», rise nascondendo il viso tra le mani. «Non posso crederci, abbiamo fatto sesso nella tua jeep!».

Ridacchiai. «Due volte».

Mi guardò, i capelli scompigliati, selvaggi, perfetti. «Voglio fare l'amore con te due volte in ogni posto».

«Sei una porca!». Le baciai la fronte e le pettinai i capelli con le dita. Ash mi porse la lettera.

«Vuoi che la legga?», chiesi.

«Sicuro».

La aprii e risi.

«Allora, cosa dice?».

Voltai la lettera verso di lei, e sorrisi ancora di più.

#12. Fare sesso in macchina.
Porca!
G.

Ashlyn mi strappò il foglio dalle mani e fissò le parole scritte dalla sorella. Poi cominciò a ridere. «Che stronza!». Ma sapevo che stava pensando: "Ti voglio bene, Gab".

Capitolo 34
Ashlyn

Chiudi la porta e spogliati,
lasciami guardare fino all'ultimo dei tuoi segreti.

Romeo's Quest

Appena fummo in camera di Daniel, crollammo addormentati l'uno nelle braccia dell'altra. La mattina dopo, quando mi alzai, lui non c'era, e al suo posto era comparso un terribile mal di testa. Sulle lenzuola, accanto al mio cuscino, un vassoio con un vasetto di margherite, una scodella di cereali e marshmallow, due aspirine e un bicchiere di succo d'arancia mi stavano aspettando. Sorrisi mentre fissavo la luce del mattino riversarsi nella camera. Colazione a letto. Un'altra nostra prima volta. Buttai giù le aspirine con il succo proprio quando Daniel rientrò in camera. Aveva solo un asciugamano intorno alla vita, e il modo in cui il tessuto gli scivolava sui fianchi metteva in risalto le forme perfette del suo corpo scolpito. Sugli addominali indugiava ancora qualche gocciolina d'acqua, che guardai arrossendo.

«Buongiorno», mi salutò allegro. Salì sul letto e si sdraiò su di me, il corpo ancora bagnato. Odorava di fresco e di pulito, e mi concentrai per respirare il più possibile quell'odore meraviglioso.

«Hai preparato cereali e marshmallow per me?».

Daniel ne prese uno e me lo mise tra le labbra. «Sono i tuoi preferiti, no?». Poi mi baciò delicatamente.

«Devo ancora lavarmi i denti e fare la doccia», mi scostai con una smorfia. «Ti sconsiglio di baciarmi!».

«Non mi importa», rise.

Mi coprii la bocca con la mano. «A me sì!».

Mi sollevò tra le sue braccia, ridendo ancora. «Allora andiamo a lavarci, forza».

E a fare l'amore nella doccia. Un'altra prima volta.

Capitolo 35
Ashlyn

Lascia andare il dolore, piccola.
E per favore, rimani qui un altro giorno ancora.

Romeo's Quest

Una settimana dopo il funerale di Ryan cominciarono le vacanze natalizie, che trascorsi quasi interamente a casa di Henry, per assicurarmi che lui e Rebecca non si lasciassero andare e trovassero il tempo di mangiare e pregare un po'. Avevo perso Gabby in agosto, ma l'inverno mi sembrava proprio il periodo peggiore per affrontare un dolore del genere. Mancava poco al Natale, e non avevo niente da festeggiare. Daniel mi contattava tutti i giorni – per assicurarsi che nemmeno io mi lasciassi andare – e ogni suo messaggio terminava nello stesso modo: "Ti amo". Ne avevo bisogno.

La vigilia di Natale non riuscii a prendere sonno. Sedevo nel salotto con il mio taccuino e cercavo di scrivere, nella speranza di riversare un po' dei miei brutti pensieri nei personaggi a cui aveva dato vita. Udii dei passi avvicinarsi dietro di me e quando mi voltai vidi Henry con due tazze fumanti in mano.

«Qualcosa di caldo?», disse. «Rebecca ha uno scaffale pieno di strani infusi nella credenza, e forse dovrei darle una possibilità». Annuii e gli feci posto sul divano. «A cosa stai lavorando?», mi chiese sedendosi e porgendomi la tazza.

«Un romanzo».

«Di cosa parla?».

Mi morsi le labbra. «Ancora non ne sono sicura. Ma te lo farò sapere quando lo avrò finito». Chiusi il quaderno e mi voltai verso di lui. «Gabby ti aveva perdonato», mormorai. «Non ti aveva mai biasimato per essertene andato».

Henry mi guardò negli occhi. «E tu?»

«Io?». Feci una pausa. «Ci sto lavorando su, diciamo».

Annuì. «È un progresso».

Non riuscii a frenare le lacrime e cominciai a singhiozzare. «Ti ho trattato così male… io…».

«Io ho fatto di peggio, Ash. Non ti sono stato accanto. Mi sei mancata così tanto!». Chinò la testa. «Ce la faremo?»

«Non lo so. Per ora pensiamo a passare questa nottata, però». Sollevai il tè, bevvi un sorso e sputai subito nella tazza. «*Che schifo*, sembra pipì di renna calda».

Henry rise e alzò un sopracciglio. «E tu sai che sapore ha la pipì di renna perché…».

Indicai la sua tazza. «Forza, provalo».

Quando il tè toccò le sue labbra, strabuzzò gli occhi e sputò tutto. «Sì, è senza dubbio pipì di renna».

«Che ti avevo detto?».

Sorrise. E sorrisi anche io. Sorridemmo *insieme*. Non una smorfia sarcastica o un sorriso amaro, non un sorriso di circostanza, ma un sorriso vero. Il primo, dopo tanti anni.

«Penso che andrò da lei per le vacanze. Se per te è okay, partirò domattina».

Fece una smorfia.

«Tornerò, Henry. Te lo prometto».

«Ne sarà felice, Ashlyn. Sta molto meglio ora…». Si avvicinò all'albero di Natale che troneggiava nell'angolo della stanza e prese un pacco regalo. «Questo è per te».

Feci scorrere le dita sulla carta. C'era il mio nome scritto sopra, e il cuore mi balzò in gola. «Ci hai sempre mandato solo cartoline di auguri».

«Sì, be'... ho pensato che quest'anno avrei potuto provare qualcosa di diverso, non credi? Aprilo».

Strappai lentamente la carta, e mi ritrovai tra le mani un CD. Romeo's Quest.

«So che può sembrarti strano, è la band del tuo professore di inglese...», spiegò Henry imbarazzato. «Ma li ho sentiti suonare qualche settimana fa, e sono molto bravi, Ashlyn». Fece una pausa. «Dan... Cioè, il professor Daniels mi ha detto che ogni canzone è ispirata a un dramma di Shakespeare. A te piace molto Shakespeare, vero? Ma se mi sono sbagliato possiamo cambiarlo. Ti porto a fare shopping e...».

Gli gettai le braccia al collo e lo strinsi forte. «Grazie, Henry», mormorai commossa. «È perfetto». Quando mi scostai da lui, tornai al mio tè e ne bevvi un altro sorso.

«Perché stai bevendo ancora quella roba disgustosa?», chiese lanciando un'occhiata perplessa alla sua tazza.

«Non è del tutto disgustosa, sai», spiegai. «E poi, Gabby amava il tè, è il motivo per cui ho cominciato a berlo anche io».

«Pensi che potrai raccontarmi altre cose su di lei? Ti va?».

Mi si spezzò il cuore all'idea di condividere le cose meravigliose di Gab con colui che avrebbe dovuto già saperle. «Cosa vuoi sapere?».

La sua voce era un sussurro, e la udii a malapena. «Tutto».

* * *

Passammo ore sul divano seduti a parlare di lei, e poi mi feci un bagno caldo. In bagno mi portai il telefono, e mentre ero nella vasca chiamai Daniel. Erano le tre del mattino, e non avevamo in programma di sentirci.

«Scusami per l'ora», mormorai.

«Nessun problema, stavo solo disteso qui, abbracciato al mio cuscino, a pensarti».

Risi. «Domani vado da mia madre...».

«Davvero? Penso sia un'ottima idea».

«Sono nervosa... che succede se va da schifo? E se non vuole vedermi? E se sono ancora incazzata con lei? Perché... mi sento ancora arrabbiata, sai».

Sentivo il suo respiro attraverso la cornetta, e bastò quel suono per farmi stare meglio. «Ash, mi sono capitate tante cose terribili nella vita... Ma una cosa l'ho imparata: se non esprimi quello che senti quando ne hai l'occasione, lo rimpiangerai. Se è rabbia quella che provi, non reprimerla. Urlala al mondo finché puoi. Perché una volta che quel treno sarà passato, non tornerà indietro per te».

Esprimere quello che sentivo dentro di me. Solo l'idea mi spaventava tantissimo. Sentivo il cuore pesante, ma anche le palpebre presto lo imitarono. «Mi sto addormentando...».

«Vai a letto, Ash. Domani hai una giornata importante».

Annuii rivolta verso il telefono, come se Daniel potesse vedermi. «Rimani in linea finché non mi addormento?»

«Certo».

Mi alzai dalla vasca e mi avviai verso la camera da letto. «Buon Natale, Daniel».

«Buon Natale, angelo».

Mi sdraiai con il telefono sull'orecchio, e lui suonò la chitarra finché i miei occhi non furono così pesanti che i sogni presero il sopravvento.

* * *

Salii sul treno e cercai il mio posto con la scatola di Gabby stretta al petto. Avrei aperto qualche lettera insieme alla mamma, le avrebbe fatto bene. Ci avrebbe fatto bene. Scrissi a Daniel, ringraziandolo per la nottata, e mi rispose con due sole parole: "Lo sai".

Seduta accanto al finestrino diretta a Chicago, non potei fare a meno di ricordare il mio viaggio per il Wisconsin di qualche mese prima, quello che ci aveva fatto incontrare. Così tante cose erano cambiate da allora, ma alcune erano ancora immutate. Per esempio, quegli stupendi occhi azzurri... Posai la scatola delle lettere sul sedile accanto al mio, sollevai le gambe al petto e sospirai. *Ryan, Gabby, mi mancate così tanto!* Una lacrima mi solcò il viso e poggiai la testa sul finestrino proprio quando il treno cominciò a muoversi. Chiusi gli occhi e feci un respiro profondo. Va tutto bene. Me lo ripetei più e più volte, anche se le lacrime continuavano a cadere. Dovrebbe esserci una legge universale che proibisce ai più giovani di morire, pensai. Perché non hanno ancora avuto la possibilità di vivere. Riaprii gli occhi quando sentii dei passi avvicinarsi a me, e li vidi: due bellissimi, mozzafiato, splendenti... occhi azzurri.

Non riuscivo a fermare le lacrime mentre Daniel spostava delicatamente la scatola delle lettere e prendeva posto accanto a me. «E la cosa più bella di Ryan, qual era?», domandò, poi mi abbracciò stretta e mi baciò le guance per asciugarmi le lacrime. Chiusi gli occhi travolta dalle emozioni, ma lui non smise di baciarmi e di asciugarmi il volto. «Il suo cuore. Il modo in cui amava così profondamente, e sentiva le cose», sussurrai. «Il modo in cui amava sua sorella e sua madre. Il modo in cui sentiva la mancanza di suo padre...». Riaprii gli occhi e feci scivolare una mano dietro al suo collo, attirandolo a me. «Qual era la storia preferita di Natale di tua madre?».

Questa volta, fu lui a chiudere gli occhi. Non rispose subito. Quando li riaprì, erano bagnati di lacrime. «Non parlo mai di lei...».

Annuii. «Lo so».

Rimanemmo con la fronte l'uno contro l'altra, respirandoci in silenzio. «Il raddoppiamento per amore raggiungeva il suo culmine a Natale. Ricevevo sempre due maglioni identici, per regalo. Nel caso ne avessi rovinato uno. E preparava due vassoi di biscotti uguali, e voleva che guardassimo *La vita è meravigliosa* due volte. Lei...», ridacchiò, passandosi una mano sul volto. «Aggiungeva doppia dose di vodka al punch natalizio. Ma quello era soprattutto per papà».

«E la cosa più pazza di tuo papà?», chiesi, baciandogli delicatamente le labbra.

«Uhm... vediamo. Era un sognatore, ma riusciva a trasformare i suoi sogni in realtà. Comprò la barca prima ancora di avere la casa, perché era sicuro che prima o poi sarebbe arrivata anche la casa. È stato lui a rendere tutto reale, credo. Ad avverarlo». Affondai le dita nei suoi capelli. Lui mi baciò la punta del naso. «Non dovrai affrontare più queste cose da sola, Ashlyn. Mai più».

Capitolo 36
Ashlyn

Chi eri prima di conoscermi,
in quale mondo vivevi prima di me?

Romeo's Quest

Prima di dirigerci verso casa di mia madre, facemmo una breve sosta in uno dei quartieri periferici della città. Quando Daniel accostò davanti al marciapiede dell'indirizzo che gli avevo chiesto di raggiungere, sorrisi: una delle macchine parcheggiate nel vialetto aveva il paraurti posteriore ricoperto di adesivi delle migliori band della storia della musica. Bentley. Tirai fuori dalla scatola di legno l'anello di fidanzamento di Gabby e una lettera indirizzata a lui. Feci scorrere l'anello su un dito e sospirai. Sarebbero potuti essere così felici insieme…

«Io aspetto qui», disse Daniel notando il velo di tristezza sui miei occhi.

«Ti prego, vieni con me», chiesi, uscendo dalla macchina. Aprì anche lui la portiera e uscì. Ogni passo che facevo verso quella casa era doloroso. Ogni volta che i miei stivali si sollevavano dalla neve, la lama affilata di un coltello mi penetrava le viscere. Salii i gradini fino alla porta di ingresso; in una mano tenevo l'anello e la lettera e nell'altra stringevo la mano di Daniel. Sulla veranda, il dondolo era coperto da un sottile strato di neve, e bastò una rapida occhiata a quell'angolo lì fuori perché i ricordi tornassero a galla.

«Sai, penso di amarlo», mi sussurra Gabby mentre ci culliamo avanti e indietro sul dondolo, in una umida notte d'estate, mentre Bentley è in casa a prepararci due bevande fresche prima di andare al luna park. Ridacchio. «Sì, lo ami». Lei mi guarda e sorride. «Già».

Suonai il campanello mentre cercavo di scacciare i ricordi, e subito sentii l'impulso di tornare indietro, salire in macchina e scappare. Poi Daniel mi strinse la mano, e io mi rilassai. La porta si aprì, e quando vidi Bentley sussultai. Sembrò sorpreso, e inizialmente un po' triste. Sperai di non somigliare troppo a mia sorella quel giorno, perché questo avrebbe potuto spezzargli il cuore.

Bentley fece un passo avanti e spalancò gli occhi. «Ashlyn!», sussurrò.

Non sapevo cosa fare, a parte battere nervosamente il piede sul patio. Daniel lasciò andare la mia mano, e quando lo guardai mi rivolse un piccolo sorrise complice.

«Ciao, Bentley».

Lui rise, i suoi occhi già bagnati dalle lacrime. «"Ciao Bentley"? Questo è tutto? Forza, vieni qui», e mi abbracciò forte. Io affondai il viso tra le sue braccia, stringendolo sempre più stretto. «Stai così bene!», esclamò sotto voce.

«Anche tu, Bent», gli dissi tra le lacrime, ed entrambi ci asciugammo gli occhi con il dorso della mano, scoppiando a ridere. «Oh, e buon Natale!», aggiunsi un po' in imbarazzo.

«Allora, cosa ci fate qui?», ci chiese in tono allegro.

Mi voltai verso Daniel, che era ancora al mio fianco, pazientemente in attesa. Arrossii. «Questo è Daniel, il mio...». Feci una pausa, non sapendo come concludere quella presentazione.

«Ragazzo», spiegò Daniel sorridendo e porgendo la mano a Bentley. «Piacere di conoscerti».

Bentley mi guardò incuriosito. «Oh, è un piacere anche per me». Fece una smorfia buffa. «È un fico, eh?». Io ridacchiai e gli diedi un colpetto sul braccio. «Be', basta stare qui fuori. Entriamo».

Esitai. Per qualche ragione, mi sembrava di non poter entrare senza Gabby al mio fianco. «Non possiamo. Volevo solo...». Gli porsi la lettera e l'anello. «Volevo solo darti questi». L'anello atterrò nel centro esatto del suo palmo. Bentley lo fissò, sgranando gli occhi. «Lo ha lasciato nella scatola che mi hai dato. E mi ha chiesto di darti la lettera».

«Questa è proprio da parte di Gabrielle?», chiese stringendo la busta tra le mani, incredulo, e io annuii. Mentre lo guardavo aprire lentamente la carta, un bizzarro senso di pace mi investì. Stavo per porre la parola fine a uno dei miei libri: quello era il capitolo finale della storia d'amore tra Bentley e Gabrielle.

Bent lesse le parole di Gabby, e pianse. Naturalmente. Le sue lettere facevano sempre piangere tutti. «Era unica». La sua voce si ruppe mentre continuò a leggere le parole.

«Lo so».

«A volte mi chiedo come posso ricominciare... Come dovrei...». Tossì e si passò una mano sul volto stravolto. «Come potrei essere felice di nuovo. Capisci?»

«Devi ricominciare piano». Daniel fece un passo avanti, posando una mano sulla spalla di Bentley. «Non forzarti. Concediti di stare male, se è questo di cui hai bisogno. E quando ricomincerai a sentirti felice, niente sensi di colpa».

«Cominciare piano...», ripeté Bentley, come se lo dicesse a se stesso. Chinò il capo. «Wow. Non solo è belloccio, ma anche intelligente. Molto, molto meglio di Billy, eh?».

Io risi e lo strinsi a me per un ultimo abbraccio. «Prenditi cura di te, okay?»

«Anche tu, Ash-Ash», disse baciandomi la fronte. Poi si

voltò verso Daniel e gli strinse la mano. «Daniel… Prenditi cura della mia sorellina, intesi?».

Daniel trattenne la mano di Bentley un istante in più e sorrise. Poi infilò le mani nelle tasche. «Lo farò».

Lo farà.

Capitolo 37
Ashlyn

Cosa significa "casa"?
Sono i tuoi occhi posati su di me,
è puro respiro.

Romeo's Quest

«Mamma?», chiamai mentre giravo la maniglia della porta d'ingresso ed entravo nell'appartamento. Era rimasto esattamente lo stesso. Nel salotto, sulle pareti dipinte color avorio, correva ancora a mezza altezza lo stesso motivo a fiori. La televisione era accesa, come sempre, su qualche programma trash. Il divano era ancora di quello squallido colore marrone. Eppure, allo stesso tempo, tutto sembrava diverso.

Daniel entrò dopo di me e chiuse la porta. «Non penso sia qui», sussurrai senza sapere perché. Avevo la sensazione di aver violato una proprietà privata e temevo che, se mi avessero scoperta, il mondo intorno a me sarebbe crollato in mille pezzi.

Sbirciai lungo il corridoio verso quella che un tempo era stata la camera che dividevo con Gabby. In piedi lì all'entrata mi sentivo profondamente spaventata e arrabbiata: volevo gridare, ma la mia gola era chiusa. Volevo piangere, ma le lacrime non uscivano.

Mi avviai verso la camera, e tremante aprii porta. Come il resto dell'appartamento, anche lì ogni cosa era rimasta immutata, ma appariva profondamente diversa. Odiavo quella sensazione di improvvisa estraneità. Sul mio comodino c'era ancora qualche libro che avevo dimenticato. L'armadio era ancora pieno dei miei vestiti e di quelli di Gabby. Mi avvicinai al letto, che era perfettamente rifatto, e mi sedetti sul bordo del materasso. Diedi un colpetto accanto a me e invitai Daniel a raggiungermi.

«C'è odore di te», disse. «So che suona inquietante, ma è così».

Guardai il mio cuscino e lo afferrai, affondandoci il naso. Recentemente qualcuno doveva averci spruzzato il mio profumo preferito.

«Voglio dirle in faccia quanto mi ha fatto soffrire», mormorai, guardando la parte della stanza di Gabby. Il suo poster dei Beatles era ancora appeso al muro. Sopra alla testiera del letto era attaccata la sua chitarra acustica. Foto di Gab e Bentley decoravano ancora il muro, e le foto che ci ritraevano insieme. «Mi ha abbandonato quando avevo più bisogno di lei».

Guardai Daniel, che mi fissava con gli occhi tristi, senza dire una parola.

«Lei… lei mi ha mandato via!», mi alzai in piedi, sentendo il sangue che ribolliva. Tornare in quel luogo aveva scoperchiato tutte le mie emozioni sopite, e in quel momento ero incazzata nera. «Avrei potuto aiutarla! Mi sarei presa cura di lei!», urlai, camminando avanti e indietro.

Daniel continuava a fissarmi.

«E poi ha la sfacciataggine di spruzzare il mio profumo sul cuscino? Come se le mancassi? Santo cielo!», sbuffai indignata, con il volto in fiamme. Portai una mano al petto. «Gabby era la mia gemella! Se c'era qualcuno qui che sarebbe dovuto crollare, quella ero io».

Ero furiosa e nervosa nello stesso tempo. Furiosa perché mia madre si era data all'alcol invece di pensare a me. E nervosa perché avevo paura di incontrarla, di scoprire come stava. Mi avvicinai al letto di Gab e sollevai il piumino, gettandolo per terra insieme ai cuscini e alle lenzuola. «Non tornerà più a casa, mamma! Mai più!», piansi e gridai. Poi strappai i poster dalla parete, lasciandoli scivolare a terra, e cominciai a buttare per terra le foto, ma Daniel mi fermò abbracciandomi da dietro e guidandomi verso il letto.

«Ashlyn, basta», mi ordinò. Non ci riuscivo. La tristezza e i ricordi mi avevano fatto uscire fuori di testa. Come *aveva osato* abbandonarmi, mia madre? E Henry come *aveva osato* prendersi cura di me? Come *aveva osato* Gabby ammalarsi di cancro? Come *aveva osato* Ryan uccidersi?

«Avevo trovato a Ryan un posto dove stare. Ci eravamo detti di dormirci su, e poi decidere il da farsi la mattina dopo. Rebecca si era calmata, voleva che tornasse a casa. Hailey aveva bisogno di lui e... Che stronzo! Ma perché lo ha fatto Daniel, perché?». Non era giusto. Mi avevano lasciato tutti, mentre io avrei fatto di tutto per stare con loro. Avrei dato loro tutto l'amore di cui avevano bisogno. Forse non ero abbastanza? Daniel continuava ad abbracciarmi tenendomi stretta, ma cominciai a divincolarmi e a urlare. «Lasciami!». Lui strinse più forte. Cominciai a scalciare, affondando le unghie nelle sue braccia, cercando di staccargli le braccia dal mio corpo. «Lasciami andare!», gridavo sempre più forte.

«No». Mi sollevò e mi mise contro il muro. Sentivo il freddo della parete contro la schiena, mentre singhiozzavo disperatamente. «Non ti lascerò mai andare, Ashlyn. Mai».

«Sì invece! Mi lascerai andare».

Il mio stomaco era in subbuglio, e stavo per vomitare. Mentiva, anche se era lì con me. Mentiva, perché tutti prima o poi se ne andavano. La vista mi si offuscò e mi sentii svenire.

«Stai avendo un attacco di panico», mi spiegò dolcemente Daniel, mentre io cominciavo a respirare con l'affanno. «Calmati, fallo per me, tesoro. Continua a respirare». Gli afferrai la maglietta e lo avvicinai a me, ma non ci riuscivo ancora. Non respiravo. Daniel, però, era ancora lì.

* * *

Ci sedemmo sul divano, in attesa. Quando udii il tintinnio delle chiavi, il cuore mi saltò nel petto. La porta si aprì lentamente e mia madre entrò in casa seguita da Jeremy. Mi alzai in piedi nel momento esatto in cui posò gli occhi su di me, sussultando. Non disse niente, chinò le spalle e una lacrima le rigò il volto. Pensavo di avercela con lei. Pensavo di odiarla. Ma tutto quello che riuscii a fare fu abbracciarla e piangere contro il suo petto. Forse il giorno dopo sarei stata di nuovo arrabbiata, forse dopo le vacanze, quando sarei tornata nel Wisconsin, l'avrei odiata più di prima. Ma in quel momento, nel pomeriggio di Natale, cosa avrei potuto fare? In quel preciso momento, eravamo solo due persone che avevano sbagliato ed erano tornate sui loro passi per imparare cose nuove. Eravamo solo due persone perfettamente imperfette.

Capitolo 38
Ashlyn

La neve cade piano,
e piano io amo te.

Romeo's Quest

Durante i pochi giorni che trascorsi a Chicago, io e mia madre non risolvemmo i nostri problemi, né parlammo di quello che era accaduto. Quello era il nostro primo Natale senza Gabby. Il 31 dicembre, pulimmo e svuotammo la mia camera. La mamma tirò giù la chitarra di Gabby e sorrise porgendola a Daniel. «Puoi averla tu».

«Non posso, signora...», rispose un po' scosso.

«Per favore», insistette mia madre, facendo scorrere le dita sulle corde impolverate. «Ha bisogno di essere suonata».

Daniel si voltò verso di me e io gli sorrisi, annuendo.

«Grazie», mormorò, prendendo la chitarra. Mentre io e mia madre piegavamo gli ultimi abiti da dare in beneficenza, Daniel cominciò a strimpellare.

«Conosci qualcosa dei Beatles?», gli chiesi. Mamma lo guardò e sorrise, in attesa della sua risposta. Lui intonò per noi *Let It Be*, cantando con una delicatezza nuova che riuscì a calmarmi. Fuori dalla finestra, la neve cadeva leggera ma costante, posandosi sui rami spogli degli alberi e sulle strade e i tetti della città. E quando l'orologio scoccò la mezzanotte, tutti piangemmo pensando al nostro dolore.

* * *

«Che dici?», mi chiese Daniel quando arrivammo alla stazione di Edgewood. «Pensi che riuscirà a smettere di bere?»

«Non lo so», risposi. «Ma spero di sì».

«Anche io». Mi guardai intorno e gli sorrisi. Eravamo in un angolo della stazione ferroviaria, nascosti da una fila di cabine telefoniche. «Vuole che torni a vivere con lei... per recuperare il nostro rapporto».

Annuì lentamente. «Lo so».

Poco prima di uscire, mia madre mi aveva consegnato la lettera che avevo ricevuto dall'Università della California. La mia voce divenne un sussurro. «Mi hanno preso, Dan».

«Lo so», ripeté. «Ne ero certo». Chinò gli occhi al pavimento. «Non importa come, non importa quanto ci proviamo... ma ho sempre la sensazione che sto per perderti, Ash».

Anche io ce l'avevo, anche se non gliel'avevo mai confessato. «Henry sta venendo a prendermi... Ti chiamo dopo, ok? Oppure ci vediamo a scuola questa settimana». Mi alzai in punta di piedi e lo baciai, cercando di alleviare i suoi dubbi. Lui mi morse delicatamente il labbro inferiore e io sospirai. «Ti amo».

«Ti amo anche io».

Lo guardai mentre si allontanava, il cuore in gola. Mancavano poche settimane agli esami finali, e poi sarebbe iniziato un intero, nuovo semestre in cui io e Daniel avremmo dovuto fingere di non stare insieme. Di non essere innamorati. Solo che quella volta non sarei stata nella sua stessa scuola: avrei dovuto dire addio anche al professor Daniels. L'idea di ricominciare tutto da capo mi nauseava. Volevo essere egoista, per una volta. Volevo che lasciasse il suo lavoro. Volevo che fuggisse via con me, ma sapevo che non era possibile. Daniel amava insegnare, e poi la casa dei suoi genitori era lì, a Edgewood. E che dire dell'università? Frequentare il college dei miei sogni significava affrontare altri quattro anni di separazione. Una scomoda verità cominciò a farsi largo dentro di me mentre lo guardavo uscire dalla stazione: mi ero innamorata della persona giusta, ma nel momento sbagliato.

«Ehi, Ashlyn!».

All'udire il suono del mio nome mi voltai, pallida in volto. «Jake! Che ci fai qui?»

«Sono stato dai miei nonni per Natale...». Fece una smorfia. «Uhm, hai appena baciato il professor Daniels o sbaglio?».

Quasi mi strozzai, e presi a tossire. «Cosa?»

«Stavi baciando il professor Daniels», e si voltò verso l'uscita, indicando Daniel, che era là fuori. Fermo, in attesa di un taxi. Lo disse senza nessuna intonazione particolare della voce, ma alle mie orecchie quella frase suonò come una domanda. Potevo sentire il vomito salirmi in gola. Risi nervosa, tirai fuori il manico della valigia e cominciai a trascinarla lontana da Jake, barcollando sulle gambe diventate improvvisamente di burro. «Devo trovare Henry...», mormorai. *Avevamo combinato un casino*. Ci eravamo rilassati troppo. Toccati troppo. Ed ecco lì il passo falso. Mi incamminai, ma dietro di me sentivo ancora i passi di Jake. «Ashlyn! Ascoltami! Sei una ragazza intelligente. Spiegami perché con il professore di...». Jake non smetteva di parlare.

Mi voltai e lo guardai duramente. «Stai zitto, Jake! Zitto!». Stavo per piangere. No, anzi: stavo piangendo.

«Oddio, allora è vero», mormorò facendo un passo indietro. «Il ragazzo è lui? Santo cielo, Ashlyn!».

Guardai verso l'uscita e vidi il furgoncino di Henry parcheggiato davanti all'ingresso. Mi portai una mano tremante alla bocca, cercando di fare del mio meglio per scacciare il panico e tornare in me. Ero sotto shock.

«Non dire niente a nessuno...», sibilai mentre Jake mi guardava incredulo, poi mi allontanai senza voltarmi. Sentivo i suoi occhi fissi su di me, occhi che mi giudicavano e che avevano appena perso ogni rispetto per la persona che una volta avrebbero potuto amare.

Capitolo 39
Ashlyn

Non ho paura di perderti.
Ho paura di perdere me.
E non costringermi a scegliere.
Perché dovrei scegliere te.

Romeo's Quest

Temevo l'ora di chimica sin dal primo giorno in cui ero rientrata a scuola. Non avevo nessuna voglia di trovarmi faccia a faccia con Jake, né con il suo sguardo di disappunto.

Entrai in classe e subito si alzò nell'aria un mormorio sommesso. Non sapevo se dipendesse dal fatto che Ryan fosse morto o dal fatto che sembrassi io stessa la morte in persona. Jake era seduto al tavolo da laboratorio, e quando mi vide gli rivolsi un sorriso. Le sue labbra si arricciarono appena. Si trattava di una piccola piega, appena visibile, ma per me in quel momento fu sufficiente. Lo salutai con un "ehi" mentre raggiungevo la mia postazione, e lui mi rispose ridacchiando, sottolineando con enfasi il mio nome: «Ciao, *Ashlyn*... Sono andato un po' nel panico quando ho visto...», mi spiegò avvicinandosi e schiarendosi la gola. «Sì, insomma, quando ho visto quello che ho visto. Ma lo capisco perfettamente».

Il cuore mi martellava nel petto. «Davvero?»

«Certo, Ash. Hai perso tua sorella. Hai perso Ryan. Non è stato difficile per quello stronzo mettere le mani su una preda così facile».

«Non è uno stronzo», replicai con voce tremante. Era evidente: Jake non capiva. Jake non sapeva niente di me e Daniel, non potevo certo aspettarmi che capisse.

«Si pentirà di averti usato», sussurrò d'un fiato, in modo perentorio. «Si pentirà di averti fatto del male».

«Jake, per favore, non sai di cosa stai parlando!». Non rispose, ma aveva già deciso. Potevo vedere davanti ai miei occhi quello che sarebbe successo di lì a breve. La mia vita mi stava nuovamente sfuggendo di mano, e non c'era mai stata una possibilità al mondo che ciò non accadesse.

Dopo la lezione di chimica vagai per i corridoi, e a ogni passo il mio cuore si faceva sempre più piccolo. Avrei voluto avere il mantello dell'invisibilità di Harry Potter, per poter scomparire all'istante. Hailey non aveva ancora fatto ritorno a scuola, e avrei tanto voluto imitarla. Gli sguardi tristi che mi piovevano addosso da ogni direzione erano talmente intensi che ogni tanto mi si riempivano gli occhi di lacrime. Quando arrivai al mio armadietto vidi Daniel in piedi sulla soglia della classe, che mi guardava fisso. I suoi occhi freddi erano colmi solo di senso di colpa e disperazione e dovetti fare del mio meglio per accennare un sorriso. Evidentemente aveva sentito anche lui quei mormorii indistinti. Fece un passo nella mia direzione, ma io ebbi un sussulto. Daniel era l'unica persona in grado di darmi sollievo, ma questo non gli era concesso. Desideravo che mi accarezzasse i capelli e mi premesse la testa contro il suo petto, eppure non poteva e doveva rimanere a debita distanza.

«Non me ne importa», mimò con la bocca, e il mio cuore esplose in un milione di piccoli pezzi.

Le lacrime mi solcavano le guance. «A me sì» sillabai a mia volta, prima di abbassare lo sguardo. Mi nascosi dietro l'armadietto mentre venivo letteralmente sopraffatta da ricordi di morte che si affacciavano oltre la soglia della mia coscienza. Perché Gabby e Ryan erano morti? E perché io invece meritavo di vivere? Ricacciai indietro le lacrime quando mi si parò davanti agli occhi ciò che era davvero successo: avevo rovinato delle intere esistenze, non c'era alcun dubbio al riguardo. Avevo rovinato la vita di Gabby. Avevo rovinato la vita di Ryan. Avevo rovinato la vita di Henry e la vita di mia madre. E stavo per rovinare anche quella di Daniel.

Prima che me ne rendessi conto, mi ritrovai avvolta da due braccia. Alzai lo sguardo e vidi Daniel ancora in piedi vicino alla porta della classe, che lottava per soffocare le lacrime. Ma gli ero grata per il fatto che avesse scelto di mantenere le distanze.

E poi le dita di Henry mi stavano asciugando le lacrime, e io potevo sentire le sue che mi bagnavano il volto.

«Va tutto bene, Ash. Va tutto bene. È tutto a posto». Lo tirai per la camicia, per averlo più vicino. «Papà». In quel momento non sarei stata in grado di dire nient'altro. Il dolore era devastante. Sapevo che un cuore potesse provare dolore, ma non sapevo che potesse sanguinare fino a portarti sulla soglia del regno del nulla.

Henry mi teneva abbracciata. Gli studenti passavano e sussurravano, mentre altri se ne stavano in piedi a fissarmi. Ma finalmente potevo lasciarmi andare e liberare il respiro che avevo dovuto trattenere negli ultimi mesi. Inspirai e mi si alleggerì il cuore. Espirai fuori tutta l'aria che aveva corrotto la mia anima. Inspirare ed espirare: avevo bisogno di farlo più e più volte.

Respira. Ashlyn. Respira.

Ero seduta da sola al tavolo da pranzo, senza nemmeno il vassoio davanti. Mi ero seduta e basta. Ero a pezzi. Avery mi lanciò un'occhiata, forse nel tentativo di invitarmi a unirmi a lui, ma poi distolse lo sguardo. Mi chiesi per quanto tempo ancora avrebbe mantenuto il segreto sulla sua omosessualità, se non avesse invece cercato di convincersi che era etero, per non finire nelle pagine di cronaca nera. Sperai che ce la facesse, in un modo o nell'alto.

Jake intanto si era messo in fila al self service, e mi fece un cenno, indicando la sedia libera vicino a me. Ma io non volevo sedermi vicino a lui, così mi alzai dal tavolo e corsi via. Superai Avery, superai Jake. Ma c'era qualcuno che non avrei mai potuto oltrepassare: Ryan, perché non c'era modo di passare oltre un morto. Incrociai lo sguardo di Daniel, e gli comunicai con un'occhiata che volevo che mi seguisse.

Scesi le scale verso il seminterrato, e rimasi lì, al buio, in attesa. Probabilmente a qualcuno potevo sembrare patetica, appoggiata a un muro sporco in mezzo a secchi e scope, ma a me non importava. In ogni caso sapevo che sarebbe venuto, ero certa che lo avrebbe fatto. Se Daniel Daniels mi amava come pensavo, sarebbe venuto. E quindi avrei aspettato. Anche se questo avesse voluto dire aspettare fino a quando il sole si sarebbe spento lasciando il mondo nelle tenebre, io avrei comunque aspettato.

«Scusami, sono in ritardo», disse, e il suo volto si materializzò nell'ombra. Stavamo nuovamente per metterci a piangere, e quando sentii le sue mani avvolgersi intorno alla mia schiena mi aggrappai a lui, fino a fondere il mio corpo con il suo.

«Sono così triste», dissi rimanendo senza fiato.

Appoggiò il mento sulla mia testa, lenendo il mio dolore con la sua amorevole premura. «Anch'io sono triste, così invece di essere triste ciascuno per conto proprio possiamo essere tristi insieme».

Le sue labbra sfiorarono la mia fronte, e in quel momento capii che non c'era nessun'altra persona al mondo che avessi voluto avere, nessun altro che avrei voluto considerare mio. E che avrei dovuto rinunciare a tutto questo, perché avrei finito per fargli del male. Avevo sempre fatto male ai miei cari, perché non avevo mai avuto il tempo di guarire me stessa. Dovevo lasciarlo, ma era così difficile mandarlo via.

«Non sono mai stata innamorata prima che arrivassi tu», sussurrai, posando la testa contro il suo petto.

Le sue dita correvano tra i miei capelli fino a sfiorare le guance e poi a trovare le mie labbra.

«Anch'io, pensavo che quello prima di te fosse amore, ma mi sbagliavo», disse disegnando con il pollice la mia bocca. Il mio respiro caldo sfiorò il suo dito mentre lui continuava a fare quel movimento che mi stava facendo impazzire.

«Prima non avevo mai amato veramente. Non ho mai creduto nell'eternità fino a quando non ho trovato te, amore. Ashlyn Jennings, tu sarai mia per sempre».

«No», sussurrai, sul punto di piangere. «Daniel, qualcuno lo è venuto a sapere...».

I suoi occhi incrociarono i miei e la sua ansia mi si rovesciò addosso. O forse l'ansia era la mia. A volte i nostri sentimenti erano così in sintonia che era difficile distinguerli.

«Come?»

«Alla stazione, ieri. Ci hanno visto».

Si passò la mano sul viso e annuì, riflettendo su quello che gli avevo appena rivelato. «Va bene».

«Daniel, ha intenzione di dirlo a tutti! Vuole farti passare dei guai!».

I suoi occhi si agganciarono ai miei. «Ho pensato di lasciare la scuola, Ashlyn. Posso limitarmi a suonare per guadagnarmi da vivere. I miei genitori avevano un po' di soldi da parte, posso vendere la casa. Posso trovarmi un altro lavoro o qualcosa del genere. Questo è l'unico modo che ho per darti tutto ciò di cui hai bisogno. Possiamo farcela. Posso sostenerti quando avrai bisogno che io ti sostenga. Potrò baciarti senza starmi a preoccupare di chi ci sta guardando. Mi trasferirò in California per stare con te».

«Daniel», dissi nervosa. «Non puoi vendere quella casa... è casa vostra. E l'insegnamento è la tua vita, è ciò che ami».

«No, io amo te, la mia vita sei tu».

Stava per rinunciare a tutto ciò che rappresentava qualcosa per lui, a tutto ciò che era stato, semplicemente per scegliere me. E fu allora che capii cosa dovevo fare.

La mia voce era incrinata. «Sto rovinando la tua vita».

Mi sembrava come se le pareti ci stessero crollando addosso, sentivo le catene avvolgersi intorno al mio cuore, mentre lentamente iniziavo a far uscire David dalla mia mente.

«No», protestò con un singhiozzo.

«Mia madre sta meglio, ma laggiù è sola, e io dovrei tornare a casa», gli spiegai.

Le sue dita si avvolsero intorno alle mie e si poggiarono sul mio petto. «Questa è la tua casa, Ashlyn. Siamo a casa».

«Mi dispiace...».

«Non capisco», la voce gli tremava, «non capisco davvero. So che sarà difficile ma...». Le lacrime gli bruciavano sulle guance mentre piano piano si scostava.

«Daniel, in questo momento non so veramente chi sono». La mia voce era rotta dal pianto. «Sono passata dall'avere una gemella ad avere te, Daniel, non ho mai imparato a stare da sola. E ho bisogno di provare a farlo. Ho bisogno di provare a stare da sola per un po' per dimostrare a me stessa che posso superare questa prova».

«Capisco, lo capisco davvero, ma...». Si asciugò gli occhi e si allontanò da me.

«Come posso risolvere questo problema? Come posso farti restare?». Mi guardò di nuovo. «Darò tutto ciò che ho per te, Ash. Tutto».

«Daniel... ma se lasciassi perdere la California e l'università?», sussurrai.

Mi rispose che era impossibile, che la California era tutto

ciò che avessi mai desiderato, i miei sogni. Mi avvicinai e gli passai le dita sulle guance. Le mie mani gli cinsero il collo e spinsi la mia bocca sulla sua, baciandolo con foga, mentre le sue lacrime mi scendevano sulle labbra.

«Lo so». Deglutii. «Ma tu non puoi chiedermi di diventare il motivo per cui hai rinunciato a tutto».

«Come faccio ad andare avanti senza vederti ogni giorno? Senza di te?».

«Un passo alla volta», gli risposi accarezzandogli il volto. «Forse era destino che ci incontrassimo con l'unico scopo di aiutarci l'un l'altro a uscire dai meandri dell'oscurità».

«Non credo», rispose.

Mi accigliai. «È stato Jake Kenn a vederci. Devi parlarci, non puoi rinunciare a ogni cosa per cui hai lottato per colpa mia».

Ridacchiò nervoso. «Ho perso di peggio nella vita, credimi».

I passi che feci per allontanarmi da Daniel furono i più dolorosi della mia vita. Le pareti sembravano sussurrarmi parole odiose, mentre mi sbeffeggiavano raccontandomi la verità su Daniel e sul mio destino.

Avrei voluto tornare indietro e rimangiarmi tutto ciò che avevo detto, ma sapevo di aver preso la decisione giusta. E ne ero certa perché, se avessi preso quella sbagliata, non avrei sofferto così tanto.

Capitolo 40
Ashlyn

Mai dire addio.

Romeo's Quest

Tornai alla mensa e rimasi senza fiato quando vidi Hailey seduta a parlare con Jake al nostro tavolo. Mi precipitai ad abbracciarla. «Pensavo che questa settimana non saresti tornata!».

Sorrise. «Prima o poi dovevo pur tornare».

Daniel si avvicinò al nostro tavolo. «Jake, posso parlarti per un minuto in classe?».

Jake lo guardò e sbuffò: «No, grazie, professor Daniels».

Osservando la sua reazione, rabbrividii e mi avvicinai a Jake. «Puoi farlo per me, Jake? Per favore?», gli sussurrai.

Lui aggrottò la fronte e annuì, senza dire una parola. Si limitò ad alzarsi e a seguire Daniel fuori dalla stanza.

Hailey e io eravamo rimaste sedute al tavolo. «Te lo ricordi all'inizio dell'anno quando dissi, a proposito di Ryan e Avery, che non avevo mai visto due persone amarsi in modo così silenzioso?», mi domandò Hailey. Annuii mentre i suoi occhi nel frattempo seguivano la figura di Daniel che si allontanava. «Be', forse mi sbagliavo, dopotutto».

Mi sporsi verso di lei. «Jake te l'ha detto?». Annuì. Iniziai a raccontarle tutto, ma mi interruppe.

«Non mi devi spiegare niente, Ashlyn». I suoi occhi si riempirono di lacrime, mentre si stringeva sempre di più nelle spalle. «Gli amici si sostengono, qualsiasi cosa accada. E ho chiesto a Jake di smetterla di parlarne e di non dire una parola in giro, a nessuno».

Mi sfuggì una smorfia. «Be', sai, non credo abbia intenzione di seguire il tuo consiglio».

«Se tiene a te quanto ci tiene il professor Daniels, allora lo farà».

Sembrava che Daniel e Jake avessero lasciato la mensa da un'eternità, e prima della fine del pranzo non erano ancora tornati. Mi precipitai verso l'aula di Daniel, mi batteva forte il cuore, l'ansia mi stava quasi divorando. La porta era chiusa, così decisi di aspettare lì davanti, mentre gli studenti mi oltrepassavano immersi nelle loro vite che, a differenza della mia, andavano da qualche parte. Ma rimasi lì, immobile. Quando la porta si aprì Jake fu il primo a uscire. Iniziai a singhiozzare quando lo vidi e mi precipitai al suo fianco. Sembrava confuso e si muoveva lentamente.

«Jake? Dimmi qualcosa per favore, cosa è successo?».

Alzò lo sguardo verso di me, con gli occhi carichi di commozione. «Penso di essermi appena innamorato del professor Daniels».

Riuscii a ridere solo quando lo vidi sorridere. «Me lo immagino, sa come stupire le persone».

«E quindi? Te ne torni davvero a Chicago?», disse accigliato.

Annuii.

«Non è che hai intenzione di farlo, solo perché ho detto che gliel'avrei fatta pagare? Perché non sapevo, non avevo idea...» disse facendo una pausa, «che si potesse tenere a qualcuno come lui tiene a te».

«Tu non c'entri niente, Jake, è semplicemente la vita. La vita va avanti e ho intenzione di andare avanti con lei».

«Mi prenderò cura di lei», promise. «Mi prenderò cura di

Hailey. Starò con lei ogni singolo giorno. Non siederà mai da sola a mensa».

«Grazie, Jake», lo baciai sulla guancia.

«Prego, *Ashlyn*». E lo disse sottolineando il mio nome, mentre io lo baciavo di nuovo.

Capitolo 41
Daniel

Nelle fiamme insieme, io e te
nelle fiamme, solo per divertimento.
Nelle fiamme in mezzo alla gente,
nelle fiamme, come stelle.

Romeo's Quest

Era la notte precedente la sua partenza per Chicago. Un giorno soltanto, e dopo la scuola Ashlyn sarebbe salita su un treno per lasciare la città. Ero vicino al molo, con la chitarra di Gabby, lo sguardo fisso sull'acqua ghiacciata e le mani infilate nei jeans. Randy era uscito a darmi un'occhiata almeno tre volte, ma gli avevo assicurato che andava tutto bene. Lei avrebbe odiato se fossi stato tutt'altro che bene.

L'oscurità invernale ricopriva ogni cosa, potevo vederlo in ogni respiro. La musica e il mistero del lago erano soffocate dal ghiaccio. Ma la musica della sua voce gentile cantava per me.

«Ehi», sussurrò Ashlyn dietro di me. Henry le aveva prestato la macchina per permetterle di salutare i suoi amici, ma lei aveva deciso che l'avrebbe usata solo per venire da me. Aveva gli occhi gonfi, non aveva dormito molto la notte precedente.

«Ehi», sorrisi, voltandomi verso di lei. Tra le mani aveva una scatola. Abbassai lo sguardo sul piccolo falò che avevo acceso su sua richiesta. «Che ti è successo, hai un aspetto orrendo!», risi.

Mi sorrise. «Ti hanno mai detto che troppo romanticismo è disgustoso?»

«Uff, che situazione schifosa...», sospirai, grattandomi il collo.

«Lo so...». Ci avvicinammo al fuoco e lei aprì la scatola. «Sei pronto?».

Non lo ero. Ma presi la chitarra e cominciai a suonare e a cantare, piano.

> Fa' che il vento sia nostro amico, e ci riporti a casa.
> Fa' che il domani sia splendido, e le nostre anime trovino pace.

«Il pacchetto di sigarette finte di Ryan», annunciò, sollevandolo. Lo gettò tra le fiamme e guardammo la carta bruciarsi e accartocciarsi, e il fumo alzarsi nell'aria.

> Fa' che il viaggio valga sempre la pena.
> Fa' che il nostro ricordo non trovi mai l'oblio...

Quando prese le lettere di Gabby, la fermai. «Ashlyn, sei sicura?». Una lacrima le scese sulla guancia e lei annuì, quindi le lasciò cadere tra le fiamme.

> Una linea sottile unisce noi a voi,
> e le fiamme accendono l'aria, separandoci.
> Respiriamo, respiriamo.
> Angeli, ascoltate attentamente ora.

Suonai le ultime note sulla chitarra di Gabby e rimanemmo in piedi a guardare il fumo danzare nell'aria gelida e ferma. Ashlyn tirò fuori dalla scatola due pezzi di carta e due penne.

«Cosa dobbiamo fare ora?», chiesi, avvicinandomi a lei. Mi porse un foglio e una penna.

«Dove ti vedi tra cinque anni?», domandò osservando il foglio bianco che aveva in mano. «Scrivilo. E dopo che sarò andata al college, dopo che avrai rimesso in piedi questa casa... ci scambieremo i nostri appunti. Proprio quando ricominceremo».

«Sei così melodrammatica», risi, ma poi scrissi sul pezzo di carta e me lo infilai in tasca, e lei fece lo stesso.

«Meglio che vada ora. Ci vedremo domani a scuola?»

«Certo, a domani».

Rimase lì, a guardarmi. La mia anima mi spingeva verso di lei e la abbracciai. Alzai gli occhi al cielo dalle mille sfumature di rosa, che si allargava oltre l'orizzonte visibile, e feci del mio meglio per non lasciarla andare.

«Capisco bene perché stai partendo. Capisco che tu voglia trovare te stessa, te lo meriti. Non c'è nessuno su questo pianeta che meriti di ritrovare se stesso quanto te. Ma se per te va bene, vorrei dire ad alta voce tutto quello che ho nella testa per i prossimi quindici secondi. E quando avrò finito, voglio che tu ti scosti da me e raggiunga la tua macchina».

«Daniel...», esitò.

«Per favore, Ashlyn, ti prego». Il suo sguardo rimase fisso a terra e quando lo rialzò su di me, annuì. Feci un passo avanti. Le mie labbra si posarono delicatamente sul suo orecchio sinistro e sussurrai. «Avevo l'impressione di averti inventato dal nulla... Pensavo di vivere in un mondo di oscurità, e di averti creato. Che qualcosa nella mia mente ti avesse plasmato e messo su quel treno, mesi fa. Ma poi mi sono reso conto che non avrei mai potuto inventare niente di così meraviglioso. Sei la ragione per cui le persone credono nel domani. Sei la voce che spaventa i miei incubi e li scaccia via. Sei l'amore che mi fa respirare. Così, per i prossimi pochi secondi, ho deciso di essere egoista. Di rivelarti cose che non dovrei dirti, proprio adesso». Accarezzai la sua schiena lentamente, e la strinsi ancora più a me, sentendola tendersi tra le mie braccia, nervosa. Baciai la punta del suo orecchio. «Non andare, rimani con me, per sempre. Per favore, Ashlyn. Lasciami essere il tuo paradiso personale. *Non. Lasciarmi*».

Mi scostai da lei e mi sentii in colpa quando vidi le sue lacrime. Mi sorrise e annuì. Poi si avviò lentamente verso la macchina, e si voltò. «Tu sarai ancora qui? Quando avrò ritrovato me stessa?»

«Promesso. Anzi, promesso promesso».

* * *

Entrai a scuola e in corridoio vidi Ashlyn ridere vicino al suo armadietto insieme a Jake e Hailey. Quando li oltrepassai, notai un enorme poster che ricopriva lo sportello dell'armadietto: una distesa di meloni. Era stata opera dei suoi amici, e Ashlyn pareva aver apprezzato.

I suoi occhi verdi si posarono sui miei e il mio cuore perse un battito. Sorrise e poi si incupì un po', prima che riuscissi a distogliere lo sguardo.

«Questo è stato lo sguardo più romantico che io abbia mai visto in tutta la mia vita», disse Hailey a Ashlyn. Io proseguii senza fermarmi.

«Non scherzo», mormorò Jake, «mi è bastato guardarvi per avere un'erezione»

Risi senza voltarmi, perché sapevo che se mi fossi voltato, non sarei stato capace di sopportare tutto questo. L'avrei afferrata per le spalle e le avrei detto «Ti prego, non andare!».

«Dan». Henry mi venne incontro con un'espressione seria sul volto. «Posso vederti nel mio ufficio appena possibile?».

Aveva sofferto quando aveva saputo che Ashlyn sarebbe tornata a Chicago. Si vedeva dagli occhi. Conoscevo quella sensazione.

Mi guidò nel suo ufficio e chiuse la porta dietro di me. Prima che potessi sedermi, un pugno mi colpì in pieno volto.

«Cazzo, Henry! E questo cosa cazzo significa?!».

«Sei un bastardo, ecco cosa significa! Hai usato mia figlia!», e mi colpì di nuovo, stavolta centrando lo stomaco.

«La mia ex moglie mi ha chiamato, per essere sicura che fosse tutto a posto. Per essere sicura che Ashlyn stesse facendo le cose perbene, ma era così preoccupata». Mi sferrò un altro pugno, ma lo bloccai. «Era preoccupata perché Ashlyn avrebbe dovuto lasciare il suo fidanzato... E allora ho pensato, ma quale ragazzo? Ashlyn non ha nessun ragazzo».

«Henry, lasciami spiegare...».

Ma non lo fece. «E poi Kim si è ricordata del nome del suo ragazzo. E mi ha detto il nome della band in cui suona il suo ragazzo. Non ci crederai mai, sai qual era?».

La porta dell'ufficio si aprì, mentre ero steso sul pavimento. Era Ashlyn. Mi corse incontro, guardando sconvolta suo padre. Mi rialzai.

«Henry, guardami», disse, muovendo una mano nell'aria.

«Ashlyn, ti ha usata!», urlò Henry.

Mi pulii con il dorso della mano il sangue che mi usciva dalla bocca.

«No. Non l'ha fatto».

«Sei confusa. Non sei lucida in questo momento...», Henry sospirò, passandosi una mano nei capelli.

«Papà, ascoltami...», sussurrò, prendendogli le mani tra le sue. «Daniel mi ha salvato. Se mi vuoi bene, devi lasciarmi spiegare. Mi devi ascoltare, e non metterai Daniel nei guai».

Rimase fermo in piedi, a riflettere sulle parole della figlia. Poi mi guardò. «Non voglio vederti mai più qui».

«Henry...», cominciai.

Ashlyn mi interruppe. «Sto partendo! Me ne sto andando! Te lo giuro, tra noi è finita!».

Quelle parole mi lacerarono. Poi alzai una mano sulla fronte, e annuii. «Sì, è finita».

Capitolo 42
Daniel

Nient'altro al mondo ha una seconda possibilità
se non le cose che non conoscono mai fine.

Romeo's Quest

Lei era partita.

Non sapevo cosa pensare. Non sapevo cosa provare.

Randy mi sedeva accanto al tavolo della cucina e beveva una birra. Non sapeva cosa dire, e non provò a farmi stare meglio con frasi banali. «Mi spiace, amico». Chinò il capo e scosse la testa.

«Già. Anche a me».

La porta sul retro si aprì ed entrò Jace, le mani infilate nelle tasche dei jeans e gli occhi rossi dal pianto. Ma quando lo guardai meglio, il cuore mi balzò in gola: aveva un occhio nero e un taglio sul labbro, e sembrava ridotto come il giorno in cui era morta nostra madre.

«Ho chiesto a Red di farmi uscire dal giro». Tremava quasi, e scoppiò a ridere, scrollando le spalle. «Non mi diranno mai chi ha ucciso la mamma, vero?».

Chinai il capo e osservai attentamente le mie mani, posate sul tavolo, i palmi aperti. «No. Non te lo diranno». Ascoltai i suoi singhiozzi e mi alzai. Uscii dalla cucina e tornai con un asciugamano, lo riempii di cubetti di ghiaccio, lo chiusi e lo posai delicatamente sull'occhio nero di Jace. Fece una smorfia a contatto con il ghiaccio, ma non emise un lamento. Non lo avrei rimproverato, non gli avrei detto per l'ennesima volta quanto fossero stupide le sue scelte e quanto influenzassero la sua vita e quella degli altri. Rivolevo solo mio fratello, ed ero stanco di combattere. Lo abbracciai e gli poggiai la testa sulla mia spalla, dove iniziò a singhiozzare.

«Mi mancano così tanto, Danny». Il suo cuore era a pezzi e finalmente si stava concedendo di provare tristezza per i nostri genitori e mettere da parte la sete di vendetta. «Non so cosa fare. Non so cosa fare...».

Non avevo una risposta. A stento sapevo cosa avrei fatto io della mia vita. Scansai una sedia dal tavolo e ci sedemmo entrambi accanto a Randy. La stanza era immersa nel silenzio, e tutti e tre rimanemmo immobili per molto tempo.

«Be'», annunciò Randy, alzandosi e raggiungendo il frigorifero, dal quale tirò fuori tre birre. «Abbiamo una novità nei Romeo's Quest».

Gli occhi di Jace si spalancarono e ci guardò incredulo. «Volete che torni? Dopo tutto quello che ho combinato? Specialmente con Ashlyn, io...».

Trasalii quando udii il suo nome. «Jace... devi solo dire "okay"», replicai.

I suoi occhi azzurri sorrisero e fissarono fieri i miei. «Okay».

Capitolo 43
Ashlyn

Non voglio che tutto questo svanisca,
promettimi che dopo questa pioggia ci sarà solo il sole.

Romeo's Quest

Tornata a Chicago, terminai l'ultimo anno nella mia vecchia scuola. I miei vecchi amici provarono a contattarmi, ma non ero più la ragazza che conoscevano un tempo. Mia madre, intanto, combatteva ogni giorno con la morte di Gabby, ma aveva promesso che avrebbe fatto del suo meglio con me a casa. E rideva molto di più adesso, tra l'altro. Ogni sera sedevamo insieme sul divano, lei guardava la tivù e io leggevo un libro, ed era bellissimo.

Poi arrivò il giorno in cui andai al college, per ritrovare me stessa. Per ricominciare. Mi feci nuovi amici, e per la prima volta nella mia vita mi sentii un po' più sicura di me. Ero sempre stata in coppia: prima accanto a mia sorella Gabby, poi con Daniel. Non avevo pentimenti, entrambi mi avevano permesso di essere quello che ero diventata, ma dovevo imparare a camminare da sola.

Per andare avanti, però, a volte fingevo che Daniel fosse lì e che non ci fossimo mai lasciati. Ogni mattina mi rotolavo nel letto e sognavo le sue labbra sulle mie, le sue braccia forti intorno a me e il suo corpo caldo disteso sopra il mio, mentre il suo respiro mi riempiva d'amore. Fantasticavo di colazioni preparate insieme: Daniel che mi portava tazze di tè fumanti e uova strapazzate a letto, e io che gli versavo il caffè nero e forte come piaceva a lui. Poi facevamo l'amore prima che il sole fosse spuntato del tutto e ridevamo, felici, perché sapevamo che i nostri corpi erano parte di uno stesso puzzle.

La verità era che i nostri cuori battevano sempre all'unisono. Le nostre anime erano destinate ad ardere insieme in una ingannevole fiamma che illuminava il nostro universo di speranze e passione.

Ma la maggior parte della gente non capiva. I miei amici mi incoraggiavano ad andare avanti, a cercarmi qualcun altro. Ma come potevo permettere ad altri ragazzi di darmi il loro cuore, se io non avrei mai potuto contraccambiare nello stesso modo? Non sarebbe stato giusto. Sapevo che non mi sarei più innamorata com'era accaduto a Edgewood.

* * *

Scrissi ogni giorno, in ogni istante in cui non ero occupata con lo studio, e diedi forma a una storia che viveva dentro di me da tempo, e di cui fino a quel momento ero stata inconsapevole. Scrissi tutto il libro con la sua musica in sottofondo, ed era come se, grazie a quei CD, Daniel fosse lì con me, a incoraggiarmi e sostenermi. Alla fine del secondo anno di università, finalmente misi un punto nell'ultima pagina del mio manoscritto. Ci ero riuscita. Ero una scrittrice. Decisi di non cercare un vero e proprio editore, e lo stampai da sola, vendendo ben sette copie, due delle quali acquistate da me.

E poi, due anni dopo, presi un'altra decisione: tornare a Edgewood per scoprire se lui era ancora lì per me. Perché non avevo smesso nemmeno per un istante di pensare a lui.

* * *

Ero in piedi davanti all'edificio della scuola, lo sguardo fisso sulla finestra della sua classe al pianterreno. Stava sorridendo ai suoi studenti, seduto sul bordo della cattedra, probabilmente in attesa che rispondessero a una delle sue domande. Agitò una mano nell'aria, poi si alzò e andò alla lavagna dove cominciò a scrivere. Aveva tagliato i capelli e si era fatto crescere la barba. Sembrava così... adulto.

A un tratto, rise per qualcosa che aveva detto uno studente e scosse la testa divertito, e le mie guance avvamparono proprio come la prima volta che avevo posato gli occhi su di lui. Quando la campanella suonò, gli studenti si alzarono senza perdere tempo, e cominciarono a sciamare fuori dall'aula. La fredda brezza primaverile mi aggredì, e mentre mi strofinavo le braccia per scaldarmi vidi Daniel voltarsi verso la finestra. Mi aveva visto, e ogni cosa dentro di me si congelò.

I suoi occhi sembravano confusi, ma poi alzò una mano e mimò con le labbra un "Ciao", e quel piccolo gesto e quella piccola parola bastarono a far battere il mio cuore ogni istante di più. Mi mordicchiai il labbro per impedirmi di piangere, e alzai anche io una mano verso di lui. «Ciao», sussurrai.

Si portò una mano alla bocca. Io feci un passo avanti, e lui mi imitò, finché non fummo faccia a faccia, solo il vetro della finestra a separarci. Alzò una mano e la appoggiò al vetro e io posai la mia contro la sua. Sorrisi.

Quando lo guardai negli occhi, mi accorsi che aveva gli occhi lucidi. «Tè?», chiese. Annuii senza parlare, mentre una lacrima solcava il mio viso. Abbassò le mani lungo i fianchi. «Non piangere».

Non potevo evitarlo. Mi disse di aspettarlo, e non potei fare a meno di ridere, perché lo aspettavo da sempre. Non ci mise molto a raccogliere le sue cose e raggiungermi fuori l'edificio. Rimanemmo l'uno di fronte all'altra per un po', limitandoci a sorridere come due bambini impacciati. Feci per abbracciarlo, e lui doveva aver avuto lo stesso desiderio nello stesso momento perché sollevò le braccia. Risi nervosa, e mi sentii l'adolescente che lo aveva incontrato tanto tempo prima, sul treno. Quando finalmente le sue braccia mi accolsero, respirai il suo profumo, stringendomi alla sua giacca. Non osava allontanarmi.

«Sembri così adulto!», sussurrai appoggiata alla sua spalla e risi.

«Anche tu». Mi scostò un po' e mi guardò negli occhi. «Hai la frangia!».

«E tu la barba più lunga».

«Sì», disse grattandosi il mento. «Devo rasarmi».

«No. Mi piace». Lasciai correre le dita sul mio naso rosso. «Mi sono fermata davanti alla casa sul lago ieri notte, ma…».

«Non abito più lì». Fece un cenno alla strada, e iniziammo a camminare lungo il marciapiede. «Io e Jace ci abbiamo rimesso mano e l'abbiamo ristrutturata, ma poi l'ho venduta».

«Ma era…».

«Il sogno dei miei genitori, appunto. Non il mio. Adesso sto in un posto nuovo, non lontano da lì. Un grande appartamento che ho trasformato in un parco giochi per bambini un po' cresciuti».

Rimanemmo in silenzio, ma non eravamo a disagio. «Come sta Jace?».

Sorrise. «Pulito. Per la prima volta da un bel po'. Sta da Randy, ed è tornato nella band».

«Buon per lui. Anzi, per tutti e due». Daniel sorrise. «Allora, devi farmi vedere il tuo nuovo appartamento, un giorno o l'altro».

«Potremmo bere un tè… Insomma, se ti va, ci andiamo adesso», mi invitò.

Certo che volevo.

Quando infilò la chiave nella serratura di casa, si voltò per dirmi qualcosa, ma non riuscì a dire nemmeno una parola: avevo poggiato le mie labbra sulle sue, cedendo al desiderio che mi martoriava da quando lo avevo rivisto in classe, poco prima. Fu improvviso, e un po' irruente, ma volevo ricordare quel sapore, volevo il suo corpo contro il mio. Lui non si sottrasse, né esitò a baciarmi, e mi abbracciò stringendomi forte.

Mi scostai e lo fissai negli occhi azzurri. «Oddio, mi dispiace...», arrossii facendo un passo indietro. «Non so nemmeno se stai vedendo qualcuno! E io vengo qui e ti sbatto le mie labbra addosso come se fossi una specie di...».

Mi zittì come avevo fatto io poco prima, premendo la sua bocca sulla mia. Poi si fece largo dentro di me con la lingua, che schiuse le mie labbra senza troppo sforzo.

«Non hai una ragazza?», chiesi mugolando, con gli occhi chiusi.

Ridacchiò. «No. E tu, hai un ragazzo?».

Sentivo il suo corpo contro il mio e ritrovai la stessa sensazione familiare che avevo lasciato, quella che avevo fatto rivivere per tutti quegli anni da sola nella mia testa.

«Ehi, Ashlyn!», domandò di nuovo, scuotendomi dai miei sogni.

«Uh? No, no! Nessun ragazzo». Dondolai avanti e indietro sul posto. «Ma puoi dirmelo, sai. Se c'è stato qualcuno nella tua vita. Nella mia, no; nessun appuntamento, come avrei potuto dopo tutto questo? Ma lo so, so che è passato così tanto tempo, e io non ti giudico se sei andato avanti e...».

Le sue dita si posarono sulla mia bocca. «Stai farneticando».

Annuii. «Sono nervosa».

Mi venne più vicino, e i nostri nasi si toccarono. Le sue dita si infilarono nei miei capelli e mi guardò dritto negli occhi. «Non c'è stata nessun'altra donna, Ashlyn. Non poteva esserci nessun altra donna». *Pum. Pum.* I battiti del mio cuore quasi coprivano le sue parole. «Entra».

Quando misi piede nel suo appartamento, sorrisi. Sembrava proprio l'appartamento di Daniel. Nel salotto c'erano molti strumenti musicali, e le librerie lungo le pareti erano stipate di volumi. Feci scorrere lo sguardo sugli scaffali, e le dita sul dorso dei libri, sentendo sotto la pelle le copertine ruvide. Tante opere di Shakespeare. Tanti saggi di storia.

«Ho del tè verde e del *chai*. E un tè in scatola che mi ha regalato la mamma di un alunno a Natale. Quale preferisci?», chiese, avviandosi in cucina.

Non sapevo proprio cosa rispondere. In quell'istante, proprio tra l'*Amleto* e *Molto rumore per nulla*, avevo appena visto un titolo: *Cercasi Giulietta*. Il mio libro. Non una copia, ma due.

«Daniel…», mormorai.

Mi guardò e si avvicinò. «Ash, è bellissimo», disse, incrociando le braccia al petto. «Il protagonista principale a volte fa un po' lo stronzo, ma è tutto perfetto. L'ho adorato». Si schiarì la voce e prese le due copie dalla mensola. «Mi è piaciuto così tanto che ne ho comprate due copie. Nel caso la prima si rovinasse».

Una lacrima mi scivolò lungo il viso e io annuii, avevo capito. «Un raddoppiamento per amore?».

Lui si accostò al mio viso e mi asciugò la lacrima con un bacio. «C'è bisogno di una dedica, che dici?». Andò nel salotto e spostò tutto quello che c'era sul tavolino per terra. Afferrandomi per le braccia, mi guidò sul divano e mi fece sedere. Poi mi mise una penna in mano e si spostò davanti al tavolino, in attesa, come se fosse il mio più grande fan. Cosa che era, in effetti. Posò la prima copia sul tavolo. La aprii e sussultai. «Daniel…».

Nel libro c'era l'anello di fidanzamento che Bentley aveva donato a Gabby. E sul frontespizio c'era già scritto qualcosa: «Vuole sposarmi, signorina Jenning?»; e sotto la sua firma: professor Daniels.

Le lacrime mi scesero sulle guance e sorrisi. «Ehm, ora devi scrivere la risposta e firmare con il tuo nome...», mi incitò lui.
Ovviamente, scrissi di sì. E poi autografai quella copia con il nome che avrei avuto per il resto della mia vita: Signora Daniels.

Epilogo
Daniel

Amarci.

Romeo's Quest

Ashlyn tornò all'università per concludere gli ultimi due anni del suo corso di studi e laurearsi. Giurammo che ci saremmo fatti visita ogni volta possibile, e quando infine rincasò a Edgewood venne a vivere da me. Passammo l'anno successivo a innamorarci sempre di più, e a scoprire cose sempre nuove l'uno dell'altra. Lei continuò a scrivere, migliorando ogni giorno di più, e poi decise di fare domanda per un master, stavolta fortunatamente non troppo lontano da casa. Casa. Questo era quello che eravamo... Eravamo casa.

E quel fatidico giorno, dovete credermi, *non* ero nervoso. Però avevo le mani leggermente sudate e quel dannato papillon non voleva allacciarsi. «Respira, Daniel...», mi dissi. Ma dove diavolo si era cacciato il mio testimone? Non era lui il responsabile dei papillon difettosi? Certo che no. Jace non avrebbe avuto idea di cosa fare. Dopo svariati minuti di vani tentativi, passai ai gemelli.

«Cosa fai?».

Alzai lo sguardo e vidi Henry sulla porta, in elegante smoking e papillon perfettamente dritto. Esitai un istante, le dita mi tremavano leggermente mentre cercavo di far entrare quei maledetti bottoni microscopici nelle asole... Ma non ero nervoso, davvero!

«Questo dannato papillon mi sta facendo diventare pazzo, e Jace è disperso».

«Da' qui», disse, venendomi incontro. Cominciò ad armeggiare e io sospirai. Ora ero estremamente nervoso. Henry mi faceva sempre sentire così. «Prima pensavo a quanto sia unica quella ragazza...».

«Sì, lo è».

Le sue mani si muovevano con abilità, come se per tutta la vita non avessero fatto altro che allacciare papillon. «Se la fai soffrire, ti ucciderò e farò in modo che sembri un incidente».

Scoppiai a ridere, ma tacqui senza troppe domande quando incrociai i suoi occhi duri e seri. Sudavo copiosamente adesso, e lo sentivo stringere il papillon con meno delicatezza. «Henry», tossii.

«Dan».

«Mi stai strozzando».

Mi fece un sorriso subdolo e allentò il nodo. Fece un passo indietro e annuì verso di me prima di tirare fuori una busta e porgermela. «Sii buono con lei, figliolo».

Annuii e presi la lettera. Henry si voltò per uscire dalla stanza, ma io lo chiamai. Quando si voltò, gli sorrisi. «Grazie per l'aiuto».

«Ho solo allacciato un papillon. Niente di che».

Ma entrambi sapevamo che aveva fatto molto più di quello. Quando rimasi solo aprii la lettera: dentro c'erano due fogli. Tirai fuori il primo e riconobbi subito la grafia di Ashlyn.

Professor Daniels,
dove voglio essere tra cinque anni?
La risposta è semplice.
Con lei.

Ps: ho salvato una lettera dalle fiamme.
Per sempre,

Ashlyn

Tirai fuori anche la seconda lettera, e anche quella grafia mi fece sorridere.

A Chi di Competenza,

Salve! Non so se ci siamo mai incontrati, ma poiché oggi è il giorno in cui sposerai la mia sorellina, penso proprio che dovremmo presentarci.

Visto che non potrò leggere il mio discorso da damigella d'onore davanti a tutti, facciamo finta che sia questo: lo consegno a te.

Devi sapere che quando io e Ashlyn avevamo sette anni, lei trovò un ragno nella nostra stanza, e invece di schiacciarlo, volle portarlo fuori così che potesse continuare a vivere la sua simpatica vita da ragno. Più tardi però, non ricordo come, se lo ritrovò su una manica del vestito, e lo uccise per sbaglio.

Pianse per tre giorni ininterrottamente.

Quando avevamo quindici anni, Ash uscì con un imbecille totale, e quando lui la mollò, pianse per quattro giorni ininterrottamente.

Quando venne a sapere che ero malata, persi il conto dei giorni che passò a piangere senza smettere nemmeno per un minuto.

Chiunque tu sia, sappi che mia sorella ha il cuore più grande del mondo, ma io so già che hai potuto vederlo con i tuoi occhi.

Serve un uomo forte, per amare mia sorella. E tu lo sei.

Così, ecco per te qualche dritta che solo un sorella gemella può darti:

Quando piange, leggile Shakespeare.

Cammina sotto la pioggia e salta nelle pozzanghere con lei, apprezzerà.

Non farci caso se "in quei giorni" ti dà dello stronzo, può diventare intrattabile, ma le passa subito.

Comprale dei fiori semplicemente perché è martedì.

Aiutala a superare le sue paure, spingila a fare le cose che più la spaventano.

Non essere troppo zerbino con lei (non ci sono mai piaciuti!).

Ma non fare nemmeno troppo lo stronzo (odiamo anche loro).

Quando sei arrabbiato, sorridile.

Prendila tra le braccia e balla insieme a lei, a un certo punto della giornata.

Baciala senza un perché.

Stalle accanto.

Grazie per amare la mia migliore amica, fratello.

Tanti auguri

La tua nuova sorellina, Gabby

Fissai quelle parole ancora un po', mentre le lacrime mi scorrevano sul viso. La porta della stanza si aprì e Jace fece capolino. Mi asciugai gli occhi e mi voltai verso di lui.

«Sei pronto, Danny? Il fotografo vuole fare qualche scatto al testimone prima della cerimonia», mi spiegò con un sorriso.

Mi avvicinai e gli posai le mani sulle spalle. «Sono pronto».

Ridacchiò. «Uhm, sai anche allacciare un papillon?».

Alzai gli occhi al cielo. «Ma ovvio. Perché, tu no?».

* * *

Ashlyn

«Quant'è vero Iddio, se ti muovi ti do un calcio nel sedere. Non. Respirare», mormorò Hailey alle mie spalle, mentre io ero in piedi con le mani sui fianchi. Rimasi immobile il più possibile, guardando fuori dalla finestra lo splendido paesaggio. I raggi del sole, di un pallido oro, si posavano sulle colline.

Hailey strinse il nastro del corpetto, mozzandomi il fiato per un istante.

«Okay, al tre espira. Uno, due... tre!».

Buttai fuori l'aria, piegandomi quanto l'abito me lo permetteva. Un pettirosso volò dietro la finestra e io lo seguii con le dita, guardandolo mentre volava sempre più in alto verso le nuvole trasparenti di quella giornata. Il cielo era quasi completamente azzurro, ovunque spaziasse lo sguardo.

Voltandomi verso Hailey e la mamma, notai la tensione sui loro volti.

«Sono grassa!», piagnucolai, accarezzando con le mani il pizzo del vestito.

Gli occhi di mia madre si riempirono di lacrime e mi venne vicino, mettendo le sue mani nelle mie. «Sei la sposa più bella del mondo, Ashlyn».

Non ero convinta. «È un buon giorno per sposarsi, vero?».

Hailey batté le mani e versò dello champagne. «No. È un giorno perfetto, direi!».

Qualcuno bussò alla porta. «Avanti», risposi, spostandomi una ciocca dal viso. «A meno che tu non sia Daniel! Se è così rimani fuori!».

La maniglia della porta si abbassò e Jace e Bentley, in eleganti completi da cerimonia, entrarono con due scatole tra le mani, e mi guardarono pieni di stupore.

«Ashlyn, sei...», sorrise Bentley.

«Perfetta», concluse Jace, gli occhi azzurri più brillanti che mai quel giorno. «Oh, perdonami. Ce ne andiamo così ti lasciamo finire di prepararti. Abbiamo portato solo qualcosa per te».

Bentley si avvicinò e aprì la prima scatola. «La sposa deve indossare qualcosa di vecchio e qualcosa di nuovo, giusto? Ecco il plettro preferito di Gabby montato su una collana di brillanti».

Hailey mi sollevò i capelli, e Bentley mi allacciò la collana intorno al collo. Lo ringraziai con un bacio sulla guancia.

Jace fece un passo avanti con la scatola più piccola. «E poi, serve qualcosa di prestato e qualcosa di blu». La scatola si aprì e rimasi senza parole. «Ecco, questi erano gli orecchini preferiti di nostra madre. Sono pietre blu. Non devi indossarli per forza, se non ti piacciono...».

Le sue preoccupazioni erano inutili, perché senza pensarci

due volte mi tolsi le perle che avevo alle orecchie e indossai quei bellissimi orecchini.

Jace mi strinse forte. «Quant'è fortunato quel bastardo?»

«È nervoso?», chiesi.

Jace non mi rispose, ma infilò una mano nella tasca posteriore dei pantaloni e mi porse una busta chiusa. «Mi ha detto di darti questa».

Sfiorai la carta sorridendo, sapendo che era la lettera che aveva scritto anni prima, quella in cui diceva dove si immaginava dopo cinque anni da quell'ultima notte insieme sul molo. Io avevo già chiesto a Henry di consegnargli la mia.

Mia madre ci sorrise. «Che ne dite, lasciamo a questa quasi sposa altri cinque minuti per finire di prepararsi?». Tutti annuirono e lasciarono la stanza.

Mi sedetti su una sedia e aprii la busta.

Tesoro mio,

mi hai chiesto dove mi vedo tra cinque anni, e l'unica risposta che riesco a darti è: con te. Saremo così profondamente innamorati che il mondo intero ci invidierà. Saremo così assurdamente felici che dalle nostre risate nasceranno fiori. Tra cinque anni tu sarai mia, e io sarò tuo.

Se le cose vanno come il mio cuore spera che vadano, sarai mia moglie. Non so se avremo dei figli a quel punto, ma ci saranno sicuramente dei bambini nel nostro futuro. Mi sveglierò ogni mattino con il tuo dolce sorriso e i tuoi occhi di smeraldo nei miei. Mi addormenterò sotto il tuo tocco, il tuo calore. E nel giorno in cui diremo "Lo voglio", saprai quanto amore provo per te. Da questo giorno in avanti, l'unica cosa che voglio è amarti.

Per sempre tuo,

Professor Daniels

Man mano che leggevo, quelle parole mettevano radici nella mia anima: Daniel Daniels adesso era parte di me. Ma a dirla tutta, ero convinta che fosse lì prima ancora che nascessi.

Dopo qualche minuto, mia madre rientrò, seguita da Henry. Una melodia dolce e romantica iniziò a riempire l'aria, le porte della chiesa si aprirono lentamente e mio padre infilò il braccio sotto il mio. Tutte le persone della mia vita, sedute sulle panche di legno in attesa del mio arrivo, si alzarono in piedi, lo sguardo su di me. Ma io non riuscivo a distinguere volti né nomi, perché i miei occhi erano rapiti dall'uomo stupendo che mi aspettava alla fine della navata, che mi guardava con il sorriso più dolce di tutto l'universo, e che aspettava solo me.

Per la prima volta nella mia vita, sapevo che – non importavano gli ostacoli che avremmo incontrato, né i cambiamenti che sarebbero avvenuti – ce l'avremmo fatta. Perché lui era il mio paradiso personale, e io il suo.

Per sempre.

Ringraziamenti

Sono tanti gli scrittori, i blogger e i lettori che mi hanno aiutato durante la stesura di questo romanzo. Dalle letture, alla condivisione, al semplice “like” sotto un post, sono onorata che abbiate fatto parte di quel gruppo di persone che mi hanno sostenuto, e tutte le parole del mondo non possono esprimere la mia gratitudine.

Il mondo degli scrittori e quello che gira intorno alla pubblicazione di un libro è eccitante e spaventoso al tempo stesso. Se non fosse stato per il mio gruppo di supporto di scrittori, non credo davvero sarei stata in grado di andare avanti con il mio progetto! Grazie per tutte le risate, le dritte, i consigli e il divertimento. Per me siete tutti, nessuno escluso, importantissimi.

Alle mie ragazze. Mi siete state così d'aiuto! Vi voglio bene, e sono fortunata ad avervi nella mia vita. Il vostro talento mi ispira e il vostro supporto è autentico.

Al mio eccezionale gruppo PR del Read and Tell Promotions, ai lettori che mi hanno fatto da cavia, e alla fata turchina Tami, maga della formattazione: grazie! Se non fosse stato per tutti voi, il mio libro non avrebbe visto la luce. Davvero, siete pienamente parte di questa storia e io vi ringrazio per il tempo che le avete dedicato.

Ai miei amici: grazie per volermi ancora bene nonostante sia sparita per mesi. Spero sappiate che la vostra amicizia per me è fondamentale!

Non ho nessun dubbio, inoltre: ho la famiglia migliore di sempre. Che mi ha ricordato quanto fossi forte nei momenti più difficili, che mi ha fatto ridere quando ero sull'orlo delle lacrime. Sono davvero fortunata.

A Kristen, grazie per avermi detto di continuare a scrivere e di credere in questa storia quando l'avevo messa da parte. Sei una delle mie migliori amiche e sono così felice di averti incontrata lungo il cammino di questo pazzo viaggio!

Ultimo ma non meno importante: grazie a Mickey. Non solo sei l'editor più meraviglioso che ci sia, ma hai anche un cuore d'oro. Hai speso tutte le tue energie per essere sicuro di dare il meglio al mio libro. Grazie, non solo per aver utilizzato tutta la tua professionalità, ma anche per essere stato profondamente umano. Sei il migliore!

Indice

Gli Insuperabili Gold

Anna Premoli, *Tutti i difetti che amo di te*
Marcello Simoni, *L'abbazia dei cento peccati*
Mary Kubica, *Una brava ragazza*
Daniela Volonté, *Buonanotte amore mio*
Andy Weir, *L'uomo di Marte*
Francesco Caringella, *Non sono un assassino*
Kirsty Moseley, *Il ragazzo che entrò dalla finestra e si infilò nel mio letto*
David Gibbins, *Codice Pyramid*
Karen Swan, *Un diamante da Tiffany*
Sylvia Kant, *Prova ad amarmi*
Argeta Brozi, *Tentazioni*
Salvo Toscano, *Insoliti sospetti*
Cecile Bertod, *Non mi piaci ma ti amo*
Jay Crownover, *Oltre le regole*
Fabiola D'Amico, *Un giorno da favola*
Viviana Leo, *Sei solo mio*
Molly McAdams, *Ti lascio ma restiamo amici*
Anna Premoli, *Un giorno perfetto per innamorarsi*
A.G. Riddle, *Atlantis Genesi*
Fabrizio Santi, *Il quadro maledetto*
Jane Shemilt, *Una famiglia quasi perfetta*
Harry Sidebottom, *Il trono di Cesare*
Sara Tessa, *Se fossi qui con me questa sera*
Lucie Whitehouse, *Dimmi il tuo segreto*
Robin C., *Tra di noi nessun segreto*
Ian Caldwell, *Il quinto Vangelo*
Gilly MacMillan, *9 giorni*
Patrisha Mar, *La mia eccezione sei tu*
Ali McNamara, *Colazione a Notting Hill*
Kirsty Moseley, *Mi sono innamorata del mio migliore amico*
Anna Premoli, *L'amore non è mai una cosa semplice*
Barbara Sessini, *Un posto tranquillo per un delitto*
Marcello Simoni, *L'abbazia dei cento delitti*

Ayşe Kulin, *L'ultimo treno per Istanbul*
Karen Swan, *Quell'estate da Tiffany*
Simon Scarrow, *La spada e la scimitarra*
Angela Marsons, *Urla nel silenzio*
Lucrezia Scali, *Te lo dico sottovoce*
Claire Ashby, *La libreria dei desideri*
Anna Premoli, *L'importanza di chiamarti amore*
Marcello Simoni, *La cattedrale dei morti*
Dinah Jefferies, *Il profumo delle foglie di tè*
Mikaela Bley, *Segreto di famiglia*
Julia Heaberlin, *Gli occhi neri di Susan*
Alex Connor, *Cospirazione Caravaggio*
Sylvia Kant, *Prova ad amarmi ancora*
Simon Scarrow, *Sotto un unico impero*
Fabio Delizzos, *Il libro segreto del Graal*
Marcello Simoni, *L'abbazia dei cento inganni*
Angela Marsons, *Il gioco del male*
Lucrezia Scali, *La distanza tra me e te*
Anna Premoli, *È solo una storia d'amore*
Fabrizio Santi, *Il settimo manoscritto*
Cinzia Giorgio, *La collezionista di libri proibiti*
Samantha Towle, *The Bad Boy*
Ali McNamara, *Il piccolo negozio di fiori in riva al mare*
Brittainy C. Cherry, *L'amore arriva sempre al momento sbagliato*
Simon Scarrow, *Per la gloria dell'impero*
Jane Shemilt, *Un delitto quasi perfetto*
Cecile Bertod, *Ti amo ma non posso*
Michael White, *Il segreto dei Medici*
Livia Ottomani, *Il condominio degli amori segreti*
Miranda Dickinson, *La piccola libreria di New York*
Ali Novak, *Uno splendido errore*
Elle Kennedy, *Il contratto*
Jenny Blackhurt, *Era una famiglia tranquilla*
M.R. Carey, *La ragazza che sapeva troppo*
Martin Rua, *La profezia del libro perduto*
Gilly MacMillan, *La ragazza perfetta*
Andy Weir, *Sopravvissuto. The Martian*

Brittainy C. Cherry

Ti amo per caso

Volume rilegato di 320 pagine, euro 9,90

Hai presente quello spazio che c'è tra un incubo e un bellissimo sogno? Quando il domani non arriva mai e il passato non fa più male? Sì, proprio dove il mio cuore batte allo stesso identico ritmo del tuo, il tempo non esiste ed è facile respirare? È lì che voglio vivere con te». Mi avevano messa in guardia su Tristan Cole. «Stai lontana da lui», mi diceva la gente. «È crudele». «È freddo». È semplice giudicare un uomo dal suo passato. Troppo facile guardare Tristan e vedere un mostro. Ma io non potevo farlo. Ho riconosciuto il male che si portava dentro, perché era simile a quello che viveva in me. Eravamo due persone svuotate. Entrambi alla ricerca di qualcosa di diverso. E insieme abbiamo deciso di provare a riunire i frammenti del nostro passato. Poi, forse, avremmo potuto finalmente ricordarci di respirare…

NEWTON COMPTON EDITORI